霍桑探案 ————

 程小青作品

霍桑探案

程小青 著
DETECTIVE
HUO SANG

紫信笺

7

海南出版社
·海口·

图书在版编目（CIP）数据

霍桑探案. 7, 紫信笺 / 程小青著. -- 海口：海南
出版社，2025. 1. -- ISBN 978-7-5730-2068-0

Ⅰ. I247. 7

中国国家版本馆 CIP 数据核字第 20247X8Y33 号

霍桑探案 7 　紫信笺
HUO SANG TAN'AN 7　ZI XINJIAN

作　　者：程小青
策 划 人：彭明哲
责任编辑：高婷婷
插　　画：杨冬梅
封面设计：张　军
责任印制：郗亚喃
印刷装订：河北盛世彩捷印刷有限公司
读者服务：张西贝佳
出版发行：海南出版社
总社地址：海口市金盘开发区建设三横路 2 号
邮　　编：570216
北京地址：北京市朝阳区黄厂路 3 号院 7 号楼 101 室
电　　话：0898–66812392　010–87336670
电子邮箱：hnbook@263.net
经　　销：全国新华书店
版　　次：2025 年 1 月第 1 版
印　　次：2025 年 1 月第 1 次印刷
开　　本：880 mm×1 230 mm　1/32
印　　张：10.25
字　　数：231 千字
书　　号：ISBN 978-7-5730-2068-0
定　　价：46.00 元

·目录·

酒后

鹦鹉声

紫 信 笺

深夜的来客

"那时候是在半夜过后，十二点钟已经敲过了好一会儿。昨天上半天下了一阵疏疏的秋雨，午后两三点钟虽住了雨点，天色仍是阴沉沉的。到了晚饭后八点钟光景，忽又下起大雨来，足足注泻了三个多钟头。虽然不能用'倾盆'的字样形容那雨势，但屋檐下的水溜奔流不绝，屋后的两只大缸都已储满了水，便可见雨势的一斑。但到了十一点过后，呼呼的风转了方向，雨脚便渐渐地收束。

"我因着要赶制模范教养院的两张图样，不能不漏夜工作。当我工作的时候，最怕人家的打扰和一切声响的聒耳。我在今年春天所以离了我镇中叔父的老家，在这地方建造这一所小小的屋子，就为着要避嚣取静。但昨夜里嘶嘶的雨声和叮咚的檐马，已扰得我心神不宁；后来风声代替了雨声，吹得全屋子的玻璃窗都轧轧地乱响起来。屋子后面原有几棵老松，因着风力的压迫，发出一阵阵抵抗的吼声；另有一种鬼啸似的声响，也夹杂在松涛声中，越发刺激我的神经。我的屋子的西面，为着要掩蔽阳光，种了几行竹竿，这时竟也萧萧瑟瑟地发出断续的哀鸣。我实在厌烦极了，好几回想掷笔而起，可是因着交卷期限的迫促，不能不强制着继续工作。

"风的威权虽然不能直接伸展到我的屋子里来，但我的书室中却已弥漫了阴寒的秋意。我把这件哔叽的短褂，扣紧了纽子，吸着一支纸烟，借此解除些寒威。我正重新提起笔来，绘着那张教养院的底层平面图，忽而仿佛有门铃响动的声音，不禁使我停笔倾听；但仔细听时，却又并无铃声。我一边继续画图，一边想：'这样的深夜，赛马场里的干事朱先生，不见得再会赶来闲谈吧？就是新村中的那两位先生，也不至再来扰人吧？'

"离我这住屋半里路光景，就是那新村的基地。上月里，那所筹备员的住屋落成以后，就有一个姓邵和一个姓费的筹备员亲自来规划。他们每到晚上，时常到我这里来商量工程和计划材料。那新村的图样，我本来也曾参加过一部分设计，所以他们来和我讨论，我原是义不容辞的。不过在我工作的当儿，他们来从中打扰，委实有些讨厌。所以那时候我静听了一会儿，并无门铃声音，自己正自安慰；不料第二次的门铃又响了。

"这时候外面的风声恰巧稍稍休歇，铃声便分外清晰。

"我不禁抱怨地说：'唉，果真是门铃响！德兴，快下楼来开门。'

"老实说，我既然憎恶这两个人，实在不愿意搁了笔走出去开门让他们进来。可是那睡在阁楼上的仆人德兴却还没有下楼。

"我又提高了喉咙，喊道'德兴，德兴，快起来！外面有客呢！'

"那时我的绘图工作仍没有停顿，耳朵中却在留意听德兴慢慢地走下楼来，又听得他走到外面去拔铁闩开门的声音。接着，突然有一种惊呼声音：

"'哎哟！怎么倒了！'那呼声似乎是德兴喊出来的。我不

由得震了一震。为什么呀？我正自疑惑，又听得德兴继续地呼叫：'先生，快出来！快些！——快！——'

"我不能不惊诧了，丢了笔立起身来。我走出了书室，穿过客室，又开门走进那通前门的甬道。我刚跨出了客室的门，便觉得一阵冷风直扑我的脸上，不禁打了几个寒噤。

"前门已开了一扇。那一阵阵挟着雨丝的尖风，直向着门口里乱刺，德兴靠在门旁发抖。甬道中本来有一盏光力较弱的电灯。我借着灯光，走近些一瞧，我浑身的毛发也不期然而然地竖了起来！

"门槛上横着一个人——上半身在门口里面，下半身仍搁在门外的阶石上。那人正覆面向下，一时瞧不出是谁，但瞧见他穿的是一件淡色的夹袍和一件深色的马褂，头上的一顶黑色呢帽，却已落在门口里面的地板上面。

"我忙问德兴道：'他是谁？喝醉了？快扶他起来！'

"德兴听了我的命令，不但没有遵从的表示，却反而向门里面退缩了几步，他的牙齿也在捉对打架。

"他断续地说：'我……我怕他不……不像醉啊！我……我怕得很！……先生，你……你自己……'

"我不再发话，走上两步，扶着那人的两腋，想要提他起来，一边还向他招呼：'朋友，起来！你是谁？'

"唉，霍先生，我不能再说下去了！因为我的两只手把他的身子提了一提，我便知道这个人已不像是和我们呼吸着同样的空气了！那身体不但沉重，而且僵硬，足够使人产生一种不可名状的恐怖。可是我自信我的神经还不算太弱。我既提他不起，便鼓足全力，使他的身体略略离地，乘势一翻，便把他翻了一个面。灯光照在一个灰白的脸上，我才认识他就是

傅祥麟。

"他的眼睛紧闭着，两片失血的嘴唇却张得很大，露出两行惨白可怕的牙齿。那种可怕的情形，我此刻实在不忍回想！他的左胸口上，还突出一种黑色的东西。我仔细一瞧，才知是一把刀柄。那刀锋分明已深深地陷入他的胸膛中！"

读者们读了上面一节的表白，不是要觉得有些突兀吗？请原谅，现在让我把这事的来由申说几句。

九月二十三日星期日那天的早晨，我正在霍桑寓里闲谈。淞沪警局的侦探长姚国英，忽赶来向霍桑求助。姚国英的年龄已过四十，在上海警界里的资格很老。他和霍桑的交谊，也有好几年历史。他的瘦长的身材，谦和的态度，和整齐的衣冠，都使他显得和一般警探们不同。他在职务上也很勇于任事。可惜他所受教育不够，学识差些，侦探们所必需的观察和推理的能力也比较缺乏，所以有时在探案上不免误入歧途——这是他的缺点。

这天早晨他带着一件惊奇的疑案，来请霍桑一同往江湾去察勘。

他说："这是一件难得听见的奇怪案子！办起来一定很棘手。一个人胸膛中插了一把刀，半夜里去按人家的门铃，开门后就躺倒不动。想想看！奇怪不奇怪？"

我的好奇本能立即激动起来。霍桑也并不例外。

他说："真是太奇怪！详情怎么样？"

姚国英说："江湾有一个建筑工程师许志公，就是我们淞沪市政厅的工程师许志新的弟弟。许志公在昨天夜里遇到了一件奇事。半夜里有人去他家按铃叫门，等到他开门出去，那来客就死在他的门口，胸口还插着一把刀。这死的人叫作傅祥麟，就是我们局长的外甥。今天清早江湾的警区里，派了专差来报告这件案子。我觉得这担子的重量不轻，你老人家如果有兴，最好和我一块儿往江湾去走一趟。因为这案子既有我直属上司的关系，当然不能怠慢；而且案中人和被杀人都是社会上有地位的人物；死状又这样子离奇，势必要引起一般人的注意。我自问自己的力量委实不够——"

霍桑忽高兴地插嘴说："国英兄，别说什么客套话。这案子的本身，已引起了我的兴味，就是你不叫我去，我也要跟你去开开眼界。更凑巧的，我们这位包朗先生今天也是星期休假，闲着没事。我想他一定也不会扫我们的兴。"

姚国英忙点头道："正是巧极。包先生若肯同去，那更是求之不得。"

我笑着应道："你们既然都这样客气，那我也不能不说一句愿意'附骥'了。"

这天上午十点钟时，我们已到达江湾。我们先到江湾警局里去接洽一下。区长胡秋帆，本也是我们的旧识，那时候不在区里。但那区里的巡官陆樵笙，本是杭州警厅里的一个侦探，调到江湾来不久，我们还没有见过面。这人是一个大胖子，面颊上堆着两块紫红色的厚肉，穿一件宽博的黑缎马甲，黑绸夹袍的袖子卷起了一半，露着里面雪白的衬衣；头上戴的瓜皮帽，位置也不大端正。他身上有两个特征——一个凸出的肚子和一双乌溜溜的眼珠。他说话时眼珠常转动不定，似乎故意要表示他的机敏。他还有一种演剧式的习惯，说话的时候，不时翘起他的右手的大拇指，并且忽上忽下地挥动作势。这种种都足以表示他是一个道地吃过侦探饭的人物。

他也久闻霍桑的名字，见面时自然有一番敷衍。霍桑照例也应酬了几句。但在我们从警区前往发案处的途中，他向姚国英陈说案情的时候，霍桑只用旁观的态度留心倾听，绝不参加什么意见。

陆樵笙说："这案子第一个疑问，就是那傅祥麟究竟是自杀，还是被杀？要是自杀，为什么要死在许志公的门口？并且他按门铃的举动，在他自己下刀以前呢，或是在下刀以后呢？这些疑问都没有相当的证明。若说被杀——"

姚国英忽阻止他道："樵笙兄，你有这样的见解，足见你对于你的职务非常勤奋。不过你有什么意见，不妨等一会儿发表，此刻似乎还嫌早些。"

我觉得这陆樵笙委实太要表功，这几句没趣话，他是自己讨来吃的。

许志公的寓所是一宅两层楼的西式屋子，位置在汽车路的旁边，到江湾镇的镇口，只有两三分钟的路。屋子完全是由青水砖砌成的，窗门都漆着白色，上面盖着本国瓦的屋顶，虽是新构，但颜色古雅，并无丝毫烟火气。屋的面积不大，四五间房光景，但式样玲珑，成一种斜梭形，很觉美观。屋子四周都是草地，前面的一片草地，种些花卉，约有半亩宽广；中间夹着一条碎石路，直接屋子前门的三级石阶。草地外有一行网眼形的篱笆围着。屋后还种着竹树。篱笆门外不到五十码地步，就是那煤屑铺的汽车路了。

我们踏着缓慢的步子，通过篱笆门，从那草地中间的一条碎石小径上经过。霍桑的目光一路向上下左右瞧察。我们走到了屋前，就跨上石阶，一进屋子，首先看见的，就是那傅祥麟的尸体，和一个守在旁边的警士。

那尸体仍横在门口里面的地板上。死者的年龄在二十五六，下颏带尖形，颊肉惨白而瘦损，灰暗的嘴唇却相当厚。他的膏泽的头发虽已散乱，但修剪得非常齐整。他身上穿一件玄色直贡呢的马褂，灿黄的纽子是九成金的。他的夹袍是一种青灰而带紫色闪光的外国绸，脚上穿一双深口的新式外国缎鞋，外面套着橡皮套鞋，一双糙米色的丝袜是高价的舶来品。从装束上测度，他很像是一个在消费和享用上有专长的所谓"少爷"。那把凶刀还插在他的胸口，刀柄上有一块黑布裹着，故而马褂上并无血迹。

霍桑和姚国英俯着身子勘察了好一会儿，姚国英便向陆樵笙问话：

"这死尸的状态，你初见时就是这样的？"

陆樵笙摇头说："不是，我在今晨一点多钟第一次来时，这尸体恰巧横在门口。我因着这样子阻碍出入，故而亲自动手把他拖进来的。"

姚国英皱着眉头，冷冷地答道："出进总有后门可以代用。你怎么擅自移动尸体？"

从地位上说，姚国英是总局的探长，当然是陆樵笙的上级官。但我默察陆樵笙嘴上虽然认错，他的神气却并没有屈服的表示。

他答道："现在我觉得委实有些鲁莽。不过这死尸的原来状态，我已画成一个图形；还有尸身上发现的东西，我也都已记载明白。"

姚国英微微点了点头，就回过头来和许志公招呼。许志公早已从里面出来，赶过来和我们招呼。他的年纪大概还不到三十，身材瘦长，穿一身淡灰色阔柳条哔叽的西装，足上一双黄色尖形的皮鞋是崭新的。他的脸形带些长方，一双深棕色的眼睛，两条浓黑的眉毛，接着一个高而直的鼻子，足当得挺秀的考语。不过这时候他的脸上灰白失血，眼眶上现些黑圈，显见他自从受了这惊变以后，一直还没有合眼睡过。

我们在一间精致雅洁的客室中坐定以后，姚国英就问他上夜里发案的情由。他就把经历的始末从头至尾地说了一遍。我觉得他所说的一席话情景非常逼真，所以改变了我记述的惯例，先把它记在本篇的开端。这一种记叙层次上的变更，似乎是执笔人的特权，读者们大概也可以容许吧。

已往的事实

我们听了许志公所说的故事，室中静了一静。我靠着沙发，用冷观的眼光，观察这客室的景状。客室的面积约有十四尺见方，布置是西式的，家具都是廉价的洋松。壁上的字画中西具备，但中式的居多，也没有名家手笔。这里固然说不上富丽，但雅洁舒适可算兼而有之。我又转换对象，默察客室中各人的状态。霍桑把右手叉着他的下颌，肘骨抵住在椅子圈上，脸上毫无表情，两只眼睛凝视在地板上面，似乎他正在把许志公的说话细细咀嚼。姚国英却把他手中的纸烟，凑着他座旁的一只痰盂，缓缓地用指弹去烟上的灰烬，也默默地不发一言。独有那本区巡官陆樵笙现出一种不安于座的样子，他的两只手忽而握着椅圈，忽而互相搓着，好几次想要发话，但先前姚国英给他的教训，似乎还没有完全失效，他又不敢随便乱说。

许志公的确是一个英敏干练的少年，但瞧他叙述的一番经历，层次的清晰，措辞的文雅，已足见他有相当的修养。他说完了这一番话，他的一双带暗影的眼睛向我们四个人的脸上瞧来瞧去，仿佛要寻求我们的同情。可是我们都静悄悄的没有一个人接口。他又把头低了下去，显然有些失望，又像不知如何才好。

一会儿，姚国英才开口答话："许先生，你昨夜的经历委实是很离奇恐怖的。但我知道你和死者是本来相识的。可不是？"

这句话似乎提醒了许志公。他抬起头来，郑重地点了点头。

他答道："正是，姚先生。我本来要把我和他的关系说出来了。我和傅祥麟，不但相识，还是朋友；并且不只是寻常的朋友，有很深的关系。说得明白些，我们起先是同学，后来是朋友，末后又变作了情敌！"

我的耳官一接受那"情敌"的名词，好奇心又紧张了几分。这里面不会有某种香艳曲折的罗曼史吗？霍桑的身子也坐直了，他的手不再叉着他的下颔，他睁着眼睛瞧那少年，不过仍旧不发表什么。姚国英正要把纸烟送到嘴里去呼吸，这几句坦白的表示，使他立即停住了那只送烟的手。

姚探长作惊奇声道："喔！原来如此。那么你和死者的关系究竟怎么样，请你说得更详细些。"

许志公定了定神，才说："是的，我应当说得明白些。我和他从小是同镇的，在小学里的时候，他和我同班。接着我们同往上海，升入了中学，虽不同校，但彼此的往还仍旧是很密切的。在大学时，他在南京，我在上海，关系比较疏些。后来他往日本去习法政，我却不再求学，就在上海谋生。

"他回国以后，在家闲居。他常到上海去住上一月半月，我也不时回来，所以我也常和他会晤。在这时期，我们同爱着一个女子，便从朋友变成了情敌。但情场上的斗争，我到底失败了。他既赢得那女子的爱，现在已经正式订婚了。"

那少年略略停顿，微微叹一口气。大家都不打岔，忍耐地等他继续。

志公又说："现在我和他的感情是相当恶劣了，路上偶然相见，各不招呼。老实说一句，我是失败的人，因着他的幸胜，对于他当然没有好感。但假使他的器量宽大些，见面时不用那一副虚骄的嘴脸对我，我自然也不会始终不理睬他。但他是很偏狭的，神气上实在太使人难堪。我自知也不肯低首下人，所以我们的友谊到底没有恢复。现在凭空里出了这一回事，我的处境真是十二分尴尬！一个情场角胜的奏凯人，忽而死在一个失败者的门前！诸位先生，请想一想，我的地位怎样？我的感想又怎样？"最后的结束又是一声感喟。

霍桑忽点了点头，表示同情的样子。他第一次开口。

他说："许先生，你眼前的地位，受着当然的嫌疑，确实是很困难的。但那个和死者订婚的女子是谁？"

许志公顿了一顿，才道："伊也是本镇人。不过……不过……"他踟躇了一下，瞧着霍桑问道："霍先生，伊的姓名，能不能不牵涉进去？"

霍桑答道："我想在这种情势之下，伊的牵涉是难免的。但若有必要，我们在发表时也可以保守秘密。"

姚国英也附和说："这女子无论有没有关系，我们总须查明。你应得说明白才是。"

许志公点点头："伊叫汪玉芙，是我的较远的表妹。伊的哥哥汪镇武，是和祥麟一起在日本留学的。镇武学的是陆军，此刻在北伐军里任某种军职。伊的父亲生前本是本镇上一个有名的绅士，但现在家况方面似乎已有些中落。"

霍桑说："你和汪玉芙既属表亲，当然是从小相识的。那么你和伊的交谊大概已很长久。"

许志公答道："不错，我们当真是从小往还的；就是祥麟也是早就认识伊的。不过伊从师范里毕业以后，到南翔镇去教过两三年书，彼此曾隔离过好久。所以我们交情的密切时期，还只有在这最近的一年多中。"

霍桑又说："论情，你和玉芙是亲戚，从戚谊达到恋爱的路径，似乎要比祥麟近便些，但结果你反而失败。这失败的原因是哪一点？"

许志公向霍桑瞟了一眼，低下头去，用牙齿咬着嘴唇，现出一种难于回答的神气。

他皱着眉头答道："霍先生，我想你的社会经验是很丰富的。你总知道恋爱是一种神秘的东西，绝不能用什么固定的方式来测量；尤其在这物质气焰高涨的时代，更不能以常情而论。所以我的失败，也不能用逻辑的方法来论断。我现在也不愿对玉芙有什么不满的表示。总而言之，我的失败的原因，有一部分是受了社会的压迫。"

许志公所说的"社会压迫"，大概是指他的经济地位说的。那死者很像是一个闲居安享的纨绔子，许志公却是一个自食其力的职业者。安享和尊荣，原是一般缺乏教育的女子们所羡慕的；在这以物质为重心的社会，虚荣的吸引力更大。所以恋爱的乐园中，假使不幸地被那虚荣的恶魔闯了进去，那么搏战的结果，恋爱之神往往会被驱逐出乐园以外。这个汪玉芙谅来也逃不出这恶魔的掌握，因此，许志公便终于铩羽落选了。

霍桑又问道："祥麟和玉芙几时订婚的？"

许志公说："八月二十一日。今天是九月二十三日，已经一个多月了。"

霍桑说："他们的订婚，在你当然是最失意的一回事。你可曾有过什么表示？"

许志公突然仰起了头，张大了两目，又紧咬着嘴唇，兀自向霍桑呆视。

一会儿，他才婉声反问："霍先生，你这句话是指什么说的？"

霍桑答道："譬如你或者曾斥责玉芙的薄情，或者曾和傅祥麟有过什么争斗——"

许志公连连摇头，插口说："没有，没有。我自问尚有人格，决不致如此。玉芙虽丢弃了我，我仍旧很谅解伊。我对祥麟的感情固然十分恶劣，曾因此和他口角过几句，不过武力斗殴，还不致有这种举动。"

当霍桑问话的时候，陆巡官早已显露十二分不耐的神色。他的两手忽而摸着他的凸出的肚子，忽而除下了那顶瓜皮帽子，搔着头皮，似乎急于要找一个发话的机会。这时候他再耐不住了。

他突然插口说："霍先生，你对于他们的恋爱问题，怎么问得这样子详细？这件案子可就是从恋爱上发生出来的？"

霍桑回过头来，向他微微地笑了一笑。

他答道："陆先生，你的感觉委实敏锐得厉害。我还没有发表什么，你就能猜到我的心思。"

陆樵笙也能感觉到霍桑这几句赞扬含着尖刺，他的脸上泛出一阵深紫，两只肥手不再挥动，却在膝头上抚摩，似乎没有安放之处。若不是许志公从中解围，我不知道他怎样下场。

许志公继续说："现在你们总已明白我的地位。刚才祥麟的婶母吵着要来搬尸，因着尸体还没有经检察官的检验，被警士们阻止了，但伊的说话已使我十分难堪。我和祥麟既有这一番已往的历史，此番他死在我的门口，岂非故意要陷害我？诸位若不能给我侦查明白，申雪我的奇冤，那我势必要领略铁窗的风味了。不过这陷害的动机，我还不知是他自动，还是被动。因为那位守尸的李巡长说过，死者的自杀，被杀，还是疑问。若说是自杀，他既是情战中的胜利者，此刻他已很得意地订了婚，并且不到两月，就可以圆满他们的好梦，何致因着要陷害一个失败的情敌，竟不惜牺牲他的性命和幸福，这在情理上实觉说不过去。因为这种手段，比较那'吃砒霜药老虎'的俗谚，委实还要拙劣些。"

霍桑应道："是啊！自杀的话，不但情理上说不过去，事实上也不符合。"

唔，霍桑的说话已落了边际。我料想他必有某种根据，绝不会凭空而发。姚国英和陆樵笙二人，都呆瞪瞪地瞧着霍桑，分明也都急切地等待他的下文。

许志公问道："霍先生，你这句话分明已经确定祥麟是被杀的了。你有什么根据？"

霍桑缓缓说道："那是很明显的。我瞧那把凶刀刺进得很深，位置在左胸的心房上部，刀锋向上，刀背向下。这都是和一般自杀的情形相反的。此外有一个更重要的证据，那刀柄和刀身的连接处，还裹着一块黑布。这块布有什么作用？据我推想，作用有两种：或是用它止塞血液的外流，或是防指印存留在刀柄上面。若使出于自杀，怎么会有这种不必要的谨慎举动？"

陆樵笙突地立直了身子，举起了右手，他的大拇指终于找到了翘起的机会。

他大声说："对不起，我要说一句话了。霍先生，我真佩服你！你在一瞥之间，居然也已瞧明了死者是被杀的。不错！他当真是被杀的；并且是被杀以后才给人送到这屋子门口来的！"

我觉得陆樵笙所用的"居然"二字，虽非荒谬，也未免有些失态。他简直以牙还牙地对霍桑实施报复了！不过他末后几句话，已引动了霍桑的兴味。霍桑不但并无怒意，嘴角上还带着笑容，似要向他发问的样子。姚国英却先开口：

"樵笙兄，你也早知道是死者被杀的？但你刚才在路上时候怎么还是说些自杀被杀的活络话？"

陆樵笙摇摇头，辩道："姚探长，你误会了。我们担任公事的人，对于侦查命案，第一步自然先得辨明自杀被杀。我刚才只说了两句开端的话，就被你没口子地阻住。我哪里来得及发表我的意见？"

霍桑接嘴道："你的话不错。现在你可以有发表的机会了。我想你此刻一定有可靠的根据报告我们哩！"

陆樵笙得意极了。他的喉咙戒严已经好久，此刻忽奉到了解禁令，便禁不住眉飞色舞起来。他一边伸手到玄绸夹袍的衣袋里去，摸出一本厚厚的日记册来，乘势挥动了一下，一边连连干咳了几声。我不知道这是不是他向来的习惯，或是他因着得意已极，才有这种忘形表示。

一会儿，他的左手拿着日记，并不立即展开，却像变把戏的人，先向观众们交代清楚似的说几句引子。

他说："我现在先说检验时的经历。我当时就有一种感想，这案子实在非常幻秘。因为我从死者身上所搜得的东西，和以外的一切情状看来，都觉得有仔细研究的价值。不过我说话时，最怕人家从中拦阻，这一点要请你们几位特别原谅。"

唔，"丑人多作怪"。如果用这句话奉赠我们这位贵友，大概不会怎样过火。不过他是第一个接受这案子的人，他在这案中的地位确很重要；他的口气又像握着全案的线索，吸引力委实很大。他此刻如此作态，语意中隐隐针对着姚国英。姚国英却忍耐着并不计较。我自然也只得耐着性子，听他发表他的高见。

勘验的经过

陆樵笙在我们急切的期望中开始陈述他的故事。

他说："我得到这凶案消息的时候，已在今晨一点零五分钟。报警的是新村筹备处的侍役陶全福。他说受了这里的委托，特地赶到镇上去报告。我一得这个消息，立刻穿好衣服，带了李巡长和两个弟兄，赶到这里来查验。我们走到门前，便见两扇前门，东边一扇关着，西边一扇开着。那尸体恰正塞满了半个开着的门口——上半身在门的里面，下半身在门外的阶石上。如果是粗心的人，那时候也许就要跨上那空着一半的阶石，去推东边那扇关着的门。但我在这种紧要的关节，决不肯轻举妄动！我先把电筒照了一照，果真得到了一种重要的证迹！"

他说到这句，忽又把右手的大拇指向上空一翘，张大了一双黑眼，向霍桑和姚国英瞧着，显示着"你们领教吗？"的神气。我很想问问他得到了什么样的重要证迹，但他既有约在先，不许人从中阻扰，只有等他自说。不料他竟卖关子似的并不立即说明，忽而移转到别的题目上去。

他又说："那时我取出纸笔，细细地绘了一个图；接着便叫同来的弟兄，帮同把傅祥麟的尸体索性抬进了门口里面。我向这许志公和他的仆人徐德兴问了几句，便着手检验尸体。我先在死者额角上摸了一摸，已冷得像冰一般，又瞧他胸口的那把刀陷得很深，一望便知这一刀刺得十二分厉害；死者中刀以后立刻就丧命的。这凶刀至今保持着原状，我不曾动过，准备等你们来复验。但他衣袋中的东西，我当时都摆出来了。我这里记着账呢。"

他把日记簿翻了开来，朗声念道："钱皮夹一只，钞票二百六十五元，十月一日期的源泰庄三千元期票一张，现洋二元，双角银币六枚。他本人的名片四张，一张名片上写了一行'上海城内九亩地五十号'的通信地点。24K 五号金表一只，爱而近牌子，附连着的一根金链是九成金的，链上的垂饰是两个美国金圆。一支银质的铅笔。一本日记簿，日记簿中，参差地记着许多银钱数目，只写着"王，八十元；张，五十元"等等，却并不写明用途。除此以外，还有两方精致的白丝巾，都是香馥馥的。这几种证物，我都已交给胡区长了。现在我们但瞧他身上的大宗现款和值钱的东西，都丝毫没有缺少，便可以证明他的被杀一定不是出于盗劫。这一点，你们诸位想必都赞同吧？"

姚国英向他斜睨了一眼，答道："正是。你的高见，我们都赞同。现在请恕我插一句话。你说死者是被杀的，又说在被杀后才被人送到这里。那你又明明知道死者被害的地点，并不在这个门口了。这两点的理由，你还没有说明白啊。"

陆樵笙的大套戏法开始出彩了。他站起来走到室中央的一只圆桌面前，把手里的一本日记重新翻了开来，指给我们瞧。我和霍桑姚国英许志公也都离了座位，走到圆桌前去瞧他的戏法。

陆樵笙说:"这就是傅祥麟倒地状的图形。你们若使认为那尸体的形态有严格注意的必要,这纸上记着尺寸,步位,方向等等,写得非常详细,尽可用作参考。这里另有一张纸,是两个足印。我刚才不是说过今晨我走到门口的时候,不曾粗心地就踏到阶石上去吗?你们总已看见这门口有三级阶石。当我用电筒在阶石上照时,发现了一种重要的证迹。那下面一级和中间一级的石阶上,留着两个足印。下面一级的足印,比较模糊些,第二级阶石上的一印,却非常清晰……姚探长,你也许早已听得过,我在浙江的时候,曾经因着一对足印,破获一件疑案。现在我又在尸体的附近发现了两个足印。你想,我怎能不认作重要的证迹?"

霍桑不答,笑容仍留在嘴角。但姚国英似乎因着樵笙的声音笑貌——不,也许连他的每一个汗毛孔——都在放射着夸功自大的气味,不由得现出憎恶厌烦的神色。许志公却在敛神地倾听。

姚探长冷冷地插口道:"不会就是死者自己的足印吧?"

陆樵笙努力摇着他的肥头,笑嘻嘻答道:"不是,不是。死者是穿着橡皮套鞋的,这足印却是皮鞋。若使这一点我还不能分别清楚,那我的常识未免太欠缺哩!"

我暗暗地替姚国英捏了一把冷汗。他刚才那句问句,实在发得太轻松随意,结果反吃了陆樵笙一句奚落。但我瞧姚国英的脸上倒也不见得怎样变异。他但笑了一笑,笑容中似含着些轻视。

霍桑忽解围似的说:"樵笙兄,你不但眼光精敏,就是绘图的艺术也很高明。我瞧这足印非常狭长,足有十一英寸以外，确和死者尺寸不同。料想那人的身子不很矮吧？"

霍桑这一句话，不料又引出这位自信过深的陆巡官的一句没礼貌的答语。

陆樵笙大声说："霍先生，你有这样一个头脑，尽够得上做一个官家侦探了。你的眼光竟处处和我相同！"

霍桑仍静默地倾听，绝对不动声色，不过他的嘴角上的微笑却溜走了。我倒有些愤愤然，替霍桑感到难受。

陆巡官继续说："我早已料定这个假定的凶手，身材一定是很高的。因为我揣度那足印的位置，很像是当他按门铃时留下来的。我曾实地试过，那门铃装在东边的框上，离地很高；若使矮小的人，必须踏上第三级阶石，方才摸按得着。但这个留脚印的人，却只踏上了第二级石阶。那岂不是他身高的明证？"

霍桑对于陆樵笙的态度，起初似乎只保持静默，随便听听，而且从他的微笑上测度，分明很藐视他。这时候他挺一挺腰，忽而变了态度。他的面容很庄肃，眼光中也露着惊异的神气。他伸出右手，在陆樵笙的肩膊上拍了一拍。

他说："陆巡官，你的眼力真不错！我想你就从这足印上断定死者是被杀的吧？现在你索性把移尸的根据说一说。"

唔，这个面目可憎的家伙倒真有几分识见！姚国英抚摸着他的瘦削的下颔，向霍桑瞧着。我因着霍桑的态度改变，我的轻视樵笙的成见，竟也连带受了些影响。不过他的夸张自大的神态和那种演剧式的表情，终觉得使人不够舒服。

陆樵笙答道："那自然。我若没有根据，怎么肯轻易发表意见？我在勘验完毕以后，曾到这屋子的左右去勘察过一回，就在竹篱的门外，又发现第二种重要证迹。你们总已瞧见竹篱和汽车道的距离，约有五十码光景。在距竹篱三十码至四十码之间，有两条汽车轮的痕迹。那里是一片泥地，又在大雨之后，所以汽车轮的痕迹特别清楚。"

霍桑问道："你可曾瞧出那车胎的牌子？"

陆樵笙顿了一顿，他的高度得意的神气，到这里才打了一个折扣。

他皱眉答道："这个我倒没有细看。但你想这也有注意的必要？"

霍桑点点头，缓缓地说："你若使要查明这汽车的下落，这一点似乎不能不加注意。但那也不能怪你。我想你对于汽车的轮胎，一切花纹阔狭，大概没有工夫去研究；即使注意，随便瞧瞧，一定也瞧不出牌子来。我刚才倒瞧见的——那一辆汽车的发动的两个后轮，用的是邓禄普胎。"

陆樵笙呆住了，呆瞪瞪地瞧着霍桑，眼珠辘辘地乱转，似要辨别他所说的是真是假。姚国英的眼睛转动了一下，像在暗暗地点头。我也暗暗诧异。霍桑这句话是虚晃吗？还是他实在瞧见的？

霍桑又淡淡地说："这是不值得诧异的。我刚才走到这外面的竹篱门时，也瞧见那汽车停顿过的痕迹。大部分的轮印虽已被足印踏乱了，但那发动的两轮，却比较前两轮印得深些，因此还留着一部分可以瞧得出来。不过你是瞧见全部印迹的，一定还有很好的结果。请你说下去。"

陆樵笙点点头，似在开始表示他心中的佩服。

他继续道："我觉得那汽车一定在那里停过。因为就在那车旁的泥地上面，还印着好几个脚印，有深有浅，进出都有。那深而进入的足印接到了竹篱门内的碎石途上，方始不见；直到门前的阶石上时，足印义再度发现。从这种种推想起来，分

明有一辆汽车，载着一个死人和一个或多个活人，直到竹篱门
外；那活人揹了死人下车，经过泥地时，他的负担既重，足印
便特别深些；后来那人把尸体负到了门口，就把它靠在门上，
接着按动门铃，惊醒了里面的人；随后他才退出竹篱，又留下
几个较浅的退出足印，乘了汽车逃走。霍先生，这个推想你可
也赞同？"

他说末一句时，眼光也向着霍桑，充分地表示专对他而
发。姚国英默立一旁，因着陆巡官对于他的漠视，产生了严重
的不安。

他冷冷地问道："那么那辆汽车是本镇的？还是从上海来
的？那汽车逃去的方向也很重要，你可曾查明白？"

陆樵笙回头答道："这个还待进行。镇上有汽车的人家只
有三四家，查起来并不困难。若要从车迹上侦查逃走的方向，
这条是长途汽车路，来往的车迹很多，我怕你也不容易确定。"

这两个人的语气，彼此都已带些意气。霍桑也已觉得。他
向我有含意地瞧了一瞧，眼光中仿佛含有一种暗示："这个人
确实不可轻视呢！"

他随即陆樵笙道："你的推想确有考虑的价值。不过那人
为什么要按两次门铃，很觉困人的脑筋。你对于这一点可有什
么见解？"

这问句又不在陆巡官的推想范围，使他难于应付，不由得
低头沉吟。

霍桑又露出些笑容，自动转篷地说："好，现在我们姑且再
向那开门的仆人问几句话。许先生，请你把德兴叫进来。"

许志公应了一声，走出客室里去传唤。霍桑趁这个空当，
也从衣袋中取出一方纸来，向陆樵笙说话。

他说:"这个足印确是一种重要的线索。我方才进门时,看见阶石上足印杂乱,显见那原印已被别的足印踏乱。现在只能借你的图形录一个副本了。"他且说且取铅笔,把陆樵笙所绘的足印录了下来。他又问陆樵笙道:"你发现足印的时候,可曾瞧明白这足印是不是新鲜的?"

陆樵笙答道:"确实新鲜。这一点,我辨别得非常清楚。你总已瞧见那阶石是一种青石,琢磨得很细,留下的足印也特别清楚。并且我当时已把许志公的皮鞋比过,并不相同。"

霍桑点了点头,顺手把画好的足印图纸折了起来。那时许志公已带了徐德兴进来。那仆人的年龄已是五十开外,穿一套灰布的夹袄裤,面色微黄,鬓发已带些花白,眼睛也似乎近视,一种忠厚诚实的神气,就从他的双眸中流露出来。我后来知道这人本是许志公老宅里的二十多年的旧仆,自从许志公建了新屋迁出来后,他就跟出来伺候志公。

霍桑用温婉的面容向他招呼,随即问道:"德兴,昨夜开门招接那个死客的,就是你吗?……唉!这件事委实很恐怖。莫怪你一提起了还有余悸。现在你定定神,我有两三句话问你。你但把经过的事实回答我好了。"

那德兴连连答应了几个"是",他刚要开口,忽而外面起了一阵子喧声,似乎有好多人正在进来。

姚国英立起来走到窗口,揭开了白纱的窗帘,向窗外瞧了一瞧,说:"检察厅里派人来验尸了。我们得出去接洽一下。"

陆樵笙也附和道:"我们的区长也来了。许志公,你得跟同我们出去。他们检验时,一定要向你问话哩。"

霍桑说:"很好,你们先出去。我向德兴问几句话,随后就来。"

姚国英和陆樵笙陪着许志公走出客室去，招接那检验的一行人。客室中只留我和霍桑和那仆人徐德兴三人。

霍桑说："现在你就把昨夜经历的事情简括些说几句。快一些，外面也许有人需要你。"

徐德兴说道："昨夜吃过夜饭，主人就进书房里去工作。到十点半时，我照常烧好了牛乳，送进书室里去。主人的夜工还很忙，天又下着大雨，我就先睡。我睡得很熟，睡梦中忽被门铃的声响惊醒，其实我那时候还不能算醒，我的神智仍是半醒半睡。因为主人第一次叫我，我竟没有听得。我还希望主人自己去开门，免得我离了温暖的被窝下楼。后来我听得主人高声喊叫，我才急忙忙起身，披了一件夹袄，下楼去开门。不料一开门后，忽觉有一个人倒进来，同时一阵阴风，吹得我的毛发根根竖起来！那个人一横倒下去，便无声息。我喊他不应，拉他不动，不由得吓起来！等到主人因着我的骇叫声音出来瞧，老实说，我的全身都在发抖，只能把背心靠住了板壁，再也站不稳了！"

这老人说到这句，两眼空洞地向前直视，脸上的血色完全退尽，嘴唇也微微颤动，足见他对于这恐怖的印象还是十二分深刻。

霍桑问道："你开门以后，那死人倒进来时，门外的情景怎么样？你可曾留意？"

德兴道："那时我吃惊不小，没有工夫瞧到门外去，不过门外也是黑魆魆的，瞧不出什么。"

"譬如同时有一个活人站在门外，或者刚从门外逃到竹篱外去。你可曾感觉有这样的事？"

"没有，我没有瞧见。假使当时有这种事实，我虽不曾特别注意，但眼角里也许要瞧着些的。"

霍桑点了点头，又问："我知道你是睡在阁楼上的。你说你被门铃声所惊醒，是第一次铃声惊醒的，还是第二次铃声惊醒的？"

德兴答道："我听得两次铃声。大概第一次铃声就惊醒了。"

"那时候你可曾听得有什么汽车经过的声音？"

"没有。在热天夜里，公路上汽车往来的很多，近来却难得有了。"

"你可曾听得打架或惊喊的声音吗？"

"也没有。我只听得呼呼的风声，并无别的异样的声音。所以我下楼的时候，心中原想不到有这样的乱子。"

"你们外面的篱笆门晚上可下锁吗？"

"篱笆门上虽装着铁钮，但我们晚上只随便扣着，并不下锁。若使有人从外面打开，原很容易。昨夜里我曾照样把篱门上的铁钮扣上，但发案以后，我奉了主人的命去报警，那篱门却已开着。"

"昨夜是你到警区里去报警的？"

"不。我主人因着一个人留在屋中害怕，故而叫我到新村筹备处去，叫醒了那个陶全福，请他代我们去报告警察。我就回进来陪主人。"

我觉得德兴有问必答，并无留滞，语声既恳挚响亮，答话时神色自然，两目也直瞧着霍桑，绝无闪避的样子，足证他的话句句都由衷而发。

当霍桑向德兴问话时，外面的人声本已嘈杂不堪。这时候忽又有一阵子号哭的声音，夹杂着一个妇人的锐呼。我和霍桑都出神地倾听。

那妇人断断续续地喊道："汪镇武！……凶手……凶手！是他！——我的侄儿就是他杀死的！你们总要给我侄儿申冤啊！"

一箭双雕

这几句呼声不但引起了我的注意，连霍桑也不能不放弃了德兴走到外面去。我们到了客室的外面，看见甬道中挤满了人。前门口有一个中年妇人，手舞足蹈地要走进门来，有几个警士和一个穿深棕色西装的少年在阻止伊。伊便且哭且呼地闹着。检验吏的检验工作似乎已经完毕了。检警厅里的黄推事，正向许志公问答。姚国英和陆樵笙并肩站着。

姚国英横目瞧着樵笙，嘴里咕哝着道："这样重要的证据，你怎么竟会遗漏？"

陆樵笙却背负着两手，耸起了肩膊，默口无言。霍桑似正注意着外边的妇人，没有听得姚国英的说话。我也不知道姚国英所说的重要证据究竟是怎么一回事，但又不便发问。

陆樵笙似故意用别的话打岔的样子，也瞧看门口外面，说："这女人真有些无理取闹！"

霍桑忽回过头来，反问道："你怎么说无理取闹？伊不是喊着凶手是汪镇武吗？"

陆樵笙道："我瞧伊的话不像是有根据的。伊不是有些发疯的样子吗？"

许志公完毕了和推事的问话，恰巧走过来。他便附和着道："伊清晨来时，口口声声说谋杀祥麟的是我，要和我为难。现在伊又寻到玉芙的哥哥汪镇武身上去了。"

霍桑似答非答地说："无论如何，我们应当让伊说个明白。"

他从人丛中走到门口去。我也跟在他的后面。那时那黄推事和胡秋帆区长，比我们先到门外，正在那里安慰傅祥麟的婶母。

伊仍不绝地呼喊："汪镇武是凶手啊！他现在已经逃走了。你们快快去把他捉回来啊！"

我观察这半老妇人两目怒睁，目珠红赤，眶圈上现着黑色，头上发髻蓬乱，穿一件深栗壳色的花绸薄棉袄，下面没有系裙，衣纽也不曾扣齐。伊的状态确有几分疯狂。如果要和伊静静地谈话，事实上显然已办不到。伊旁边的那个面貌俊秀穿西装的少年，仍在竭力劝阻伊。我后来查明，这人叫杨伯平，是那妇人的内侄，和傅祥麟是表弟兄。

那少年高声说："姑母，别这样。你自己的身子要紧。姓汪的虽已走了，究竟逃不掉的。现在你回去，得赶紧给表兄办后事。"

那上唇上留着短须的黄推事正呆瞧着妇人的乱发，无从接口，旁边的戴眼镜高个子的胡秋帆区长，忽连连点头，乘机说话。

他说："这话不错。姓汪的若使真是凶手，我们绝不会让他漏网。现在你这样子吵闹没有用。你说汪镇武是凶手，你究竟有什么理由？"

可是那妇人除了半哭半喊乱吵以外，没有别的说话。

伊的内侄杨伯平代替伊答道："我的姑母并无子息，祥麟表兄是兼祧的。他现在忽遭惨杀，伊受惊过度，便失了常态。伊说姓汪的有凶手嫌疑，我刚才也听得伊说过。昨天午后，汪镇武穿了军装，到我姑母家里去找祥麟。祥麟一听得他的名字，便托词不见；那姓汪的便怏怏地退出去。当初我姑母还不以为奇。今天早晨，表兄的惨案宣传以后，有几个邻居告诉我的姑母，据说有好几个人瞧见汪镇武从表兄家退出去以后，曾摸着他身上佩带的手枪，向着表兄的门口切齿咒骂。现在想起来，这人确有可疑。我表兄为什么因害怕而不见他，姓汪的为什么威吓咒骂，都是很可疑的。刚才姑母曾赶到姓汪的家里去，据说汪镇武昨夜里已经连夜走了。因这一点，伊当然觉得更加可疑了。"

我听了这一番话，觉得这汪镇武的确很有嫌疑，无怪死者的婶母要这样子了。霍桑虽仍处于旁观的地位，默然不语，但当我的目光移向他时，他曾向我微微点头。这一种举动，至少可以表示他对于这一节认为有注意的价值。

黄推事自然是这时候的负责人。他便表示接受似的答道："既然如此，这问题我们当然要加以研究。现在你姑母在这里乱噪，不成事体。你姑且先陪伊回去。你们若要把尸身扛回去安殓，也尽可以办了。这姓汪的虽已走了，如果确有关系，我们一定可以把他追回来的。你们尽可放心好了。"

杨伯平便又婉声劝慰他的姑母。这妇人的神志似乎已清醒了些，也已领会了推事的说话。伊果真住了呼喊，靠着那少年的肩缓缓地退出去。

我和霍桑又回到里面。我见姚国英已把那凶刀拿在手里，刀柄上仍裹着一块黑布。他执着刀走近我们，给我们查验。

那刀的全部足有十英寸长，刀身居五分之三，刀头尖锐，刀背很厚重，刀锋雪亮，非常犀利；刀柄是牛角制的，略呈橄榄形。这刀明明是西洋货，平常少见，好像是一种军用品。

姚国英指着刀柄上裹着的黑布，说："因着这块黑布，刀柄上便没有指印可寻。"他说着，又摸出一方浅紫色的纸，向黄推事说："这把刀和这一张纸，暂且由我保存。别的证物都在胡区长那边。"

黄推事应了一声，旋过头去，向江湾警区的区长胡秋帆说话：

"你可把一切证物交给我。我打算先回厅去了。这个许志公和他的仆人徐德兴，都是本案的事主。这里的手续完毕以后，你应得负责送他们到厅里去候审。"他又回头来向着姚国英和霍桑说："以后你们如果有什么发现，请随时报告。"

姚国英和霍桑都答应了。那胡区长便吩咐警士们把箱子打开，将案中的证物取出来移交。霍桑走到那证物箱的近边，留神地瞧胡秋帆——点交。

一会儿，霍桑忽引手指着，向黄推事道："推事，可否应许我一个请求？这一本日记，能不能也暂时留下？我要细细地瞧一瞧哩。"

黄推事也应许了，接着，便带着随来的检验吏等一行人先自离去。

霍桑向姚国英说："我们也可以走了。我打算往汪镇武家去问问。你也得去查查傅祥麟已往的历史。但在离去以前，我还要问一句话。"他忽向许志公招一招手，似叫他走近些来。等到许志公走了过来，霍桑又继续问道："这汪镇武既是玉芙的哥哥，当然也是你的表亲。他的行为品性，你可也深知底细？"

许志公低沉了头，顿了一顿，似乎有些疑滞不决。一会儿，他才缓缓答话：

"我们虽是表亲，但很疏远，我不能说深知他的底细。因为他离家太久了，我们已好久没有会面。若说他早年的性格，确是很刚直豪爽的，所以他后来在军界中干事，和他性情确很相称。"

"他离家已经多少年？"

"他自从到日本去学习陆军以后，便没有在家安居过一个月。我记得他在到广东去以前，曾回家来住过两个星期。那时我曾和他会过一面。后来一连三年，直到前天星期五他方才回来。"

"这一次你可曾和他会过面？"

"还没有。我听得他回来的消息，本想约他出来谈谈，但刚才听说他已经匆匆地走了。"

姚国英插口问道："他和你的感情怎么样？"

许志公答道："我早说过，我们会面的机会很少，故而虽没有密切的友谊，也并无恶感。"

陆樵笙忽自言自语地咕哝着道："我们的目光不能不放远些啊。我瞧这很像是一件'一箭双雕'的玩意儿！"

"一箭双雕"？这是指什么说的？霍桑也现出注意的神气，但他也同样没有发问的机会。因为这时候姚国英忽把那张浅紫色的纸展了开来。

他问许志公道："你瞧瞧这封信，可认得出是什么熟识人写的？"

我记得这张纸就是他刚才向黄推事要求暂时留存的，谅必有重要的关系。我也凑近去瞧瞧。那是一张浅紫色西式布纹纸的信笺，写着两行钢笔的细字，墨水是紫罗兰色，字迹很瘦细，像是女子写的。

那纸上写着：

今夜九时，在迎月桥等你。切勿失约。知上。二十二日。

我把信念了一遍，暗忖这"二十二日"四字，分明就是昨日的日期，但约会的地点却不知道。许志公在信纸上凝视了一会儿，忽现出一种诡异的神气。他的嘴唇微微牵动了一下，接着又像自己忍住的样子。

霍桑问道："许先生，你要说什么？"

志公缓缓答道："我知道那迎月桥就在这里赛马场的西面。"

"那字迹呢？"

"我不认识。"

姚国英忽瞧出破绽似的逼着说："你为什么不老实说？我瞧你的神气，这纸上的字迹，你明明是认得出的。"

许志公期期然道："这……这个我不能说。我觉得这字迹似乎是见过的。但这一点关系很大，我决不能信口乱说。"

姚国英道："你放心。你即使说了出来，我们也至多用作参考罢了，当然不会得就把你的说话当凭据。你姑且说说，这字迹究竟是像谁写的？"

许志公又疑滞了一下，才说："那么，我只是随便说说。这字很像我的表妹汪玉芙写的。好在你们就要往汪家里去，是不是玉芙的笔迹，一问便可以明白。"

姚国英点了点头，便向胡秋帆道："现在我们分头往汪家和傅家里去侦查。这里的一切事情，你负责办理吧。"

当我们和姚国英一同离开许家里的时候，傅家里恰巧派了人来抬尸。许家的老宅中也有几个人来。镇中的乡人们闻风来瞧热闹的，也愈聚愈多。警士们虽竭力驱散，竹篱外仍围集了近百个人。我们三个人破了重围，方才踏上那汽车大道。那陆樵笙也急急地跟了出来。

他向我们说："我也要往汪家去证实一下哩。"

姚国英问道："你要证实什么？"

陆樵笙道："我要证实我的'一箭双雕'的推想。"

我记得他刚才确曾说过这句奇怪的话，至今还有些莫名其妙。此刻他又自动地重新提起，这闷葫芦也许可以打破了。

姚国英又问道："怎么叫作'一箭双雕'？"

陆樵笙道："据我推想，那凶手一方面杀死了傅祥麟，一方面又陷害了许志公，他却从中取利，岂不是一箭双雕？"

霍桑挽言道："你所说的从中取'利'，是不是指玉芙说的？"

陆樵笙作得意声道："着啊！据我看来，这里面不只是现在流行的所谓三角恋爱，也许是方方的四角形呢！"

姚国英也已领悟，继续问道："你的意思，可是说那凶手就是汪玉芙的第三个情人？"

陆樵笙直截承认道："正是。我敢说那个汪镇武一定没有关系。现在我到汪家去，就想从那女子方面进行。这一封信如果确是伊的，当真非常重要。我今晨查验时没有发现，不能不承认是我的百密一疏。"

百密"一"疏，还是他一贯的自大的作风，我也不再计较他的措辞。但他说的那一封信引起了我的注意。我向姚国英问明白以后，才知道那张浅紫色的信笺，本藏在死者袍褂里面的物华葛夹袄袋中。陆樵笙在夜间遗漏了不曾发现，直到验尸时，被检验吏查出，方才姚国英抱怨他错失重要的证据，也就是指这东西说的。

霍桑也说道："这一张信笺当真重要。假使能够证明它的来历，这一件黑漆的疑案也许可以放一线光明。国英兄，我想迎月桥的地点，也不能不去察勘一下。现在这信笺暂且交给我，我要去问一问。调查完毕以后，我们在区署里会面。"

这时候我们已进了镇口。傅祥麟住在镇上的北街，汪玉芙却就住在临近镇口。我们就在镇口分手。姚国英本叫我同着他往傅家去，我一来要瞧瞧这案中有关系的汪玉芙，二来我和霍桑二人探案时往往影形不离，所以我回绝了国英，只让他一个人去。陆樵笙本是要往汪家去的，因此他和我们同路。不过他的进行的目标，似乎和霍桑的不同。

汪玉芙的家是一宅旧式屋子，屋子的年龄也将近衰老。门前六扇黑漆墙门成了灰白。墙门间里设着一个成衣店。我们走到里面，穿过院子，便踏进一个五开间的大厅。厅上的几根大柱，下端已露着朽烂的痕迹，粉壁窗棂，也都黝黯失色，而且有不少破损之处。厅上陈设寥寥，一张搁几黝黑而堆满灰尘，太史椅只剩了五只，并且敝旧零落，处处都呈露式微后的大家庭所表暴的一种暗淡萧条的气象。

我们刚踏进大厅，有一个老妈子从那一排漆垩剥落的屏门后转出来。霍桑掏出名片，上前打一个招呼。老妈子便回身进去通报。

一会儿，伊走出来说："小姐请你们进去。伊在书房里等。"

我起初还自暗喜，我们目的是要见玉芙，招接的竟就是伊自己，可算巧极。后来才知这宅大屋中本来没有男子，伊的父亲早已去世，伊的哥哥镇武又已从军出外，伊母亲虽还在世，此刻却卧病在床，故而事实上玉芙不能不亲自招呼。我们三个人被引进了书房，彼此行了一个简单的礼，大家就坐下来。

那时候我的视线的对象，自然要争先集中在玉芙身上。伊的身材略略比一般女子长些，肌肉丰匀适中，年龄似乎还只二十一二；发髻还留着，瓜子形的脸，玉琢一般的白皙，虽隐隐有几粒细麻，但并不减损伊的妩媚；一张樱红的小嘴，配着一个匀称的鼻子和一双水盈盈的眼睛，显得非常活泼多智，不过这时眼睛中包含的是忧戚。伊的装束也相当华丽，若不是在这屋中见伊，也许不相信伊就是这幽暗古老屋子的主人。伊穿一件旗袍，质料是一种淡黄色的外国缎，袖口只留到肘弯，袍边和袖口上，都缀着三四寸阔的闪光花边。因着伊腰肢的柔娜，又穿着一双黑漆皮的高跟皮鞋，举步时光彩耀目，越足助衬伊的娇美。

出乎意料的，这书房的布置已一半带着欧化，而且家具都是流行的新式，和我在大厅上所见的情状恰正是个对比。那一张书桌和四只座椅，一只小圆桌和两口玻璃的书橱，完全是西式麻栗的；上面也装着泥墁，窗上挂着淡蓝挑纱的帘子，分明这旧屋的这一部分已经过应时的改造。我的忙碌的眼光，正要移到墙壁上的书架和几张西装少年的照片上去，忽而有一种尖脆的声浪触动我的耳朵，使我再不能闲闲地乱瞧。

我听得汪玉芙厉声地说："先生，说话请留神些！如果再这样子信口胡说，这屋子里容不得你！"

紫色的信笺

伊发话的声浪含有一种威肃的命令意味，不能不使我吃惊回顾。原来当我利用着好奇的目光向室中察看的时候，霍桑和陆樵笙二人已在开始和汪玉芙谈话。所以我一听得玉芙说出了这几句话，以为霍桑也许不经意地说了什么触犯的话，伊便老实不客气地下令逐客。但这是我误会的。后来我知道这个钉子是陆樵笙碰的。他在开头的第一句，便又犯了措辞失当的老病。他曾指着壁上的几张照片，问汪玉芙道："这里有好些男子的照片，可都是你的相好？"这自然太冒失了！假使泼辣些的女人，也许就会当场出彩地赏他一个"五分"。玉芙这样子对付，究竟不失智识女性的身份，不能不算是陆樵笙的运气。

汪玉芙又沉着脸儿，申斥陆樵笙："你们吃公事饭的，仗势欺人，像是家常便饭！假使你想用同样的手段对付我，那你也得先问问我们是什么样人家！"

幸亏霍桑给他解了这个重围。其实这也是他义不容辞的，要不然我们来访问的企图也不免要无功而返了。

霍桑婉声说："汪女士，别动火，陆先生的话是无心的。他的性子最急，说话时也就不想到什么顾忌。其实他绝不是故意如此的。"

陆樵笙得到了救星了。他把他的肥圆的头颅摇了一摇，装着笑嘻嘻的脸儿，和着霍桑的语气，赶紧乘风转篷。

他说："汪小姐，我委实是无心的。我们浙江的土话'相好'的称呼等于朋友。请你不要见怪。"他舔舔嘴唇："我们也是在法律范围内办事，此番是奉着公事来的——"

汪玉芙抢着说："公事？什么公事？跟我有什么相干？"伊霍地从椅子上站起来。

他的话再度说僵了！这女子果真厉害。陆巡官的这一手金钟罩的法宝，竟罩伊不住。如果没有霍桑第二度解围，我不知道他又怎样落场。

霍桑说："汪女士，我们没有别的事，就因着你的未婚夫的凶案，来问几句话。请坐下来谈。"

霍桑向陆樵笙丢了一个眼色，暗示他不要再开口坏事了。陆樵笙也已领会这女子确乎不容易对付，才死心塌地地静坐在一旁。但他的乌黑的眼睛还是骨碌碌地向四周乱瞧，代替他的嘴的工作。汪玉芙的气好像平了些，但仍站着不坐。

伊答道："你们为这件事来的吗？这消息正像晴天霹雳，使我十二分惊骇！我母亲本患着肝气，已在床上躺了几天，刚才一得这个凶耗，竟昏厥了两次。我因此不能离开伊，还没有去瞧过祥麟。我听说他是被人用刀杀死的。是吗？"

霍桑点点头："是的，他死在许志公家的门口，情形很惨。"他凝视着伊。

"唔。他是给什么人杀死的？你们已经查明了没有？"伊的粉颊上笼罩一重似忧伤又似惊骇的神色。

霍桑仍瞧着伊，说："真正的凶手，此刻还没有查出。但许志公主仆俩因着当然的嫌疑，已给拘到地方法院里去了。我们就为这个，才到这里来请你相助。我想你希望给祥麟申冤，一定比我们还急切，是不是？"

汪玉芙说："是的，我如果能够尽什么力，决不推辞。你们要问我什么话？"

霍桑婉声问道："我听说你哥哥是前天回来的，昨天就急忙忙地走了。这事可实在吗？"

汪玉芙顿住了不答，但用冷冷的眼光向霍桑瞧了一瞧。

一会儿，伊把身子靠着那玻璃书橱，缓缓答道："不错。他是昨天傍晚走的。"

"他一来一回，为什么如此匆促？"

"他的军队驻在徐州，马上要出发北伐，特地告假回来瞧瞧妈。因为他已经三年不回来了。他的假期只准了三天，因此，便又匆匆地赶回去。你……你可是疑心我哥哥？"

"不，我们不是疑心令兄。因为外面宣传着一件事——昨天下午你哥哥曾到傅祥麟家里去过，虽然不曾会面，但据瞧见他的人说，那时令兄说过某种咒骂的话，模样非常可怕。因此我们不能不查一查。"

霍桑依然一眼不霎地瞧着玉芙，似要窥察伊的容色有没有表示。

汪玉芙又停滞了一会儿，才垂着目光，答道："我哥哥在昨天下午两点钟时，确曾到傅家去过，但一会儿就回来的。他回来以后，并没有说过什么。外面的废话准是那些乡人们附会上去的。"

霍桑点头道："也许如此。但令兄去见祥麟，并不是友好的造访，谅必也是事实。那么令兄究竟因着什么才和祥麟过不去？"

这问句已经到达边际，玉芙已无从闪避了。伊的美目仍瞧着地板，面颊上也禁不住泛出一阵浅绛。

伊很勉强地答道："他对于我和祥麟的婚姻有些不满，曾劝我毁约。我以为在现今时代，婚姻问题，女子应有自主权，兄长不能干涉。所以我不听从他。后来他到祥麟家去，也无非要表示他的不满，至多发几句牢骚。若说他有什么意外的举动，我敢说一定不会。"

霍桑又道："令兄往傅家里去，你事前可曾知道？"

玉芙沉吟了一下："没有。但他回来以后，曾和我约略地说起。"

霍桑忽乘虚而进地说："喔，他也仅仅是约略地说起，显见还有什么事瞒着你，是不是？那么如果我现在有两个假定的推想，令兄也许因着不满意祥麟，或者就瞒着你把他刺死——"

汪玉芙突地把腰肢挺直，离了那倚靠的书橱，摇着两手。伊的声浪又尖锐了。

伊说："霍先生，你别说这种可怕的话。我知道我哥哥的性情，他是最爽直的。这种偷偷掩掩的阴私的勾当，我哥哥绝不会干。你别想到牛角尖里去才好！"

霍桑微笑着应道："我原说是假定啊！我也但愿如此。那么你想这种阴私勾当什么人才会干？"

玉芙的妙目向霍桑瞥了一瞥，立即垂落了。

伊摇头说："我不知道。"

霍桑又换一个话题，问道："汪女士，还有一句话。令兄所以不赞成你们的婚姻，可曾表示过他的理由？"

伊踌躇了一下，才说："他说过几种理由。但都不能使我信服。我只觉得他的主观的见解太深。"

"唉，他的见解怎么样？能不能举个例？"

"他说祥麟太没有志向。在这革命进行国家需才的当儿，祥麟受了高等教育，却袖手旁观，只顾个人的安享，未免太腐化。此外他还说了许多话，我都不愿入耳。人们各有各的旨趣，原不能相同。如果单凭个人的主观，随意批评他人，那是不能算公允的。"

"唔，令兄还说过许多话？那是些什么？"

汪玉芙忽现着很坚决的态度，摇头道："霍先生，你不必问了。现在祥麟已死，我不愿说什么无根据的废话。总而言之，我是爱祥麟而订婚的，无论谁说什么，都不足动我的心。我至今还抱着这个态度。"

伊的语气委实已关门落闩，霍桑若不知趣，说不定会和陆樵笙受同样的待遇。霍桑当然看得出风势，立即改变计划。他向伊深深地鞠了一个躬。

他说："既然如此。我们要告辞了。"他说着，又回头道："樵笙兄，我们走吧。"

陆樵笙虽也缓缓地从椅子上立起身来，但用诧异的眼光瞧着霍桑，似有什么意见发表，却又不敢出口。我也觉得我们来此，本有一种主要的使命，霍桑怎么竟已忘怀。汪玉芙见我们起身辞别，也颦蹙着双眉，走过来相送。霍桑拿起了他的那顶青灰色呢帽，走在前面。他走到厢房门口，陡地旋转身来；接着又有一种特别迅速的动作，从衣袋中摸出那张浅紫色的信笺，出其不意地送到汪玉芙面前。

他顺势问道："唉，汪女士，对不起，还有一件事。这封信你几时写给祥麟的？"

如果说霍桑将信笺拿出来的动作是"迅雷"，那么他的问句恰像是"疾风"。这主要的使命，他当然不会忘掉。我们三人的目光，都不约而同地集中在玉芙的脸上。伊突然间看见那信笺，起先呆了一呆；接着仰起头，目光从那信笺上移转到霍桑的脸上。伊缓缓地摇摇头。

伊答道："什么？这不是我写的信啊！"

"不是你写的信？"

"当真不是。这张纸你们从哪里来的？"

"这是从祥麟身上搜出来的。有人说很像你的笔迹，故而问你一声。"

"谁说像我的笔迹？"

"是你的表兄许志公说的。"

"笑话！我为什么要约祥麟在这个地方相会？志公竟会造谣！"伊的眼睛里射出了怒火。

霍桑仍瞧着伊，婉声说："是的，我也这样想过，推测这信中的语气，很像是一种秘密的约会。你跟祥麟已经订了婚，情理上原不合符。不过你的表兄也并非有意造谣，他只说仿佛相像罢了。对不起，惊扰了！再见。"

陆樵笙首先溜出去。霍桑和我跟随着。

"慢！"

霍桑的脚步给玉芙的命令声喝住了。我当然也立定不动。

霍桑问道："汪女士，有什么见教？"

玉芙厉声说："志公造谣是故意的！"

"唔？"

"他要害我！这里面的原因你们总也明白。"

"他因为失恋而恨你，是不是？"

"是的！他不但恨我，还恨祥麟！祥麟一定是他杀死的！"

伊的怒火已经燃烧到顶点。伊的面颊通红，呼吸也增加了速度。霍桑分明领会到在这种状态下不会有合理的表示，他点点头，首先退出来。

我们三个人离开汪家时，大家都没有表示。陆樵笙在门外和我们分手，说有几个要点必须去调查一下，但并不说明调查的对象。霍桑也不问他。我和霍桑径自还警署里去。这时午刻已过，胡秋帆和姚国英都还没有回来。我和霍桑就在秋帆的办公室中草草地进了些午餐，坐待他们回来。我趁着彼此吸烟静待的空当，便想请霍桑发表些意见。

我吐吸了一会儿烟，开口问道："霍桑，你对于这件案子可已有些端倪？"

霍桑也呼出了一口烟，缓缓答道："这案子的内容确实非常幻复。眼前虽已有好几条线路，都有考虑的价值，不过实际的侦查还没有完毕。假使贸贸然下了断语，那不免要和我们这位新朋友陆先生犯同样的病。"

我的希望落空了。他分明还不肯发表。我知道勉强是无效的，就移换了话题。

我说："说起这个陆先生，说话时冒冒失失，委实非常可笑。但你想他的见解可也有值得注意的价值？"

霍桑仍缓缓地说："我瞧这个人是属于多血质的，感觉很敏捷，想象力也还丰富。他的性急好功，自信力过强，和说话的冒失，固然是他的缺点，但是他的推理力并不在姚国英之下，有时候的确能'谈言微中'。我们不能轻视他。"

"那么，他所说的'一箭双雕'，这推理你想可能成立？"

"这一点确很耐人寻味。不过此刻我还不能断定。"他顿了一顿，吐吸了一口烟，又说，"现在有一点最觉困我的脑筋，就是这一张信笺，汪玉芙竟没有承认。"

"这也许是许志公误认的。否则，玉芙的指斥也许不错，志公因着失恋怀恨，故意要牵累玉芙，才谎说是伊的笔迹。"

霍桑从嘴里拿下了纸烟，摇头道："都不是。志公没有说谎，也不会误认。我相信这封信的确是伊写的。"

"的确？你怎样知道的？"

"我刚才问伊的时候，所以采取那突如其来的动作，就要在伊没有戒备时窥测伊的神色。我看见伊的眼光一接触那张信笺和信上的字迹，便愣了一愣。这明明告诉我，这封信确实是伊写的。"

"不错。伊当时果真呆了一呆。"

"可是伊为什么不承认？"

我沉吟了一下："你想伊在这件凶案上会不会参与？要是伊真也参加，自然不肯承认。"

霍桑皱紧了眉毛，说："这就很难说了。若说伊参与谋害，我又想不出伊有什么理由。"

"也许伊对于和傅祥麟的婚约感觉到不满，因此便想毁约。"

"这一点我也想过，但没有成立的可能。那傅祥麟分明是一个有资产的而善于享用的人物。我看玉芙的装束态度和说话的语气，处处都表现和死者沆瀣一气，可算得上志同道合，那就不像会有中途悔婚的事实。退一步说，伊即使要悔婚约，方法尽多，又何必采取这危险的举动？"

我想了一想："那么还有一个可能，伊或者被什么人利用了。"

霍桑忽丢了烟尾，反问我道："你说怎么样利用伊？"

我说："譬如有一个人假托了什么名义，无意间叫伊写一张纸；后来那人就利用了这纸，把祥麟引到那个约会的地点去，将他杀死。伊本人却不知道这一回事。你想这推想也有可能性吗？"

霍桑想了一想，说："可能性是有的，但阴谋发觉以后，伊应当觉悟了啊。伊知道了伊是给人利用的，论情应当为自己洗刷，为什么至今仍不肯承认？"

我辩道："这是容易解释的。伊虽觉悟被人利用，但伊对于那人，因着某种关系，还想给他掩护；或是伊自己怕遭牵连，故而索性拒绝不认。"

霍桑不答，似乎还不满意我这个解释。他又从衣袋中把那信笺取出来，展开来仔细玩索。他的眉峰蹙紧着，好像他希望那张纸能够开口，自动地打破这个哑谜。

他忽喃喃地自言自语："伊说杀死祥麟的是志公。"

我接口说："这也容易明白。你告诉伊笔迹是志公认出来的，伊显得很发怒，就反击地指控志公。"

"唔。"

"伊这样子发火，足以反证伊强调否认这一封信。"

"是的，但是为了什么？伊怕被牵连？"

"这是一个理由。不过我认为另一个理由更可能。伊要掩护一个人，就不能不抹杀这一个重要的线索——那张信笺。"

"被掩护的人是谁？就是你说的那个利用伊的人？"

"是的。总之这个人跟伊的关系一定非常密切。"

他略略寻思，又问我道："那么你想那个人是谁？"

我答道："瞧眼前事实，伊的哥哥汪镇武——"

这时候来了一个打岔，我不能不停顿了。霍桑突地仰起头来，直瞧着办公室的门。我也回头一瞧，那戴眼镜高个子的胡秋帆区长正急步走进办公室来。他的紧张的神气告诉我他已带了什么重要的消息回来。

几种推想

胡秋帆果真带来了一种消息，虽不能说怎样新异，但对于案中的一条线索，又加上一种证明。他把许志公主仆派警解送到法院里去后，又曾到镇上去亲自调查过一回。他听得了我们在汪家里所得的结果，更深信他所进行的这条线索确有成立的可能。他和我们交换了所调查到的事实，便开始发表他的意见。

他说道："我现在越发相信汪镇武的嫌疑不容轻视。刚才我在镇上，遇见江湾小学的校长蔡春舫。他也是和汪镇武认识的。昨天他在北街上碰见镇武，彼此曾立谈过几句。那时候汪镇武恰巧从傅家出来，气愤愤地余怒未息。春舫问他发火的原因，镇武竟实言不讳，他说他要找傅祥麟交涉。

"他曾恨恨地说：'我知道这没人格的东西实在没有胆子见我！今天他故意避开了，但他到底逃不掉。要是他真要娶我的妹妹，我决不和他干休！'

"这是他亲口向蔡春舫说的。从这句话上推想，就说凶案是他干的，不是很近情吗？"

我把胡秋帆的说话细细地推敲了一回，觉得理由很近情，但还有许多疑点须先加证实。不意我的疑虑，霍桑也同样地感受到。

他好像代我发问一般地向胡秋帆说："汪镇武向这姓蔡的所说的几句话，果真很值得注意。以前我们只听死者的表弟杨伯平一面之词，他所说的汪镇武到傅家去寻衅的经过，还是间接地听邻居们说的，实际上算不得凭证。现在这蔡春舫的话，比较的直接些，当然可以算凭证了。不过我们辨味这几句话的口气，似乎只有警告恫吓的意思，不能就算作他行凶的根据，是不是？"

胡秋帆辩道："不错。但我们尽可以做进一步的推想。我们知道镇武是个军人，习惯于军队生活，性情当然比寻常的人刚狠。他起初也许只想警告恫吓，但从恫吓而变成事实，只在一转念间。他或是因着傅祥麟的避面不见，越发恼怒，便定意下这毒手；或是他因着时间的迫促，没有闲工夫和祥麟做和平的交涉，便发个狠干脆地把他刺死。这不是都可能的吗？"

霍桑静静地寻思了一下，方才答道："你的理论姑且算它成立，但事实方面怎么样？"

胡秋帆高兴地答道："那也不难推想。你既然说你确信那一张紫色的信笺上是他妹妹玉芙的笔迹，那么我们便可以假定这封信就是镇武叫玉芙写的。他把这封信做了诱饵，将傅祥麟引到那约会的地点，随后就把祥麟刺死。事成以后，他又为卸罪起见，就移尸到许志公的门外去。因为祥麟和志公有仇，江湾镇上知道的人很多，镇武就乘机利用。还有那把凶刀，我们已经鉴定是德国制造的，明明是一种军用品。这岂非也是一种铁证？"

这见解竟和我不谋而合，我不免暗暗高兴。但刚才我表示以后，霍桑还没有机会答辩。这时他果然开始辩论了。

霍桑说："虽然，这里面还有些说不通。照你的话，这件事是他们兄妹俩通同干着的。如果这样，镇武固然不赞成玉芙和祥麟的婚约，玉芙本人当然也应赞成悔婚的主张了。但刚才我听玉芙的口气，恰巧相反，伊是不赞成伊的哥哥的主张的，伊坚决地要嫁给祥麟。难道伊当面说谎？好，再退一步，即使我的观察是错误的，伊真和伊的哥哥有同样的意思，那么退婚的事，现在社会上非常时髦，尽可用正式的手续，原也轻而易举。他们何必干这冒险的举动？这一点岂不是有些说不通？"

胡秋帆反辩说："那么，伊妹妹也许不曾通同，这封信是镇武用了什么方法骗出来的。这一来不是合符了吗？"

我又不禁暗暗地点头。胡秋帆的另一个见解，竟再度地和我不谋而合，我瞧瞧霍桑，他低沉着头。他虽不一定已给说服，至少他的思想已有些游移，因为他不曾立即抗辩。

霍桑顿了一顿，才改了语调说："那么，汪镇武昨天什么时候离开这里，现在已是一个重要问题了。"

胡秋帆把眼镜推上一些，兴奋地点着头："霍先生，这一点我也想到。刚才我已经派李巡长到车站上去探听，有没有人瞧见他上车往上海去。他是穿军装的人，人家容易注目。我想总可以查明白。还有迎月桥的地点，我也准备亲自去查勘一下。"

胡秋帆说到这里，忽有人从办公室的门外接嘴："区长，你不必去了。我已到那里去瞧过一回哩。"

那个带着得意声浪蹒进来的就是胖巡官陆樵笙。陆樵笙单独地在外面"调查"，可见他的工作一定很积极。这时候他的声音姿态都显示他也带来了什么消息。陆樵笙坐定以后，胡秋帆又先把他刚才发表的事实和意见，约略地说了一遍，接着便问陆樵笙在迎月桥勘验的结果。

陆樵笙翘翘他的大拇指，说："这条石桥本是江湾镇上的古代建筑物之一。桥面很阔，四面的风景又很好；石栏是镂花的，游人们可以坐息。那里的地点非常静僻，在夏天的晚上，常常有少年男女们在那里乘凉密谈。这地方确是一个很好的幽会地点。所以我刚才一看信笺上的语句，便深信这地点确有犯案的可能。可是我到了那里，仔细查验了一回，并不见什么迹象。死者并不曾流血，血迹当然不容易找到；但桥堍下的泥地上面，也没有争斗的迹象；连皮鞋和橡皮套鞋的足印也找不到一个。好像昨夜里下雨以后，那桥上还没有人经过哩。"

霍桑问道："这座桥谅必是不能通汽车的。但桥的附近可有汽车路？"

陆樵笙答道："汽车路离桥很远，但立在桥面上远望，也可以瞧得见汽车的来往。"他顿一顿，点点头，忽似想起了什么："唉，说起汽车，我已经去调查过三辆———一辆是赛马场的，一辆是电报局的毛局长的，还有一辆是镇上孙律师的———可是都没有邓禄普车胎。"

霍桑点点头："唔，那么你在桥近边的汽车路上有没有找到可疑的车迹？"

陆樵笙摇头说："车轮痕迹是有的，不过太杂乱，瞧不清楚。所以汽车的问题也不能从那里证明。"

胡秋帆寻思道："我想约会的地点虽在迎月桥，但犯案处不一定就在桥边。汪镇武尽可预计死者必须经过的地点，悄悄地伏着，等到祥麟经过，便乘他不备下手。那一刀又是非常猛烈的，祥麟一定也来不及抵抗。所以争斗的迹象，事实上原是很难找的。"

那胖子的肥头晃了一晃。

他说："据我看，汪镇武的嫌疑还不能够成立。"

胡秋帆忽旋转头来，呆住了瞧他。胡秋帆本是陆樵笙的直属长官，现在陆樵笙竟公然反对他的见解，他当然有些不大愉快。但是陆樵笙的急性率直的脾气，他一定也素来知道，故而他只皱了皱眉，并没有什么不满的表示。

他问道："你说汪镇武的嫌疑不能成立，有什么理由？"

陆樵笙答道："我瞧傅祥麟的尸体，所以在许志公的门前发现，一定是有特殊作用的。最显见的，就是移尸嫁祸。但汪镇武和许志公并无宿怨，为什么要去害他？"

胡秋帆说："我以为移尸的举动，目的只在卸除凶手本身的罪，不一定有陷害的作用。他只希望他的卸罪的企图能够圆满成立，害人不害人是另一问题，他当然顾不到了。"

我对于这一点本也同意，但我记得了霍桑的批评，陆樵笺的说话也不能轻视。我期望着他的进一步的见解。他的不服从的态度，这时又不禁在他的辞色上流露出来。他又把他的肥满的圆颅晃了几晃，便短兵相接似的继续驳诘。

他说："如果照你的说法，他也太耐烦了！他是个军人，军人的脾气大半是干脆爽快的，犯了法也不会拖泥带水地做卸罪的打算。还有一点，这件案子中还关涉一辆汽车，霍先生也早已承认了。假使是汪镇武干的，一时间他又哪里来的汽车？"

胡秋帆自然不肯马上服输。他又辩道："这个也容易说明。这案中也许根本没有汽车。许家篱外的汽车轮的痕迹，只是偶然的巧合罢了。"

陆樵笙仍努着嘴唇，连连摇头。他摸摸自己面颊上的厚肉，似乎要继续辩驳，忽见那个穿黑制服的李巡长走进来回复。

他向胡秋帆报告："我问过车站的王站长。他说昨天午后六点四十五分的一班火车，确有一个颀长的穿黄色军装少年军官附车往上海去。这个人的身材面貌，我也问过，的确是那个汪镇武。"

这消息又助长了陆樵笙的辩驳资料。他在那巡长退出去以后，竟拉着调子唱起来。

他似讥似讽地说："我早知道他是没有关系的。现在怎么样？他既然在傍晚时就上上海去了，怎么再会在这里干杀人的勾当？他不会有分身术吧？"

胡秋帆似乎耐不住了，两只眼睛近乎圆睁。论理，理论上的辩难原不应分什么阶级，不过陆巡官的态度太使人难受，胡区长的反应也未免过火。

胡区长沉下了面孔，冷冷地说："我认为他这举动无非是掩人耳目。江湾到上海有多少距离？汽车和黄包车只需几分钟都可以到达。他七点钟到了上海以后，难道不能在九点钟再悄悄地回转来？……樵笙，你别固执！我觉得这个人不能轻放。现在我得想一个方法，把他追回来才是。"

他说完了站起来，悻悻地走出办公室去。僵局在"不欢而散"的状态下解除了。霍桑也立起身来，打一个呵欠。

他向我说："包朗，我要出去散一散步哩。"

五分钟后，办公室中冷清清的只剩我和陆樵笙二人。先前的一番热烈的议论，无结果地消散了。

我烧了一支烟，默默地寻念。这种疑难的案子，侦查时若能群策群力，能否水落石出，还是一个疑问。现在的光景，彼此似乎闹起意见来了。这岂不可惜？人类本是感情动物，有时候因着起先的成见，动了感情，理智力便会失却驾驭；于是大家便抛弃了是非，意气用事，两不相下；事实的结果，也就可想而知。这固然是一般人类的弱点，但我国人犯这种通病的更多。所以大而政治，小而社会团体，合作的精神，至今还没有建立起来。我对于这案子自信毫无成见，只需理论不偏，合乎情理，不拘哪一个人说的，我都可以接受采纳。那胡秋帆的推想本来很近情，可是他因着被陆樵笙一驳，似乎觉得丧失了他作为长官的面子，分明已动了意气。陆樵笙的勤奋勇敢固然可取，但他的措辞和态度也有加以修正的必要。现在因着彼此修养上的欠缺，形成了一种"私而忘公"的尴尬局面，借用一句外交辞令，那委实是非常遗憾的。

陆樵笙也靠住了沙发的背，摸出一支纸烟，一边吸着，一边也默默地沉思。一会儿，他向我笑了一笑，他似乎已觉察了我心中的感想。

他说："包先生，你用不着诧异。这是我们区长的脾气。

有时候他嘴里虽不佩服，心里却一样会承认的。等到他自己碰鼻子不能转弯的时候，他自然会走回头路。"他吸了一口烟："我只着眼在事实，不管什么权势和地位。我自信我的眼光瞧到了焦点，我也决不让人！"

我作赞同声道："这就是科学态度，也就是我们中国人眼前最需要的一种东西。我很佩服你的识力。但你既然不赞成胡区长的推想，那你一定有更确切的见解，是不是？"

陆樵笙的眼珠骨碌碌转了几转，向我含笑地点点头，仿佛一个艺术家遇到了知音。

他起劲地说："我还是保持着先前的推想。不过现在我比较的更有把握了。"

"唔，可就是你所说的'一箭双雕'的推想？"

"是啊。包先生，你总知道我这推想不是凭空而发的。我相信那移尸的一回事，除了凶手本身卸罪以外，一定还有更深的作用。假使有一个男子，也同样爱上了汪玉芙，对于这傅许二人，当然同样都是情敌。现在他杀了一个，害了一个，以便独享他的所爱，岂不是'一箭双雕'？"

"那么，你想除了傅许二人，这玉芙还有第三个情人？"

"自然！不过我疑心汪玉芙还有第三个情人，也不是我神经过敏。我们已知道许傅两人争夺玉芙，结果是傅胜许败。你可知道这胜败的原因？我是知道的。那就是钱！钱！"

他说到这里，又不觉眉飞色舞起来。他的肥头在摇晃；他的那只跷着大拇指的右手挥动得很急；他的口沫也细雨般地乱飞。其实我也应得负责的。我觉得他所以如此忘形，实在是受了我的暗示的激励。因为我听得出神，不知不觉地微微点着头，表示赞同。他就像演说家赢得了满座鼓掌似的特别高兴起来。

一会儿，他又说："我们到汪家去见玉芙时，我看了伊的家庭状况，和伊的装束态度，都显出伊是一个爱慕虚荣而力有不逮的女子。试想一个爱虚荣而抱拜金主义的女子，哪里会有真的爱情？即使能发生爱情，这爱情的重心既在金钱，又怎能保得住坚久不变？"

他的宏论又停一停，眼睁睁向我瞧着，好像一个演说家到了一句紧要的关节，便故意地顿住了，等听众们拍手。可惜！这一回他失望了！我保持冷静的态度，并不表示什么，连不自觉地点头动作也因戒严而取消了。可是他的兴致仍不因此衰减。

他继续说："这样的女子，如果遇到一个金钱比祥麟更多，供给比祥麟更殷勤些的男子，那么伊的爱情的移转一定也不成什么问题。我看见伊的书室中，挂着不少男子的肖照，有几张是很华贵漂亮的。现在的一般女子把男朋友的照片作为堂而皇之的装饰品，原已不足为奇，但我却不能不把这点缀的照片做我的推想的证据。"

唔，他的推想的根据是照片。这不会太空泛吗？他对于玉芙如此地深恶痛绝，说得一文不值，不会也含着几分报复性质吗？因这一来，他也同样有些感情用事。我先前恭维他的科学态度，多少得打一个折扣。

我问道："你除了照片以外，可还有别的实证？"

陆樵笙答道："我曾往邮局里去探问过。伊平日来往的信札很多，这也足以助证我的推想。我已嘱咐邮局里的办事员，设法截留伊的信件。如果能够弄到几封，那自然就有实际的把握。"

"伊平日在镇上的名誉怎么样？你总有所风闻吧？"

"伊的交际很广，男女不拘。伊和男子们同游同行，素来

是不避人家的。这一点已尽够做乡人们的谈论资料。我现在很
想更致密些查查伊已往的历史。伊是从上海女子师范毕业的，
又在南翔当过教员。若能到这两个地方去——"他说了这句，
突然侧过脸去，高声呼叫，"姚探长，是不是这案子有什么新
的发展？——唉，你的神气太严重了！到底有什么结果？大概
有什么惊人消息吧？"

不易解释的疑问

姚国英的任务是往傅家里去调查的，他得到的消息，对于
这案子自然有重要关系。因此，不但陆樵笙急于要知道，我也
有同样的倾向。他一走进来，去了呢帽，先向室中瞧了一瞧。

他向我问道："霍先生呢？"

我答道："他说到外面去散散步，但我想他也许是去调
查什么的。姚探长，你在傅家里可曾得到什么线索没有？"

姚国英在一张皮垫沙发上坐了下来，把背心仰靠着椅背，
又伸直了两腿，表示他的奔走疲乏。

他点头答道："说话很长，线索也不能说没有，并且在犯
案的动机方面也有一个比较确切的轮廓。樵笙兄，你得到的结
果怎么样？"

陆樵笙道："结果还不能说，不过我的推想进了一步，刚
才我已和包先生谈过。现在我想先听听你的说话，或者可以给
我些旁证。"

姚国英一边摸出纸烟来吸着，一边答道："我先说这傅祥
麟的家庭状况。傅家在镇上北街，是一宅宽大的洋房。祥麟是
个独生子，父母早已故世，现在和他的姅母杨氏同住。杨氏的

丈夫就是祥麟的叔父，也已死了三年，却没有子息，故而祥麟一个人兼祧两房。这两房的产业，有两千多亩田，江湾镇上有不少房产，动产更不知细底。总之，一共有四五十万光景，都是归祥麟一个人的。他因着有钱，从小又没有教管，又仗着他的母舅是淞沪警局的局长，行为上就不很检束。平日他任性使气惯了，自然难免得罪人家；他和人家结怨，也是应有的结果。我在他的左右邻家打听过一回，多数都不说他好话。这样，可见他外面一定有什么仇人，所以这案子的动机也许就是报仇。"

报仇是一个新的动机，当然是和"一箭双雕"的恋爱活剧对立的，陆胖子照例不能安于缄默。

陆樵笙问道："报仇吗？那么这个人为什么还要多一番移尸的手续？"

姚国英对于陆樵笙起先本已没有好感，此刻陆樵笙一开口就来一个反驳，他自然不会怎样高兴。

他冷冷地答道："这是那凶手的一种狡计。他一定也知道死者和许志公的感情不佳，借此脱卸他的凶罪。不是也可能的？"

我觉得国英的解说，陆樵笙一定不会满意，如果让樵笙再辩下去，势必再来一个"无结果而散"，那未免没趣。

我故意打岔地说："姚探长，你可曾查得些具体确切的线索？祥麟究竟有没有仇人？

姚国英道："有一件事很值得注意。据他的左邻一家姓田的老婆子告诉我，在三四天前的早晨，有一个陌生女子，在傅家的附近徘徊着不走。在这样的乡镇上，有这种事情发生，当然要惹人注目。那老婆子便特地留心着瞧伊。伊的年纪还只十八九岁，脸蛋儿很美，头发已经剪去，穿一件蜜色花绸的旗袍，装束很时式，分明是上海社会的女子。伊守候了两个多钟头，忽见祥麟从家里走出来，便上前去招呼他。祥麟显然出乎意料，起初怔了一怔，好像有拒绝不认的样子，但他到底和那女子招呼的。接着，他们俩便并肩走出了镇口，似乎向车站方面去的。这一件事岂不是值得考虑？"

我应道："正是，这消息当真很重要。我们从这一点上推想，傅祥麟虽已和玉芙订婚，一定还有其他的情人。"

姚国英道："是啊。我还知道他对于这个不知谁何的情妇，感情上大致已经破裂，因此伊在眼前的案子上就有更大的关系。"

我忽然想起了那张信笺。霍桑虽说那信笺是玉芙写的，但究竟还没有确切地证明。智者千虑，必有一失，也许是霍桑的误会。这信笺会不会出于另一个女子的手？

我说："那么，那一张从祥麟身上搜得的紫色的信笺，可会就是这一个情妇写的？因为我们问过玉芙，伊不承认它是伊写的。现在合到这个剪发的女人，不是有些近情吗？"

姚国英连连点着头，吐了一口烟，得意地答道："喔，汪玉芙不承认那信笺吗？这样更符合了。也许那女子本来也是和祥麟有婚约的。伊因着祥麟另外订婚，从失望而抱怨。或是伊自己主动，或是有别的人代抱不平，便设计将他杀死。至于行凶的计划，我们更了如指掌。伊写信给祥麟约会，祥麟当然想不到有这样的阴谋；他和那女子的谈判大概还没有结果，本来再有一次约晤；故而祥麟一接到伊的信，就应约而去。他到那里时，就在没有防备中遭了伊的助手的毒手。"

陆樵笙静默地听了一会儿，他的喉咙显然又痒起来了。

他插口问道："姚探长，这个助手是个什么样人？你是不是已经有些眉目？"

姚国英向他瞧瞧，说："自然也是从上海方面来的。我们尽可以做进一步的侦查。"

陆巡官又问："好，那人把祥麟杀死了以后又怎么样？"

姚国英道："那自然就移尸到许家去了。"

"怎样移尸的？抬扛着去的？还是用汽车？"

"乘汽车去的。这个也已不成问题。那女子既是上海装束，行凶时一定是乘了汽车从上海来的，事后仍乘车逃去。这样，和我们所得到的实际材料，也同样合符。"

"果真很合符。不过有一点，我还有些疑惑。你既说凶手们是从上海来的，那可知不是本镇人。如此，他们对于祥麟和志公的恶感未必会知道，移尸的推想，岂非就有些摇动？就算傅许二人的恶感，在本镇中已是妇孺皆知，他们不难知道了利用，但他们既不是同镇的人，犯了案子，仍旧逃到了上海去，也不容易侦查他们的踪迹。他们又何必多费一番移尸的手续？"

姚国英想了一想，忽带着一种讥讽似的笑容，说："在你看来，以为一个凶徒犯了案子，一经脱离了犯案地点，便可自信不容易被查明踪迹，但在他们也许不这样子想。他们或者觉得他们的罪案虽很秘密，难保没有一二有头脑的警员到底会侦查明白。这样一想，你还能说他们移尸的举动完全是'多费手续'吗？"

陆樵笙果真再驳不下去了。他的两眼连连地霎了几霎，面颊的紫红也加深了些。他把他的肥头低沉下去，竟说不出话来。我又怕再来一个僵局，就又移转话题，将我和霍桑陆樵笙等在汪家的经过扼要地说了一遍，这才把紧张的空气缓和了些。我认为这报仇的推想确有研究的价值，所以又提出了下面的问句。

我又问姚国英道："你可曾查明昨天有没有人送信给傅祥麟？"

姚国英点点头："有的。昨天下午，在汪镇武到他家里去过以后，有一个穿短衣的人到傅家去过。祥麟曾亲自出来见他。这个人大概就是送信给他的。那是一个黑脸的中年男子，穿着短衣。据傅家的老妈子说，这人以前也曾送过一封信去。假使那老妈子能够再瞧见他，还辨认得出。"

这时霍桑忽慢吞吞从外面回进来。我们三个人都不约而同地移转了目光瞧他。

我第一个开口："霍桑，你出去散步的？还是去探案的？"

霍桑微笑着应道："我早告诉你是散步啊。不过乘便到新村筹备处去看过那两个姓邵和姓费的筹备员，约略谈过几句。"他把那顶青呢帽放在书桌上。

陆樵笙和姚国英都企图发问，还是让那可爱又可憎的胖子占了先。

陆樵笙抢着说："霍先生，你得到些什么消息？"

霍桑缓缓地坐下来，皱着眉峰，答道："消息不多，但那辆汽车已经有了证实。"

姚国英作惊喜声道："喔，怎么样？"

陆樵笙问道："不错，新村筹备处也是有一辆汽车的，我还来不及去调查。霍先生，是不是就是那一辆？"

霍桑摇头说："不是。我看过那车子，前后轮都不是邓禄普胎。"

姚国英说："樵笙兄，别打岔，让霍先生说啊。"

霍桑才说道："据那位费先生说，昨夜里他被风声所惊醒，醒的时候听得有汽车疾驶而过的声音。因为他们的住屋靠近汽车道，故而听得很清楚。他当时也有些奇怪，大雨后的深夜怎么会有汽车。他是在十一点左右睡的，等到被风声惊醒，已在十二点左右，时间已合符了。从许家往上海方面去，新村是必经之路。这样，我们所假定的汽车是真有一辆的。它一定是从上海来的，事成后又逃往上海去。因此我觉得这汽车在案中占着重要位置。我们若能找到它，全案的真相便不难立刻披露。"

陆樵笙和姚国英忽同声道："唔，这汽车真是一个要证！"

这是当然的结果。因为反对案中有汽车的人是胡秋帆，此刻他既不在场，自然一致地毫无异议。

霍桑又皱眉说："可惜的是要找寻这辆汽车，现在还没有把握。"

我说："汽车既然是上海来的，我们到上海去想法了。"

霍桑似觉得我的建议太空洞，并不接口。他向姚国英瞧着。

他问道："国英兄，你在傅家里探得些什么？"

姚国英便把先前和我们所讨论的一番经历，重复说了一遍。

霍桑想了一想，答道："你对于那个剪发女子的推想的确有意思，但你可曾问过，祥麟在昨天什么时候离家的？"

姚国英道："问过的。他在晚膳以前就出去，大约在七点钟光景。"

霍桑仰起些身子，他的眼珠转动了一下，现出很注意的样子。

他又问："他离家时可曾说明往哪里去？"

姚国英道："没有。他每次出外，从来不向他家里的人说明的。"

陆樵笙忽皱着眉头，插嘴道："这一点又难解释了。那信中约会的时刻不是在九点钟吗？祥麟却在七点钟就出去。这两个钟头，他在什么地方呢？"

姚国英果真答不出来。他瞧瞧樵笙，又瞧瞧霍桑，脸上显得很窘。

霍桑忽笑着说："不错，这当真是难解释的。其实难解释的问题还多。譬如傅祥麟究竟是在什么时候被杀的，检验吏没有报告，我们可能推想出来吗？如果他在被杀后就被人移到许家去的，那么被杀的时间，大概总在十二点左右，是不是？可是那信笺上约会的时间，却是九时。难道祥麟和那凶手会面以后，竟敷衍了三个多钟头，方才遭害吗？或是他和凶手一见面就遭毒手，但隔了三个钟头，那凶手才动手移尸的？这两个疑问现在都不能解释。还有，他被杀时间的早晚姑且不论，但在这相当长久的时间中，他总应有个寄顿的所在。这个寄顿地点又在哪里？"

我们三个人一听这话，大家都面面相觑。霍桑所指示的委实都很重要，我们起先都没有想到，现在经他提了出来，方始觉得它的严重。可见人们的脑力的高下，到了事情的最后焦点，自然会分别出来。

霍桑继续说："从这方面推想，那行凶的地点也很耐人寻味。那迎月桥一处当然已不成问题。因为那里并无屋子，大风雨中，决不能勾留这许多时候。所以我们若能查明傅祥麟离家后所到的地点，一定也很有益。国英兄，你可曾问起，祥麟可是每夜出去的？"

姚国英道："我也问过，他并不每夜出去。据他的婶母杨氏说，他在夜间出外，每星期不过一两次。"

霍桑停了一停，又问道："那么他身上有许多钱，他的婶母也知道吗？"

姚国英答道:"这也是一个疑点。据他的姊母说,伊所执管的,只是田地房屋的契据;一切流动的款子,都是祥麟自己经管。所以他用途如何,没有别的人知道。那一张源泰庄十月一日三千元的期票,在发案那天的早晨,才从上海专差送到。这笔款子,据杨氏想来,也许就是准备结婚用的。但这不过是一种猜想罢了。伊事前本来不知道这一回事。"

霍桑摇头道:"我看这猜想并不近情。他们的婚期不是定在十一月里吗?时间的距离还远,何必急急?还有一层,他如果要筹备婚事,应得提取现款,为什么要立期票?"

姚国英忽作醒悟状道:"他也许准备着这笔巨款,预备付给什么人的。"

霍桑点头道:"这个推想近情些了。但他昨夜里出去约会,可就要将这笔巨款付给什么人吗?什么人呢?并且这款子的交付,含着什么样的性质?放债?购东西?纳贿?或是他要借着这笔巨款结束什么秘密的勾当吗?但事实上款子没有交付,他反送了性命!这种种疑问也都是不容易解释的。"

经过霍桑这样子一分析,案中的疑问越弄越多,全案的真相非但没有解决的希望,却像抽着一团乱丝,越抽越紧,反觉得无从着手。

姚国英叹气说:"这件案子如此复杂,委实是我生平经历中的第一次。霍先生,你说的种种问题,果真都须查一个着落。但你想从哪条路着手呀?"

霍桑仍镇静地说:"着手的路不能说完全没有。譬如我们若能找得一两个傅祥麟平日交往的朋友,就不难探得些线索。我知道祥麟的姊母有一个内侄,叫作杨伯平。这人和祥麟是表兄弟,就是我们在许志公门前见过的那个穿深棕色西装的少年。我听他口音也是本镇人，对于祥麟平日的行径，他谅来总有些知道。你可曾和他谈过？他和祥麟平日是否来往？"

姚国英答道："我也曾向这个人问过几句。据他说，他平日虽常在傅家出入，和祥麟却没有深切的关系。他说祥麟的性情很骄傲刚愎，和他谈不投机。所以他们中间，除了平常的亲谊以外，并无深交。祥麟的行径怎样，他竟毫无所知。"

陆樵笙耐不住地作诧异声道："怪了！这倒像被困在四角方方的围墙里面，处处都是'此路不通'！"

霍桑仍宁静地问道："这个杨伯平是干什么职业的？"

姚国英道："他曾当过教员，又在军队的政治部里做过几时宣传工作。此刻却赋闲在家。"

霍桑沉吟了一下，又问："你说这个人常在傅家出入的吗？他住在什么地方？"

姚国英道："他也住在本镇上的西栅口，家里有父母，自己还没娶妻。他的父亲在上海什么公司里当账房。"

霍桑忽把身子凑向前些，精神上似很振作，他的问句也愈觉逼紧。这暗示我这一番问话并不空泛，我也不由得注意起来。

霍桑继续说："他既和祥麟没有深交，却又常在傅家出入，可见他和祥麟的婶母一定是很接近的，是不是？"

姚国英忽作惊异声道："是……唔，霍先生，你莫非觉得这个人也有嫌疑吗？不过我瞧他的态度和谈话，却像是一个上流人——是个品格端方的少年。"

那陆樵笙忽坐直了身子，张大了乌溜溜的眼睛，显得也十分注意。我一瞧见他，脑海中不期然而然地产生了一种意念。陆樵笙不是抱着"一箭双雕"的推想的吗？现在这杨伯平既然是杨氏的内侄，感情又非常接近。祥麟死了，全部的财权势必要归杨氏掌握。那么伯平凭着内侄的资格，不是很有沾润的希望吗？假使他和玉芙也有些关系，祥麟一死，他既有沾润产业的希望，又可占有那个女子，这岂非也合得上一种"一箭双雕"的推想？可是我这意念并不曾得到霍桑的赞同，因为他答复姚国英的话，仍是淡漠而不着边际的。

他说："嫌疑当然还说不到。没有实际的佐证，我们怎能凭空把人家拉到嫌疑地位上去？不过从事侦探工作的人，眼光不能拘泥在一处，必须放得周全些，无论怎样细小的事实都不能轻意忽略。如果有机会，我也想跟他谈一谈哩。"

这时又来一个打岔。胡秋帆从外面走进来。

他先瞧着霍桑，问道："霍先生，你刚才去拍过电报的？"

霍桑似很诧异，回头向他瞧了一瞧。

他答道："正是。我想我们今夜不能回上海去了，故而刚才我在散步的当儿，拍了一个电报，托我上海的朋友杨宝兴探员，往九亩地五十号去调查一下，瞧是什么样人。你们总记得死者日记簿中的一张名片上，记着这一个地址。胡区长，你怎么知道的？你是不是也去拍过电报？"

胡秋帆点头道："是的。我打电报到上海总局里去，请局长设法把汪镇武追回来问问。现在的革命军人都知道尊重法律。他虽在军队里面，我们依法办事，一定可以追得回来。"

我知道他仍抱定了汪镇武是凶手的见解，正努力向这条路进行。霍桑但点了点头并不发表什么意见。陆樵笙曾一度把右手挥一挥，好像又准备展开辩论的局面。但胡秋帆背向着他，不知是无心的，还是故意不理睬他。这倒使陆胖子有些难于开口，他不得不勉强地缄默着。

霍桑立起身来，说道："现在大家都在这里。这件案子的进行路径，眼前已有不同的好几条。例如胡区长怀疑汪镇武；姚探长着眼在那个剪发女子和伊的助手身上；陆巡官却构成了'一箭双雕'的推想；还有包朗兄也许也有他的独特的见解。但是在搜集到确切的实证以前，还不能定谁是谁非。眼前只有两点，我们都可以通力合作。第一，死者昨夜里勾留的地点，应得急切地查明；第二，那辆汽车的来踪去迹，也须设法查一个下落。这两点若能解决，全案的关键便有把握。包朗兄，你坐得太久，大概有些腰痛了吧？来，我陪你出去舒散一会儿，吸收些乡村的新鲜空气。不然你也许要闷出病来哩。"

黑夜的工作

　　江湾镇的位置距离上海虽有十多里路，但国人们在上海建立的工商实业，既然在飞跃的进展，大概不出几年，这地方势必也要变作上海的一部分。现在这地方因着交通的便利，那物质文明的潜力，早已攻破了这个幽静而充满着自然美的境界。在附镇的四村，虽还瞧得见竹林荫蔽中的茅屋和听得到弓形似的板桥下的流水。但那茅屋中真率朴素的人物早已被惊破了闲静的甜梦，罩上了紧张的面具。板桥底下的河流也变换了黄浊的颜色，潮来时奔涌可怕，既不见清澈见底的景象，更没有玲珑的雅乐可听。总而言之，那以往的静趣，真像海滩上的一小堆沙迹，物质的狂潮一冲到，除了全部地倾陷以外，委实没有第二条出路。

　　这天傍晚，霍桑陪着我在镇上附近的村落中徜徉了好一会儿，沿途欣赏那落日的晚景。当清早我们从上海动身的时候，天色虽已转晴，还是阴蒙蒙的不漏日光。可是到了午后三四点钟光景，忽而云散日出。所以到了薄暮时分，向西一望，那夕照的余晖布成了满天的红霞；霞幕尽处，点缀着几枝秋柳，一群归鸦，正像展开了一幅活动的图画。霍桑的精神比先前在胡秋帆办公室中的时候当真焕发得多。我的胸襟也觉得畅豁了不少。

霍桑立定在一条小溪的边岸，忽指着那垂沉的斜阳，含笑说："我很希望这件案子，也像这天气一般有剧烈的变转。"

我应道："我也希望如此，秋云的变幻最不可测。我想这案子既到了隐秘的极度，也应得有个变转之机了。"

"这就是我们唯一的希望。我们的努力，就靠着这个希望，才能有再接再厉的兴致。"

我觉得这是一个有启示性的机会，不能轻轻放过。

我问道："霍桑，你眼前可已决定了进行的方向？还是只能等待他们几个人各顾各的努力，我们但静候着案子的自然发展？"

霍桑忽瞧着我说："包朗，你说这话，莫非感到了合作的困难？我们是局外人，凡我们眼光所及和能力办得到的，自然应得尽些我们的出于友谊的劳力。但他们的职守上的责任，在到达结束的终点以前，我们当然也不便干预。"

"话虽不错。但他们各顾各的职守，分道扬镳，究竟也不能成什么事。我认为这是时间和精力的浪费！"

"是的，但在把握案子的关键以前，我们有什么方法劝阻他们呢？"他微微叹一口气。

我说："那么这个关键什么时候才把握得住？"

他摇摇头："还难说。"他顿一顿，眼睛谛视着天末："包朗，你有什么意见？"

我沉吟了一下，答道："据我看，假使把种种线索归纳起来，约有四点：例如那汪镇武，那不知名姓的上海女子，那陆樵笙所假定的汪玉芙的第三个情人，和你刚才问起的杨伯平。你想这几条线路，究竟哪一条更近情些？"

霍桑缓缓摇着头，答道："这些问题，我此刻实在不能答复。因为我若要否定任何推想，至少总须先寻得出一条肯定的线索。但在这肯定的线索成立以前，又须先扫除一切的障碍点。这是我平素探案的原则，你当然也知道。"

我点头道："不错。那么我们说得近些，你眼前觉得急于要扫除的障碍是哪几点？"

霍桑好像要发表什么了，可是他的眼光从暗影浮动的天空收摄回来时，又变计了。

他踌躇了一下，忽改口道："包朗，时机还没有成熟，你且耐一下子。等我静静地考虑一回，再告诉你吧。"

天色完全黑时，我们回到了警所。胡区长已给我们布置了两个房间——姚国英独居一间，我和霍桑同住一间。在晚膳以前，霍桑又独自出去溜过一次。我事后问他，据他说他是去瞧杨伯平的。他觉得这少年的确很谨严；他和玉芙虽也相识，但很疏远。

晚膳以后，我们闲谈过一会儿。胡秋帆仍坚持着汪镇武是凶手的见解，口气中似要叫其余的人不必再向别条路进行。别的人各有自由之权，当然不会受这个暗示的约束，独有那陆樵笙是他的属下，在职权上有遵守的义务。可是他心中的反抗意念显然还比其余的人强烈些。因为他这一次虽竭力地遏制着自己的脾气，不曾当场反抗，但我默察他的努力嘴攒眉的神情，显见是一百二十分的不服气。

我和霍桑进了卧室,他叫我先睡。他自己取出了那本傅祥麟的日记,似准备一个人独自研究。他瞧了十多分钟以后,忽不知不觉地发出诧异声来。

他喃喃地念着:"九月二十二日,王,八十元;张,五十元;赵,七十五元——这是昨日的最新纪录。二十一日,空白没有记载。二十,十九,十八,十七,也完全不着一字。十五,十六,又有记载了。十六日,只记着张还二十六元,赵五十元。十五日,数目又大了。十五日以前又空起来。八日,九日,竟又是这些劳什子的数目。——唉!这不是日记,竟是一本账簿。可是记得多么奇怪啊!"

我虽已经解衣上床,但一听得霍桑这一串诧异的念白,禁不住又坐起身来。

我低声问道:"霍桑,你可是已找得了什么线索?"

霍桑似很惊异,回头应道:"你还没有睡着?唉!这是我的不是,我不应当这样子惊扰你。你快睡。我也要睡了。"

我不便再问,但估量他的神气,分明他已得到了什么。不一会儿,他果真解去衣服,熄了电灯上床。

我哪里睡得着?我的脑海中充满了这凶案上的种种疑问。那胡秋帆所怀疑的汪镇武,究竟会成事实不会?陆樵笙却认作"一箭双雕",以为内幕中还有第三个情人。那么傅祥麟的被害,究竟是仇杀还是妒杀?还有姚国英所怀疑的剪发女子,是否真和这凶案有关?此外霍桑提示的祥麟在二十二日夜间的留顿地点,那辆有重要物证资格的汽车,和那张紫色信笺的来历,种种疑问,在我的脑海中翻来覆去,却终于得不到一个结论。

我们所睡的床铺是一种旧式的杉木架子,支持力既不坚固，床上的人偶一翻身，床架便吱吱地作响。我觉得霍桑的床架，响动声连续不绝。我默默记数，大概每五分钟得震动一次。这可见霍桑也没有睡着。与其这样子勉强地躺在床上，何不大家坐起来畅谈一会儿呢？

这样子挨过了半个钟头，霍桑的床架已不再响动了。我却还是合不拢眼。我正想要强制收摄我的神思，进入梦乡里去，忽而我的自由行动的耳朵接受了一种异声。

吱咯！吱咯！

不是有人在地板上走动吗？电灯早已熄灭了，室中完全墨黑。那步声很轻微，但绝没有错。我的耳朵在这时候竟特别敏锐，还辨得出那人穿的是皮鞋！

我身不由己地直跳起来："霍桑！你起来了？"

霍桑突地停了脚步，低低地惊异道："包朗，轻些！你还没有睡着？"

我一边披上衬衫，一边答道："你自己既睡不着，我又怎能睡着？现在你打算干什么？"

"此刻十点钟还没有到。我还想出去一趟。"

"这里不比上海，怎么冒夜出去？你究竟有什么事呀？"

"我要去解决一个疑点，也可以说扫除一种障碍。"

"扫除障碍？不能等明天吗？"

"我一想到这个，觉得越早解决越好。你先睡吧，不要惊动旁人。我立刻就可以回来。"

我们谈话的时候，电灯仍没有扳亮，室中依旧是完全沉黑。但我在黑暗之中早已把衣裤穿好。我一边扣着皮鞋的带，一边答话。

我低声说："不，我同你一块儿去。"

霍桑作迟疑声道:"我本想一个人去,比较方便些。你同去也好。不过我进去谈判的时候,你只可在门外等。"

我急忙应道:"那可以。"

我已经披上外衣,戴上呢帽,便跟着霍桑轻轻地走出卧室。我们的卧处在那警所后面一宅屋中,另有侧门可以出进,不必经警所的大门。霍桑悄悄地开了侧门,先走了出去,等我也出了门口,他仍将门轻轻拉上。

他自言自语地说:"这个地方,偷儿们总不见得敢光顾吧?"

他沿着那条小巷进行,一直向镇心的大街走去。我记得霍桑说过要有什么谈判,但我不知道要和什么人谈判,谈的又是什么。

我问道:"往哪里去?"

霍桑低声道:"往镇口汪家里去。"

我道:"不是去见那汪玉芙?"

霍桑但点了点头,不再答话。他的脚步在确荤不平的街面上进行得很速,我也急急地跟随。路上的灯光很暗淡,行人也几乎绝迹。我感到一种寒凛的刺激。

我又问:"你见伊有什么事?"

霍桑低声道:"就为着那一张紫信笺。这东西最困我的脑筋。我虽相信这字是玉芙写的,但伊不肯承认。是我的观察错误吗?还是伊故意抵赖呢?这一点关系很大,不能不有一个切实的解决。我现在就要去证明这一点。"

"那么你为什么这个时候去见伊?"

"日间人多耳杂,伊或者有所顾忌,此刻我单独去见,也许可以使伊坦诚相见,彼此彻底地谈一谈。"

"这个疑点假使果能解决,这案子的真相,你就可以完全明白了吗？"

"这是案中最大的一个障碍。若使能够扫除，在案情上当然有重要的进展。"

"那么，我们姑且假定那封信确实不是伊写的，那你可也有进行的线索没有？"

"包朗，我们不必空谈。事实的证明既有希望，何必再虚拟假定？走吧。"

我们且说且行，已经穿过了那条幽暗的市街，到达了镇口。街上已不见一个行人，汪家的墙门也已紧紧地关闭，但门隙中还有灯光漏出来。

霍桑走近门口去张了一张，低声说："那些成衣匠还在那里赶夜工。我们应得从后门进去，不要惊动他们。你跟我来，我知道后门在侧弄中。"

我们兜过前门，转弯向一条狭弄中走去。弄中并无电灯，比大街更黑，举步时不能不用手代替眼睛。我们进弄后刚走了三五步路，霍桑突然停了脚步，一只手把我紧紧拉住。他附着我的耳朵，惊骇地向我警告：

"慢！后门口有一个黑影，似乎有一个人伏着！"

这一着又出我意料。霍桑有着猫一般的眼睛，在这样的漆黑中也能运用视觉，我的确及不上他。我依照霍桑的模样，把身子贴住了墙壁，心中也想瞧瞧是什么样人，但我的眼睛不听我的脑神经的命令。我怕坏了霍桑的事，静立着不敢乱动。

霍桑又向我低语："当真是一个人！"

我也附耳问道："是个偷儿？"

霍桑站在我的面前，距离那后门比较近些。他偻着身子，向弄中运用他的猫眼。

他答道："唔，大概如此……唉！他已立直了身子！他是穿短衣的。……唉，那是汪家后门啊！分明已被他撬开了！"

我耐不住了，也挨进一步，探出头去，冒险瞧了一瞧。黑暗中果然有一个矮胖子的轮廓。唉！一缕白光！那是电筒中射出来的。这偷儿还拿着电筒呢！偷儿竟也会利用物质文明的产物，可算是个摩登贼了。我在讶异间，那黑影忽然不见了，大概已进了汪家的后门。

霍桑又作惊讶声道："奇怪！这个人你可曾瞧清楚？"

我低声答道："没有。我只觉得那是一个穿短衣的胖子。你已瞧清楚了吗？"

"是。他就是陆樵笙！"

"太奇怪！他怎么会做偷儿，干这偷偷摸摸的举动？"

"这不能说。我们眼前的行径，也跟他相差无几啊！"

他说着也放胆地向后门那边走去，我也跟着前进。不料我们走到后门口时，后门已从里面关上了。

我说道："我们可能跟进去？"

霍桑摇手道："不，不能。我们一进去，不但不能完成我们本来的目的，还要坏他的事。我们等一等，瞧瞧他的结果怎样再说。"

十分钟光景，在黑暗的静默中溜去了。里面仍没有动静。

我问道："你想他到里面去有什么目的？"

霍桑答道："据我料道，他还想贯彻他的'一箭双雕'的推想，怀疑玉芙有第三个情人。此刻他一定是来搜集证据的。"

"你想他的推想究竟能成立吗？"

"这推想于我也很有益，也许是一种间接的启示。现在看他的结果怎样。"

"等他出来以后，你再能进去见玉芙吗？"

"这要看情势了——"

他的话还没说完，隐隐地有一阵喧呼的声音，从汪家屋子里面透出来："贼！……捉贼！……捉贼！"

霍桑吃惊道："不好！里面喊捉贼了！他已坏了事哩！快走！"

霍桑说着，急忙拉着我退出小弄。我们方才奔出弄口，我听得急促的步声从我们后面跟出来。我和霍桑急急闪过一旁，在一家的檐下躲一躲。我回头瞧视，那短衣人已踉跄地奔窜而过，飞也似的向大街一端奔去。

我不觉惊呼道："果真是陆樵笙啊！"

霍桑止住我道："轻声些！我们的事已被他搅坏。快回去吧。"

凶手在这里了

九月二十四日早饭以后，我们又在胡秋帆的办公室中会集。姚国英和陆樵笙先在那里，胡秋帆却已一早出去。我们坐定了。我瞧瞧陆樵笙，想起了上夜的情景，不禁暗暗地好笑。这个神气十足的小官，黑夜中却会演出另一种姿态。陆樵笙还不知道我们已窥破了他的举动，还自得其乐地向我们夸张。

他向霍桑道："霍先生，我的推想已有了证实哩。我不是说这件事是玉芙的另一个情人干的吗？现在已经有了实际的证据了。伊除了傅祥麟许志公以外，当真还有一个情人哩！"他的大拇指又得到了翘动的机会。

霍桑装作很注意地问道："那很好。你已经得到了他们的情书？”

陆樵笙把身子坐直了些，挺着他的肚子，又把跷着大拇指的右手挥动了几下。

他答道：“是啊。不过这情书真不容易到手呢。”

这句话倒并不夸张，当真不容易，险些被人家捉住了当作贼办！不过这话我不能出口，但静听他的夸张的发挥。

他很郑重地摸出两张信笺来，又提高着声音说：“这是一封道道地地的情书。……这是一封玉芙的回信，可是只写了个开头，没有写完。”

霍桑突然立起来：“唉，对不起，让我瞧瞧。”

他从陆樵笙手中拿过了一张只写了一行其余是空白的紫色信笺。笺上只有“瑞哥如握今天接到你的十九日的来信”短短的一行，具名当然是没有的；字迹很瘦细，是用紫墨水写的。霍桑点点头，但他的眉毛仍紧蹙着。我知道他的点头，一定是认为案中的那张信笺已有了佐证，但为什么还皱眉呢？他将信笺还给了陆樵笙，重新坐下来。陆樵笙拿起了另一张白色信纸，挥挥手向我们宣告。

他说：“现在我把这信念出来，你们听了，也可以有趣有趣。”他干咳了一声，眼光在我们三个人脸上打了一个圈子。那种夸功自得的状态，又使我回想起昨夜他仓皇奔逃的情景。

他又朗声念道：“玉妹爱鉴。”他念了一句，忽又附加注解似的说：“你们想，这个‘爱’字多么有情趣啊！现在我来念下去。

“‘前天十五日那天的晤谈，真使我永不能忘。你的花朵般的玉容，流莺般的娇声，和你嗔责我时的那种薄怒的媚态，至今还留在我的耳中眼中！这也可见我爱你的诚意真是不能用言语形容的。你尽可放心，我的心绝不会变。外边的流言，说我在上海怎么怎么，无非嫉妒我们，你切不可轻信。你要的东西，我没有不遵命照办的。不过我希望你——'唉，以下的句子写得更肉麻哩！我想就这几句也尽够了。霍先生，你想我的话对不对？"

霍桑交叉着双臂，定着目光，静听陆樵笙的朗诵，分明他对于这封信果真非常重视。

霍桑问道："这两张信笺，你是在玉芙的书室中拿到的？"

陆樵笙说："是的，在书桌抽屉里。"

"两张纸折在一起？"

"是。"

"你昨天夜里去拿的？"

"是——"他的眼珠一转，"这没有关系，你不用问。我请问你，这是不是一封情书？"

霍桑点点头，答道："这当真是情书无疑。但写信的是什么人？信上有没有具名？"

陆樵笙得意扬扬地应道："当然具名的。不过没有姓，他叫作'瑞书'。我想虽没有姓，有了这个名字，一定也可以找到这个人了。"

姚国英忽冷冷地插口道："我怕你找不到吧！"

他坐在旁边，一直是静默着不发一言，这时候忽然发出一句冷话，自然要使大家都诧异起来。陆樵笙更觉得不高兴，正像满帆的顺风，突然间遭了逆袭的打头风一般。

他惊怒地问道："怎见得找不到他？"

姚国英仍保持他的冷静态度，缓缓地说："他已经不在这世界上了！你到哪里去找呢？"

陆樵笙变了颜色，骨碌碌的黑眼也呆滞了。他发急道："他死了吗？你怎么知道的？你认识这个人？"

他的一连串的问句，只换了姚国英的一句轻描淡写的答语。

姚国英说："你不是也认识的吗？他就是傅祥麟啊。"

陆樵笙脸颊上的紫色刹那间完全退尽；他的手不再挥动；大拇指当然更翘不起来。他努力咬着嘴唇，似乎还想强制他的感情，不使其在外面流露出来，但终于控驭不住。

他颤声说："什么！——"

姚国英反带着笑容说："你还不明白？好，我来告诉你。'瑞书'两个字，就是祥麟的号，昨天我在他的家里查知的。这封信分明是祥麟写给玉芙的。他们俩有情书来往，我们似乎用不着过分诧异吧，是不是？……唔，你还不相信？霍先生，请你把祥麟的日记拿出来，将这封信的字迹比对一下，我想总有几个字对得出吧。"

霍桑果真从衣袋中取出那本日记来，又从陆樵笙的手中取过那封情书，细细地比对了一下。

他点头说："当真不错。其实我们就从'祥麟'和'瑞书'四字上着想，也可知道是一个人了。"

我不觉连连点头。这两个名号，分明就运用那"麟吐玉书"的典故，一经说明，当真再不用怀疑。但陆樵笙费心费力所造成的第三个情人的空中楼阁，竟被姚国英轻轻一击，便整个烟消火灭。一个自信心极强的人，平时又有好胜的脾气，这样的失败，他的神经上的刺激的确是很难受得了。

可是案情的发展，真像秋云变幻一般难测。五分钟后，胡秋帆又带了消息回来。许志公主仆二人，在昨天午后审过一次，当夜已给在市政厅里当工程师的他的哥哥许志新保了出去。他虽有嫌疑，却查不出有犯罪的行为，却像是什么人移尸图害。因为据那仆人徐德兴证明，二十二日夜里志公没有出门，在十点半他送牛奶进去时，志公仍在书室中工作。但傅祥麟和那不知谁人的约会却在九时；他分明是因着那约会而被害的，可见与许志公无关。并且从汽车的痕迹和足印上着想，更足证是外来的人干的。此外志公所供的因着模范教养院图样的急迫，不得不漏夜工作，也已经证实。故而他的保释，原已不成问题。

这个消息还不算出人意料。许志公的行动既有证明，显然也是案中的被害人之一，只有那失欢的玉芙才忍心指控他。不料胡秋帆的消息才刚说完，忽而发生一种滑稽的景象，使我们都莫名其妙。可是谁都没有想到，案子的主线竟握在这个丑角手里！

一个便衣警士押送一个穿短衣的黑脸男子走进来。那人手里却提着几串长锭。这是旧社会中吊丧的礼物。警所里没有死人，这人为什么送长锭来？但姚国英一看见，似乎已经会意。他先立起来问那押送的警士。

警士报告说："探长，昨天你吩咐我们，如果有嫌疑的人，立即拘来。今天早晨，我和严福仍守在傅家门口。半点钟前，这个人送锭往傅家去。那傅家的老妈子恰在门口，立即指认他就是前天下午送信给祥麟的人。因此我就把他拘来了。"

姚国英连连点头，应道："你办得很好。但这长锭怎么也一块儿带了来？"他的眉毛蹙紧了。

警士发窘地道："我叫他把这劳什子留下来，他偏偏死也不肯放手！"

那短衣人大声说："我到傅家去吊丧，你们为什么把我拘来？我犯了什么罪呀？"

霍桑喜出望外似的点点头。他的神气突然振作，向我丢了一个眼色，似告诉我这个人的发现实在非常重要。

他抢着向那被拘的人说："你果真没有犯罪。我们叫你来问几句话罢了。你昨天不是送信给过傅祥麟的吗？"

那人直认道："是的，我给王先生送信去的。难道送错了？"

霍桑作婉和声问道："这王先生是谁？他是你的什么人？"

"他是赛马场里的职员，是我们的老主顾。我是菜馆里的伙计，名叫俞阿土。我给他送信，昨天也不是第一次。"

"不错，我们知道的。但你可知昨天的信为着什么事？"

"那也不用瞒的。老实说吧，王先生向傅少爷借钱。"

"借多少？"

"八十元。"

"你怎么知道得这样详细？"

"那是一张便条，并没有信封，我也认得几个字。王先生也曾亲口向我说过。"

霍桑抬头向姚国英瞧瞧，姚国英也向他回瞧了一下。我觉得他们俩的眼光在一交换之间，明明暗示这个线索又岔到别的路上去了。因为这个人的说话如果实在，所送的一定是另一封信，不是我们意想中的那张紫信笺了。

霍桑继续问道："你当真瞧见那封信？"

俞阿土辩道："我说过了，不是信，是一张白纸的字条。我还看见傅少爷瞧过以后立即撕碎的。"

霍桑又问："那么，王先生向傅祥麟借的八十块钱，可是你当场带回去的？"

俞阿土摇头道："不是。他晚上自己带去的。"这句话一出，室中的五个人都惊动出神。原来傅祥麟在被害一夜的行踪有了着落哩！霍桑的眼球，虽也闪闪地乱转，但他仍保持他的镇静。

他又问道："唉，他自己带交王先生的？前夜里他在几点钟到你们那里的？"

俞阿土道："在晚饭以前。他在我们聚乐园里吃夜饭的。"

霍桑乘机问道："可是在赛马场附近的聚乐园？"

胡秋帆忽插嘴道："是的，我知道。那是一爿卖酒菜而兼卖茶的铺子，就在铁路的北面。"

霍桑点点头，又向俞阿土道："傅先生到聚乐园时，一定还在下雨以前。可不是？"

俞阿土点了点头。

霍桑继续问道："他在几点钟离去的？"

"在大雨停后方才回去，几点钟却记不清楚。"

"当下雨的时候，他可曾中途出去过一次？"

"没有。"

"譬如在那夜九点钟时，他也不曾出去过吗？"

"也没有。他一直在我们那里。"

陆樵笙也似按耐不住的样子，问道："他既然在大雨以前到的，雨停后方才回去，这里面有几个钟头，他在干些什么事？"

俞阿土向他斜睨了一下，答道："他们只谈谈说说罢了。"

霍桑道："这不用问他。我知道，他们在那里聚赌。"

那俞阿土忽把空着的一只手乱摇着，似要回辩。

霍桑又道："你不用赖。我知道每逢星期六和星期日，傅先生总要来赌的。还有那王先生，张先生，赵先生，也都是在一起的。我还知道他们的输赢很大，总是三千五千——"

俞阿土忽脱口辩道："没有这么大！先生，没有！他们至多不过几百元上下。"

这句话是霍桑虚冒的效果，但霍桑似乎并不注意在钱的多寡问题上。

他又郑重地问道："阿土，你倒很老实。我问你，前晚雨停了以后，傅先生从聚乐园回家，有几个人一同走的？"

俞阿土说："我记得他是一个人回去的。因为他虽穿套鞋，没有带伞，怕再要下雨，故而雨点一停，他先自走了。"

"傅先生走了以后，别的人可也就散场吗？"

"不。他们住得近些，还继续赌下去。散的时候，已经一点多了。"

霍桑问到这里，满意地点点头，似乎已经得到了某种紧要关节。他立起身来，整一整他的那条蓝地儿白星的领带。

他向着秋帆国英樵笙三个人说："好了，这条路你们去进行吧。我此刻要向另一方面进行，时机很急迫，不能够耽搁哩。"他点一点头，便急急地走出办公室去。

胡秋帆和陆樵笙都现着失望的神气，大家都迷惘地静默无语。我也很觉纳闷，因为霍桑临去时并不和我说明往哪里去，也不向我招呼。我当然很想跟他同去，但当着这几个人的面，又不便拉住了要求。

姚国英很凑趣，立起身来说："聚乐园一方面，让我去调查吧。"他又回头瞧我："包先生，你如果有兴，请陪我一同去走走。"

我当然从命，就跟着他同往聚乐园去。

我们在那小菜馆里探听了一会儿，又到赛马场中去见那傅祥麟的赌友王良才和朱元生，才知道每星期日的晚上，他们总在聚乐园里赌扑克。因为有几个在上海做事的朋友，星期六休假回来，便会集了吃吃赌赌，算是一种正当消遣。他们一起有七八个人，输赢并不算大，至多一二百元的出进；但因着怕有几个不守法的警士去要索陋规，故而都保守秘密。姚国英问起傅祥麟被杀的事，他们全不知情；只说祥麟的脾气不好，难免和人结怨。他们说傅祥麟对于许志公的感情更坏。所以据王良才的意见，这次他既死在许志公的门前，说不定就是许志公谋杀的。我们问不出端倪，便把那聚赌几个人的姓名地址录了下来，重新回到警所里去。

我们在路上的时候，姚国英向我说道："我起先还觉得因赌钱的输赢而出于谋害，也是可能的事。现在又难说了。因为这些赌友都是有职业的，不像有什么赌棍在内，并且他们的输赢又不大，也不致闹出这种把戏。"

我答道："输赢既然不大，死者的袋中，何必有那张三千元的期票？"

"这期票也许另有用途。因为他们说的赌金不大，这话一定可信。我们但瞧傅祥麟日记上记着的数目，至多不出百元，不是一个明证吗？"

"那么你想这期票他究竟做什么用的？"

"这个还解释不出，还待我们去努力发掘。"他顿了一下，又皱眉说，"这一来，我们先前的好几种推想都已有些摇动了！"

我问道："你的见解怎么样？"

姚国英低着头说："傅祥麟明明是从赌场里出来以后才被杀的。他从家里出来，一直到聚乐园，直到雨停后回家；可见从七点到十一点，他始终在聚乐园里。霍先生所怀疑的他的寄顿地点，此刻也已有了着落。那么，我们先前假定他是被那封紫色的信引出去的，这推想岂非落空？还有那张约会的紫色信笺又怎么样解释？他可是接信以后不曾去践约吗？或者这张信笺的来历，还有其他隐藏的秘密呢？"

对，这问题果真很困脑筋！上夜里霍桑急于要解释紫信笺的疑问，可见这信笺的确关系全案的枢纽。他此刻出去，也就是从这一条路进行吧？我自然没法解答姚国英的疑问，只有等霍桑回来以后，这个闷葫芦才有打破的希望。

我们回到警所以后，霍桑仍没有回来。陆樵笙经历了一次滑稽的失败，心中还不干休，他怂恿着胡秋帆立即凭嫌疑的名义将汪玉芙拘来，同时再在伊的家里切实地搜查一下，似乎依旧想贯彻他的推想。胡秋帆却并不赞同。

他推托着道："我们且等霍桑先生回来了再说。假使伊确有嫌疑，我们自然可以把伊拘来。"

这几个人对于案子的进行，都已无形地停顿，全案的重量已集中在霍桑一身。可是等到中饭时分，霍桑还不见回来，我不禁疑讶起来。他假使真个去见玉芙，要证明那一张紫色信笺，也用不到这许多时候。他莫非到上海方面去进行了吗？

到了十二点一刻，上海的杨宝兴寄来了一封快信，那是给霍桑的。我记得霍桑昨天打电报去托他侦查，这是他的回信，说不定有重要的消息。此刻霍桑既然不在，我就代替他拆了开来。果真不出所料，确是杨宝兴的侦查的报告。这报告非常详细，足见宝兴办事的机敏。他亲自到九亩地五十号去调查过，遇见一个姓金的女子。他利用了种种的方法，探明了一段小小的恋史。

这女子今年十九岁，两年前在上海和傅祥麟认识，发生过关系，并且彼此曾有过婚约。那女子看不透祥麟的本性，以为祥麟真心爱伊，耐着性等待。因为祥麟借口因着他的姊母的阻难，故而一时不能正式订婚，那女子也深信不疑。直到伊听得他和汪玉芙订婚的消息，方才觉得受了他的欺骗。伊起先曾写信给他，责问他的薄幸毁约，祥麟都置之不理。因此到了本月十八日的那天，伊曾亲自赶到江湾来和他交涉。交涉的结果，祥麟又利用着甜言蜜语把伊软化了。他应许给伊三千元的夜资，以便了结这一重纠葛。他还约定下星期二，亲自把款子送到上海去。

我们瞧完了这一封信，姚国英便说："现在那一张三千元的期票也有了着落哩。那是祥麟准备用它了却一件风流事的。"

陆樵笙的眼珠转了一转，仿佛找到了报复的机会。

他接口道："不错。不过你的推想却不能成立。这金姓女子的说话如果完全实在，可见伊和祥麟的纠葛已经和平了结。那么你先前的假定不是也不能成立了吗？"

姚国英也负气似的答道："是的。但我现在希望你的推想到底能够实现！"

当这舌辩的空气又将开始紧张的当儿，忽又来了一个解围的救星。我偶一回头，陡见霍桑大踏步地从外面进来。他的两眼闪闪有光，额角上也缀着几点汗珠；他的那件青黑呢外衣的肩部，染了不少从墙壁上擦下来的石灰；青灰呢帽的边缘上面也挂着几缕蛛网的丝儿。他到过什么地方去，才会有这种景象？他的腋下还挟着一个新闻纸的纸包，也不知道是什么东西。

他先向胡秋帆说道："胡区长，你快去再拍一个电报，叫汪镇武不要回来了。现在军事工作进行得非常紧急，假使白白地叫他来回，不但耽误了他的革命工作，你也许还要受处分哩！"

我们四个人的神情，都到了最高度的紧张。大家都眼睁睁瞧着霍桑，却没有一个开口。室中静默了一会儿，胡秋帆才首先发问：

"这样说，这案子的真相你已经完全查明了？是吗？"

霍桑点了点头，便把他腋下的纸包放在胡秋帆的写字桌上，接着他又缓缓地把纸包打开。

他答道："正是。凶手在这里了！你们瞧吧！"

意外的结局

霍桑好像抄袭了上一天陆樵笙做过的文章，他也像幻术家一般地变起戏法来了。他说"凶手在这里"，就是指那纸包说的。凶手怎么会包在纸里呢？等到他的戏法变出来后，大家更觉诧异出神——纸包中是一双半新旧的黑纹皮皮鞋！

陆樵笙忽抢到前面，大声喊道："对！这真是像凶手的皮鞋！还是湿的！唉！我有图样在这里。我来对一对！"

他用他的颤动的手指，忙着从日记中取出那张鞋印图来，又把皮鞋在纸上印了一印。其余的人眼光都毫不霎动地瞧着他。

他又呼道："当真！完全相同！霍先生，这双鞋子你从哪里拿来的？"

霍桑仍淡淡地作简语答道："许志公家里。"他顿了一顿，又补充说："他的屋子本已给他镇上的叔叔下了锁。我破了窗门进去，方始搜寻出来。"

胡秋帆惊问道："凶手是许志公吗？还是——"

霍桑接嘴道："正是他。不过现在你们且耐一下子，我还没有工夫解释。你们如果要听一篇动人的故事，还是少停等许志公自己来说。现在快派几个弟兄到他的屋子左右和火车站上去守候着。我料他不久就要回镇哩。"

霍桑的揭露给予一班人——连我也在内——重大的刺激，

显然都出乎意料。可是事情本身的转变，又同样出乎霍桑的意料。那派出去守候的警士，还没有出门，许志公的老仆徐德兴，忽汗流喘息地奔了进来，且哭且诉地向我们报告：

"哎哟！先生，我主人也被人谋杀哩！"

这一种惊耗给予我们的惊奇，我简直找不出形容的词句。霍桑更觉吃惊。他辛辛苦苦发掘出来的真相——也许还只是一种推想——因着徐德兴的一句说话又几乎根本破坏了！

他急忙问道："被谁谋死的？"

徐德兴带着哭声答道："我不知道。"

"那么，他死在哪里呀？"

"他被人在肚子上刺了一刀，还没有死。此刻他在上海公济医院里。他只剩一口气了，特地叫我来通知你们。他还有话向你们说哩。"

霍桑在手表上瞧了一瞧，说道："一点零五分。一点十五分不是有一班火车经过吗？包朗，快！把我们的皮包取出来！国英兄，你也赶快些！"

我自然不会犹豫，立即奔到后面的卧室里去，急忙把皮包收拾好了。等到出来时，已是一点十分。霍桑和姚国英已在警所门前等候，一见我提了皮包走出，便和胡秋帆陆樵笙挥一挥手，拔步向车站赶去。

我们到车站时，已经一点十七分，恰巧火车脱班，还没有到站。到了一点二十一分，我们方才上车。从江湾到上海，原只有几分钟的路程。不过这几分钟的时间，好像挨过好几年，我实在再按耐不住。

我低声问道："霍桑，你想他是被什么人刺杀的？"

霍桑低沉了头，脸部的肌肉显得紧板板的，除了他的内心的紧张，别的丝毫没有表示。他并不回答，但摇了摇头。

我又问："你想这一着会不会影响你方才发表的推想？"

霍桑略略抬了头，答道："我自信我的话不是推想，是事实，我想不见得会受影响。不过这一着真是我所意料不到的。现在你不必多问。我但希望我们赶到的时候，他还没有气绝。那时你的疑团总可以有个解释。"

我们雇了汽车赶到公济医院的门口，已是一点五十五分，一进门口，遇见一个穿白衣的值日医生。

霍桑问道："对不起，有一个刀伤的病人，叫许志公，在哪里？"

那医生点点头，应道："唔，在三层楼上。但刚才我听说他已经死了。"

我和姚国英的脚步都突然停止了。我觉得我的心房跳动也似得到了"立定"的口令，霎时间仿佛停了活动。那医生说完了话，毫无表情地掉头便去。霍桑呆住了无从再问，但他仍不失望。他咬着嘴唇，目灼灼地向医生的背形瞧了一瞧。

他向着我们说："不。他的说话不像是负责的。快！我们赶快上去，也许还有希望！"

他首先向那宽大的楼梯奔去。我和姚国英一见他这个模样，已死的希望重新又复活转来，也紧紧地跟随着霍桑。那楼梯的级度虽高，我们却一步三级，仍觉得轻松异常。走到第三层楼梯脚时，忽见有两个穿白衣服的男侍役，抬着一只太平床，从三层楼下来。床上躺着一个病人，全身用白单被盖着，但露着两只男子的脚，瞧不出是谁。

姚国英又吃了一惊，顿时住了脚步，向那抬床的侍役发问：

"死了？"

那侍役点点头。

"病死的？"

"不是，中刀死的。"

霍桑本已跨上了第三层的楼梯，一听得这一问一答，也住了脚步。

他回头问道："可是今天进院的？"

那抬床的侍役已下了第二层楼梯，又摇摇头道："不是。他已进来了三天哩。"

我又呼出了一口气。霍桑不再多言，继续奋力地奔上楼梯。我们到了第三层楼，找到了位主任护士，霍桑便向伊说明来意。

那护士说："他刚才已昏晕了两次，此刻重新醒过来了。我怕他谈不到几句话哩。"

二分钟后，我们已走进了一间头等病室。室中除了一个负责的护士以外，还有一个面容惨沮穿西装的瘦长男子坐在榻边。榻上躺着一个人，露着头面，果真就是许志公。

我们走进门时，许志公恰巧张开眼睛来。霍桑的喘息未定，早已赶到床边，凑着许志公的耳朵，低声问话：

"谁刺你的呀？"

许志公的神志似乎还清醒。他见了霍桑，唇角微微一嘻，好像很安慰的样子。

他发出一种微弱无力的声音，答道："很好，我现在把凶手交给你们了。他叫罗三福，是飞行汽车公司里的车夫。你决不可放他漏网啊！"

姚国英站在旁边，急忙取出铅笔，记在日记册上。

霍桑答应道："那可以。我们决不让他逃走。但你对傅祥麟的事可能说几句给我们听听？"

许志公叹了一口气，眼睛忽闭拢了。我们都忍制着呼吸，静静地等待。姚国英和那个瘦长子轻轻招呼了一下，他是志公的哥哥许志新。一会儿，志公又张开眼来。

他喘息地说："霍先生，这件事我现在后悔来不及了！我干得真不值得！但这个畜生实在是不能宽恕的。他是一个没人格的动物。他仗着有钱，不知道蹂躏了多少女子！他的罪，一死委实不够！"

他歇一歇，叹一口气。没有人说话。志公又微弱地说下去：

"最可恨的，玉芙竟被虚荣引诱着，也会自己投进他的罗网里去！我和伊是表亲，从小就相爱。前年我向伊求婚，伊已经应许我了，但因着我家老宅屋太旧了，又是大家庭，有些不满。我就特地造了那宅屋子，预备成婚后组织一个新式的小家庭。后来伊忽受了祥麟的金钱力的诱惑，变卦了。我虽然一再忠告，伊不但不听，反而恨我骂我。故而这一次我发一个狠，打算索性把伊牵连进去。现在我也后悔了。

"唉！伊所以如此，实在是缺乏常识和阅历，伊受的教育也是虚伪的！唉，很可怜！请你们不要误会。这件事伊绝对没有关系。那一张紫色信笺，本是伊从前写给我的，我却想借此害伊，发泄我失恋的愤懑。唉！我这计划委实可鄙！我当真不能够自恕哩！"

许志公又叹息了一声，语声也停住了，他的眼眶中隐隐含着泪珠。我们大家都屏息静听，霍桑也不敢岔断他。

许志公休息了一下，继续说："当我们在热恋的时期，每逢秋夜人静，我常和伊在迎月桥畔挽着手赏月。我们俩坐在那雕镂精致的石栏上面，呼吸着甜蜜的空气，那种喁喁情话的印象，至今还深镌在我的心版。唉！这不能磨灭的印象，大概要跟着我到别一世界里去了！……那张短笺就是伊在那时候给我的。我觉得那信笺的措辞含混，又没有署名，日期却是十二，只相差十天，所以我在那十字的左边，加了一点，改作了二十二，^①就利用着它做一种陷害伊的工具。现在我后悔莫及，请你们不要再难为伊吧！”

霍桑乘这再度停顿的当儿，回过头来向我瞧了一瞧，眼光有些异样。我一时还不知是什么暗示，也不便问他。室中保持了片刻的静默，只有那许志新在暗暗地叹息。

霍桑轻轻地向志公说：“你放心吧。关于伊的问题，我们都已查明白，但你处治傅祥麟的举动怎么样，可也能够说几句？”

许志公的眼睛仍旧闭着，眼角中的一颗颗的泪珠滚落到枕头上去。他的脸色惨白得可怕。那榻旁坐着的志新也暗暗地在揉着眼睛。

停了一会儿，许志公才挣扎地继续：“这里面的情形，我想你已早明白。我因着他的作为，忍耐不住，便定意杀死他。但我和他的恶感，全镇的人几乎个个知道。我杀死了他，若要卸罪，就不能不想一种方法。我现在很觉惭愧！杀了人没有勇气认罪，却想利用汪镇武的举动，嫁罪给他！那天下午，我遇见江湾小学的校长蔡春舫，听他说汪镇武告诉他到傅家里去的情形；又知道汪镇武即日就要回前线去。我觉得机会到了，便马上悄悄地到上海去买了一把军用的小刀，又雇了一辆汽车，约定当夜十一点钟在铁路的附近等我。因为我曾听得赛马场里的干事朱元生说过，每星期六和星期日，祥麟

---

① “十”加一点变成“廿”，在一些特定的情况下，“廿”可能被用来代表数字“二十”，但这并不是一种通用的、被广泛认可的表示方法。

总要往聚乐园去赌钱，往往到半夜方才回家。我就利用着这一点，实施我的计划。

"那夜里我在十点三刻出门。十一点半相近，祥麟一个人经过我停着的汽车。我本已伏在汽车里面，等他走近，出其不意，跳出来刺了他一刀；同时按着他的嘴，挟进汽车里去。就在那时，我把那张以前玉芙写给我的紫色信笺，藏在他里面物华葛的夹袄袋中。他死得很快，竟出我的意料。等到汽车停在我的门口，我把他抱下来时，他的气早已绝了。我所以出此计划，原想杀了人放在自己的门口，世界上断没有这种愚人，人家一定不会疑心我。但我还不放心，又故意连按两次门铃，利用我的仆人德兴做一个证人。所以这件事德兴实在完全不知。不过这样的惨史，他知道了不知要怎样伤心呢！"

许志公的眼睛又闭上了，嘴里微微地喘着，眼角里的眼泪仍连续不绝地滚出来。霍桑也愁眉郁结地很觉凄惨，长长地叹了一口气。姚国英向霍桑耳语，还要问志公按门铃以后的情形。霍桑向他摇了摇头。

他低声说："不必问了。他已经说过他所以连按两次门铃，就要惊醒德兴的睡梦，叫他起来作证。后来他要使人相信是外来的凶手，故意退到篱外的泥地，又从草地进后门里去。他匆匆脱了雨衣，换好皮鞋，又将湿皮鞋藏好，一面高声叫德兴下楼开门。所以实际上他只喊德兴一次。我们知道德兴有些恋床不肯起来，他下楼时很迟缓，又是一直到前门去的，所以志公一面叫喊，一面换鞋，也不怕给德兴看破。至于以后的情形，我们也完全明白。"

姚国英道："那么，他现在又怎么会遭那个司机的谋害？"

这问句霍桑似也同意。但他还没有发问，忽而有一种微弱而颤动的悲呼声音，直刺我们的耳鼓，我的脊骨上像透上一股寒流。

"哥哥，再会吧！我现在没有别的挂牵，只有我的妈！……伊白白地扶养我成人，我却没有……唉！……哥哥！……"

那悲呼声逐渐地低沉下去，接替的是许志新的隐隐的哭声。那时候的景状我委实不忍再记叙下去。

这案子如此结束，使我感受到一种很深的刺激。女子可以鼓励青年男子上进，使他拥有起光明灿烂的前程，可是同时伊也有毁灭的力量。这两个青年男子明明是给一个拜金女性毁灭了。但他们俩本身的迷惘，把恋爱看作生存唯一的条件，那也是可悲的。隔了两天，姚国英已把那司机罗三福捉住，才知道许志公的被害，就因罗三福索贿不遂而起。他串通着干了这一件凶案，曾受过许志公一百五十元的酬报；后来他听说许志公已经保释出外，因而再向许志公需索巨款。志公怕他借此挟索，后患无穷，曾用说话恐吓他，想借此断绝罗三福的贪念。罗三福本也不是好人，一言冲突，便拔出刀来向志公刺了一刀，刺伤了许志公的腹部，他自己便悄悄地逃走。可是他到底没有逃出法网。许志公虽死，也可以瞑目了。

至于霍桑侦查的经过，还有许多疑团，我自然要请他解释。他的解释却很简单。

他曾告诉我说："这件案子着手时可称头绪纷繁。不过在初着手时，有几点就引起我的注意。移尸嫁祸，原也是平常的事。但凶手移尸以后，为什么要按铃唤醒里面的人？并且连按两次，岂不更是费解？论情，若使有人要陷害志公，移尸以后，最近情理的，那人应得立即使警士们知道，让警士来证实；否则，至少也应当使别的人知道，屋中人方始逃不脱罪。

那人怎么并不使他人知道，却反去惊动里面他所企图陷害的人，而使这被害人有自动报告的机会，或是辗转移尸，或是索性灭尸？并且那人移尸以后，按一次门铃已是很危险了，怎么竟敢连按两次？这岂不是那人明明知道屋中的老仆已睡，绝没有人急急地出来追赶，他绝无被发觉的危险，故而才如此从容不迫吗？还有一层，许志公自己说喊德兴两次，德兴却说只听见一次，那也使人不能不起疑心。这样看来，我似乎应得立即怀疑许志公的苦肉计了。

"但是同时有几种反证，不能不把我这疑心暂且压住。那老仆德兴分明是一个很诚实的人，他说十点半钟他还见主人在书室中工作，阶石上和泥地上既有进出的足印，篱笆外又有汽车停留的痕迹，志公的供词又很周到，后来又搜出了那一张紫色信笺，更将我的疑影完全抹杀，使我不能贸然断定。唉，包朗，那信笺真是最困我的脑筋。因为信笺上约会的时刻是九点钟。那时候我只能假定祥麟是被那信笺引了出去，才遭害的。但许志公却是吃过夜饭后没有出去，到十点半钟还在屋中。因此我的眼光不能不移向别方面去。

"我自认在这件案中有一个大大的失着，就是那信笺上的日期，十二改作二十二。那十字上加上去的一笔短竖，我竟没有瞧出来，反因着日期的吻合，信作案中的重要证物。包朗，我这一个错误真不小啊！"

我慰解地说："那也不能怪你。紫色的墨水，不像蓝墨水一般，因时间的长短，颜色会有深浅。并且那字迹特别细小，不说明白谁也瞧不出来。"

霍桑继续解释道："是的。不过总是我的疏忽。后来我们去见玉芙，玉芙虽不承认，但伊的神色却明明告诉我那信是伊写的。后来陆樵笙搜得的玉芙写的不完全的复信，上面有'今，你，九，日'几个字，更证实那短笺确是玉芙的手笔，这一着又把我牢牢地困住在迷途，险些回不转来。不过姚国英一班人的几条推想，都有破绽，在我看来，都不能充分成立。胡秋帆怀疑汪镇武，事实上确很凑巧，不能不有嫌疑，但一经考虑，就觉得去情理很远。汪镇武和志公并无宿怨，何必害他？我们从各方面的情报，知道汪镇武是一个英俊豪爽的军人。他即使杀了人，也决不肯出此卑鄙的嫁祸举动。况且他出门已久，许志公的新屋落成了还没有好久，他又从来没有到过。若说他在黑夜之中，能够掮着尸体，寻到一个陌生所在，还能很熟悉似的按动门铃，实在太不近情理。而且连按两次门铃，太反常情，我刚才已经说过了。

"至于姚国英的上海女子的假定虽也有意思，不过借力于助手，和无故移尸两点太脆弱，已经被陆樵笙辩驳明白，我不必再说。那个杨伯平，我和他谈过以后，觉得他大方端谨，绝无关系。只有陆樵笙假定的'一箭双雕'的推想，可算最有力量。不过我细细地忖度了一番，也不能说没有破绽。他假定汪玉芙有第三个情人，故而和玉芙串通了干的凶案。但试想玉芙假使当真另外爱了一个人，伊也尽可以和傅祥麟解除婚约。在这现行的潮流中，这原是轻而易举的事，何必出此可怕危险的举动？若说那男子只是片面的单恋，那么玉芙也绝不会通同了写信。这岂不也是矛盾的？当然这还是把信笺认作重要物证时说的。还有他说的第三个情人，也太觉空洞无据。但那推想的本身，对于我倒有启发之功，因为许志公的举动，的确也是'一箭双雕'啊。可惜当时我因着那信笺的阻碍，一时还不能够转变过来，构成我自己的推想。"

我问道："那么，你的转变的推想什么时候才成立的？"

霍桑说："我在床上经过了精密考量，觉得第一步必须解决那信笺的疑问。因为信确是玉芙写的，伊为什么否认？要是伊承认了，一定可以透示案中的内幕。而且伊又指示过志公是凶手，虽是有激而发，但说不定也有什么依据。可惜我们夜间去看玉芙，被陆樵笙所阻，没有成功，否则，我破获得早些，许志公也许不致遭那司机罗三福的毒手。后来无意中来了一个俞阿土，因着他的证实，大部分的疑点都有了着落，真像阴霾满空，忽而来了一阵狂风，把阴霾扫卷得干净，便涌出光明的红日。例如祥麟接到的信是借钱，不是约会。祥麟那天七点光景离家后，一直在聚乐园里赌钱，并没有出去赴什么约会。这可见那张紫信笺并不是主要物证，却是主要障碍。于是我又唤起了最初的疑因，急于要扫除障碍。我就到汪玉芙家去。"

我问道："这一次伊说实话了吗？"

霍桑点头说："这一次我用了刚柔兼施的策略，玉芙也不敢再隐瞒。伊当时虽认得那信笺是伊的笔迹，但一时不知道里面的曲折，怕自己牵连到这可怕的凶案里去，故而不肯承认。伊听说笔迹是志公指认的，就反击地说他是凶手。后来伊记得这纸是伊从前写给许志公的，现在会在傅祥麟身上发现，更相信志公真是凶手。可惜伊起先已经否认了，没有勇气再出首承认。等到我说明了利害，伊才和盘托出。这一个难关既已打破，别的就迎刃而解。我料想许志公换去的皮鞋也许还没有灭迹，就赶去搜寻，当真在书箱底里被我搜了出来。这案子也就到了终点。不过那最后的一个波澜，不但出我意料，还撩动了我无限的悲感。这样一个有为的少年竟如此结局，委实太可惜哩！"

怪 房 客

种种疑点

　　那头发花白的老妇才刚在霍桑书室中的那只专供来客的安乐椅上坐定，忽又跳起身来。伊举起了两只干瘪皱皮的手，在空中画符似的乱摇了一会儿，又气息咻咻地说话：

　　"先生，我怕极了！……我当家的在纱厂里做工，一天不做，一天不活，实在担不起风险！万一闹出事来，我们一家门都活不成哩！……先生，我委实怕极了！……先生，总要你想想法子！"

　　这几句话，我原是按着伊的语意，经过整理归纳而约略记述的——以后伊的说话我也照样节录。我若把伊当时说话的层次完全照录下来，那至少要占一页以上的篇幅。伊的唠唠叨叨地说话毫无次序，又因着气急口吃，又加上了不少惊叹声音，更觉得杂乱而重复。

　　这妇人自称姓马，住在闸北宝通路大庆里。伊的年纪在五十五六以上，身上穿一件玄色洋绸的棉袄，前襟上染着几个油渍。可见伊这件衣服原负着两种使命，家居出外，同样穿着的。伊的下身没有系裙，穿一条蓝色旧缎子的棉裤。但瞧伊的打扮，不消伊自己说明，我们便早知道伊是一个劳动阶级的妇人。伊一进门来，便滔滔不绝地说了一大堆话。那些话有几句说了再说，有几句无头无尾，如果不留神听，竟会莫名其妙。

霍桑平日最怕和年老的妇人谈话，就因和她们说话，时间最不经济；并且必须提足了精神，才能听出一两句有意思的话来。那天他接待这一位平民阶级的主顾，本来是很高兴的，并且也耐着性听伊，并没有厌憎的表示。不过那老妇说话时口沫横飞，霍桑的脸上竟一再地溅着了好几点，未免使他有些不能忍受。

他一边取出白巾，抹他面颊上的涎沫，一边扶着那老妇坐在一只圈手椅中。可是那老妇竟像有弹簧的皮人一般，好容易扶着伊坐下了，一放手又立直了身子，发出那上一节我记着的第二次高论。

霍桑看到要使伊宁静下来，大概不会有什么有效的办法，只得退后一步，和伊略略隔得远些。他显然不敢再领教伊的口齿间的雨点。

我见了这状，不禁暗暗地好笑，同时产生一种滑稽的意念。这妇人假使少着二十年的年纪，装饰上也变换得摩登些，那么伊说话时即使有口沫飞出，在一班色情狂的少年们见了，说不定将认作"美人香唾"，也许要领受不遑呢！

"马夫人，你且定一定神。无论有什么话，总得坐下来讲。现在你听着，我来代替你说一遍。……你家住在大庆里七号，租的一上一下的房子，一共有四家租户。你是二房东，自己住在楼下的客堂背后。你的后楼上新近租给一个姓叶的男客。你说这个人非常奇怪，因而有些怕他，是不是？"

那老妇人的两手还是自己控制不住，又忽上忽下地活动起来。

伊且挥且说："何止'有些'呢？我委实怕极了！你得知道，我当家的是做工的，早出夜归，家里的事完全不问。我又是个女流，对于这些事，委实怕透了！先生，近来捉住了绑匪强盗，不是要连累二房东吃官司的吗？先生，我实在怕吃官司啊！但这个房客若不是绑匪，一定是个杀人行劫的强盗！我真急得没法可想！幸亏前楼的毛先生指点我到这里来，请求你先生给我想一个法子！不过我是个穷人，出不起钱。先生，我求求你做一回好事吧！"

霍桑等伊说完了，又让伊定了定神，才缓缓答道："这件事情也很容易办啊。你既然疑心这个人不是善类，恐怕连累你，就叫他迁移好了。"

妇人连连摇头说："不行，不行！这个法子我也想得出。可是他搬进来还不过十天。他已先付了一个月的租金——五元。我若使叫他搬出去，不但要把原租还他，照规矩还得赔偿他一个月的租金。这样一出一进，就得破费十元。这笔钱我又从哪里来？"

"那么，你可以去报告警厅，叫他们来押迁，就不必你破费了。"

"这个也不行。我虽然疑心他，究竟还不曾眼见他杀人行劫。并且凭空去惊动警厅里的老爷们，我又哪里有这个胆子？那不是一样得花钱吗？先生，这件事只有请你老人家做个好事，想一个两全的方法才行。"

霍桑皱了皱眉，走到书桌旁边，抽取了一支白金龙纸烟。他一边缓缓烧着，一边点头说话：

"既然如此，你且说说看，这个人究竟怎样奇怪。"

那老妇又浪费了不少口涎，说了一大堆空话，方才言归正传地说到本题：

"这个人是北边口音，自称是做教员的。但我看他的模样委实不像教员。他身上穿一件花缎的棉袍，却已烂旧不堪，上面罩着一件油光光的直贡呢马褂，尺寸也不合他的身体。他每天总要睡到十二点钟起来，一出去后，又得到半夜才回。你想当教员教书，怎么会教到半夜时分？"

"这也不足为奇。现在的夜学校很多。"

"不是，不是。我家前楼的毛先生，也是当教员的。他校里也有夜课，但每晚至迟十点钟总已回家。这个姓叶的怪客，却不过十二点不回来。并且毛先生以为他是同道，曾和他接谈过几次，问起他的校名，地点，他竟支吾着答不出来。毛先生又从壁缝中窥看他室中的情形，据说他桌子上只有几本小版的旧书，绝没有一本学校里的书。这就可见他实在不是做教员的。"

霍桑点头道："那么，他也许是假托做教员的。还有什么可疑的地方？"

姓马的老妇得到了这句同意的话，似乎加增了些希望，精神越发振作了，口沫的喷发，也增加了密点和扩展了幅度。

伊答道："多着呢！他出外时从来不和人招呼。他迁进来的第三天，我看见他出门的时候，好意地问他一声往哪里去。他却向我眨了一个白眼，绝不理会。以后他总是闭口无言地出去，从来不和人交谈。

"这还不算。他出进时总挟着一个长方形的小包。有一次住在灶披楼上的一个九岁的孩子根福，在那包上摸了一下，他竟大发脾气，凶狠狠地向根福咒骂。仿佛他这东西是触摸不得的！先生，你想可怪不可怪？"

"各人的脾气不同。他也许怪癖些罢了。你又何必大惊小怪？"

"唔，先生，你还以为不可怪吗？好，可怪的事尽多哩！三天以前，他在半夜后回家。他的房中，忽而叮叮当当地有敲银元的声音，连续着一个多钟头，竟使前楼的毛先生不能安睡。他分明忽而得到了不少银元，一个人在查验银元的好歹。先生，你想一个钟头还不曾数完那钱的数目，不是至少总有一千多元吧？先生，你想像他这样的人，哪里来这许多钱？"

霍桑听到这里，似乎已引起了几分注意。他沉着目光，把纸烟灰弹去了些，才缓缓发问：

"这敲银元的声音，只有前楼的毛先生一个人听得吗？"

"不，我也听得的。不过我那时即将要睡，在翻身的时候，听得有人敲银元声音，一时想不到是他；随即又模模糊糊地睡去。但毛先生只和他隔着一层板壁，自然要听得睡不着了。"

霍桑点点头，又问："此外还有别的可疑处吗？"

老妇的双手又乱舞了一会儿，口沫又似雨点般地飞着，眼睛里也满显着惊恐神气：

"还有，还有！前天夜里，他忽把板壁上的隙缝和孔洞，完全用黑布糊没，分明防什么人暗中窥探。先生，你想他若不干犯法虚心的事，为什么要这样子呢？……还有一点，最奇怪了！昨天下午，我们的灶间里，忽而失去了一把切菜的小尖刀。我们四处搜寻，终找不到。在烧晚饭的时候，我又在灶间里搜寻了好一会儿，仍旧不知去向。那时候那姓叶的怪人已经出去了。住在披屋楼上的王嫂子说，在日间十二点半，姓叶的出门以前，这刀还在桌子上见过；并且这姓叶的临出门时，似乎曾向灶间中溜过一趟。因此我们料想那刀是他偷出去的。这原是我们当时的猜想。到了今天早晨，这事竟证实了。那把尖刀忽而又重新在灶间中出现了！"

霍桑也丢了烟尾，振作精神地问道："你既说他偷刀，他事后怎么又还出来？"

老妇答道："他不是要偷，只要借用罢了！我料想他借了我家的刀，一定出去干杀人行凶的勾当。他万一失败被警察们捉住了，凶器却是我家的东西，那岂不危险？"

"你怎么知道一定是他借用的？"

"有凭证的。这把刀我用了好久，因着家中没有磨砖，用得已很钝了。现在却磨得非常锋利，尽可以做杀人的东西。我不知道这把刀，他昨天是不是已经用来闯过祸。我正怕得很呢！"

那老妇说到这几句话，语声有些颤动，脸色也灰白无血，那两只干瘪的手舞动时也欠自然，可见伊心中委实恐惧已极。

霍桑作安慰声道："马夫人，你不用害怕。我已经明白了。你这个后楼的房客，确实有些怪异之处。不过你也不必这样子自寻烦恼。我劝你姑且回去，不要把这事放在心上。因为你若抱着这疑心的成见，自然处处觉得可疑，结果也许会因误会而自讨苦吃。假使他再有更可疑的动作，你再来报告我，我一定给你想法。"

"先生，你现在还不能想法子吗？还不能够叫他搬出去吗？"

"当然还不能够。不过我可以给你暗中侦查，查明了他的行径再说。"

"那么，你也得快些了。我怕他也许就要闹出更大的乱子来哩！"

"你放心。万一他闹出事来，我也可以代你向警厅中人说话，决不致连累你。"

侦查的结果

那老妇离去以后，霍桑立起来伸一伸腰，打了一个呵欠。

他笑着向我说："包朗，你今天总要称赞我一句了。我平日最怕和这种人接谈，但今天却耐起性，费了一个半钟头的时间，换得了这一个小小的问题，总算还值得吧？"

我知道霍桑的旨趣，原是为工作而工作的。所以值得不值得的问题，当然不是在经济报酬上着眼。

我答道："你以为这个问题有值得注意的价值吗？"

霍桑说："我觉得这里面确有几点使人费解。第一，他为什么要冒充教员？第二，他既只租住人家的后楼，经济力也就可想而知，哪里来这许多钱？第三，最奇怪的一点，就是他的借刀的问题。他真要干行凶的事吗？他既然有钱，岂不能自备一把？若说他并不曾偷用，那刀也遗失得奇怪，并且怎么又给磨过一磨？"

"唔，真是很奇怪的。不过我以为这刀也许是别的房客偷用的，他只是受了那老妇的冤枉罢了。"

"我也这样子想。现在你正闲着，何不就到宝通路去走一趟？借此消遣一下也好。"

"好，这究竟是一件小问题，实在也用不到你亲自出马。我准定给你代劳。"

霍桑笑了一笑，这件事就暂时告一个段落。

这天午膳过后，我就一个人往宝通路去。那大庆里是一条狭小的弄子，住户都是中等以下的人家。地上污水满积，几乎有不能下足之势。石库门的墙上，又淋漓地晒满了衣裳，人声也嘈杂不堪。我找到第七家时，忽见那刚才来报告的马姓老妇，正在门口和别一个邻居的老妇鬼鬼祟祟地谈着。伊一见我走近，慌忙招呼。

伊低声向我说：“这个怪人还没有起身哩。先生，你可要见见他？”

我忙摇手道：“不必，你不要惊动他。我即使要见见他的面，也只能暗中窥视。现在我先要瞧瞧那把尖刀。今天你们可曾用过？”

“用过的。这把刀虽是我的东西，却差不多是公共的。除了这一个怪客以外，我们三家人家今天都曾用过。”

我一听这话，暗忖我先前的推想已经不成立了。因为这刀平日既是公开共用的东西，别的房客势不致再有私下偷用的必要。

我又问道：“你们可曾在刀上仔细瞧瞧？有没有可疑的迹象？”

老妇忽反问我道：“先生，你可是说刀上有血迹吗？我们瞧过的，这却没有。你现在可以到里面灶间里去。我给你亲自瞧瞧。”

我跟着老妇走到后面的灶间。伊从桌子上取起一把尖刀来给我瞧。那刀是木柄的，约莫连柄七寸长，锋口已磨蚀了一半，此刻却磨得非常锐利。但论刀的价值，卖到旧货堆上去，至多不出二十个铜元，故而偷窃的问题，实在太觉滑稽。

我低声问道：“你想可会有别的人借用这刀？”

老妇摇头道：“不。一定是他，一定是他。我们平日上半天大家都用着这刀，用过后总放在这只桌子上。昨天下午明明不见，直到我归房睡时，这桌子上还是空的。今天我一清早起来，这刀忽又在桌子上变出来了！夜中别的人都是早睡的，只有他在半夜时方才回来。并且这里还有一个泥鞋的足印，我刚才竟忘怀了没有告诉你们。"伊说着便把手指在水门汀上。

我低头一瞧，果真有一个模糊的足印，似已被人践踏过了。

那老妇又说："昨夜里下过雨的。分明他回来后直接走到灶间里来，把这把刀还在桌上。先生，这一定是没有疑惑的——"

老妇正说到这里，忽顿住了不说，眼睛中也陡然露出骇光。我也听得楼梯上有脚步声音，好似有一个人在那里缓缓地走下来。那老妇忙向我演个手势，仿佛告诉我道："他在下来哩！"

我把身子一闪，避在灶间的门后，微微探着头瞧视。一会儿，那人已走下了楼梯，回身向前门走去。

我仓一瞥之间，瞧见那姓叶的房客身材短小，脸上焦黄而枯皱，两只小而黑色的眼睛却敏活有光，嘴唇上有几根疏稀的黄须。他的年纪不知是三十还是四十，一时实不容易辨别。他身上的打扮，和那居停主妇所说的相同。我见他走向前门去时，摇摇摆摆，踱着一种酸秀才的方步，形状很觉滑稽可笑。

我见那人走出了门外，又低声向老妇说："你回来以后，可有什么举动使他怀疑？"

老妇道："完全没有。他天天总是这个时候出去的，但回来时必在半夜。"

我不再多问，也急急走出前门，打算跟随他，瞧瞧他究竟往什么地方去。我到了弄口，果见他在马路旁边的人行道上缓缓地踱着。他的腋下果真挟着一个长方形的小包，外面用一块半黑半白的手巾包着，里面却像是　种木匣之类的东西。

我一直跟他走过了铁轨，将近宝通路口。那里有几爿烟纸店和彩票店——那时变相的彩票，所谓慈善奖券，和救济奖券等还是很流行。那人忽站住了仰面观望，似乎在瞧视彩票店的招牌的样子。这时忽有一辆送货的大型汽车，从我的对面驶来，我为避让的缘故，急忙站在一旁。等到那汽车过时，我瞧瞧前面，那怪客忽已不见。

我急急走前几步，向那几爿彩票店里瞧了一瞧，完全没有。他莫非闪进了那一条合德里弄里去了？但他既不知道背后有人跟踪，势不至于临时闪避。我追到弄里去。弄里也有不少一上一下的石库门，但不见怪客的影踪。我失望之余，暗忖我来只打算证明那失刀的问题，他的行径如何，不妨回去和霍桑商量了再说。

我回到寓里，霍桑也已出外。据施桂说，他在我离寓以后不到十分钟工夫，也就换了衣服出去，没有说明往哪里去。

到了三点钟光景，他方才回来。我就把侦查的情形报告他。

我说："据我观察，那把刀确实是他偷过的。"

霍桑皱眉道："你相信确实如此？那是最费解的一点。我本来料想这一点是出于误会的。"

我反问道："何以见得？"

"我从各方面印证，觉得这个姓叶的并不像是一个危险人物。那老妇完全是出于误会的。"

我惊异道："什么！你自己也已在这件事上侦查过吗？"

霍桑点点头："正是。我觉得这虽是一件小事，但那老妇既然诚意来请托我，我也不能不亲自走一下子，以便查明了那人的真相，给伊解决这一个难题。故而你出去以后，我就打定主意，预备和你一块儿调查。现在这个人的真相我已经完全查明白了。"

"怪了，你怎样查明的？我怎么没有看见你？"

"我赶到宝通路时，看见你正远远地跟在那人的背后。那人的装束，既和老妇所说的相同，自然一望可以辨别。不过我在那人的前面，你却在他的背后，故而不便和你招呼。后来他在彩票店门前站定，我已守在合德里的弄口；不料他也走进弄去，向着弄里第三个石库门里进去。我知道那一家是私吸鸦片的燕子窠，因此就跟着进去，假装吸烟，乘间刺探这人的真相。他是那燕子窠里的老主顾。我只花了几毛钱，便把他的真相完全探出来了。"

我高兴地说道："原来如此！怪不得我没有看见你。这个人究竟是什么样人物？为什么有这种奇怪的行径？"

霍桑缓缓答道："你不要性急。我一节一节解释给你听。这人叫作叶时仙，他的行业是一个摆地摊走茶馆的喊着'问问流年运道生意财气'的测字先生。这种生涯，上半天自然没有事做。他每夜在各茶楼收市以后，还要到燕子窠里去过一回瘾，所以回寓时总要在半夜以后了。"

"这样说，他假托教员无非要顾全面子，是不是？"

"原是啊。他所以假称教员，这有一个来由。他从前也开过私塾，坐过几年冷板凳。他觉得测字的虽也称'先生'，这'先生'未免太'起码'，所以就掮出他的老本行来了。因这一点，又可以解释别的疑窦。他手里挟着的那只方形匣子，是他的吃饭家伙，内中就是字卷和笔砚等东西。他既隐秘着他的行业，自然也不愿人触动他的用具了。还有他出外的时候，总是冷冰冰不和人接谈，那也是这班走江湖吃空心饭的传统的迷信。他们在做生意以前，最恨和人家空谈。但是那马姓老妇既不知他的真相，莫怪处处都觉得可疑了。"

"还有呢。他为什么把房间的隙孔糊没？并且又哪里来的许多钱？"

"这一点我虽然还没查明，但也可推想而得。你刚才不见他走过源利彩票店时，曾站立过一会儿吗？也许他平日是喜欢买彩票的，这一次竟被他侥幸地买中了。那钱的来路谅必就是彩票的彩金。若说他把板壁上的空隙糊没，无非怕人家窥探。须知穷人们一旦有钱，便会觉得人人都是盗贼，做出种种不需要的防备。这原也是普通的心理，说破了不值一笑。"

我不禁含笑说："霍桑，我真佩服你。你的机会太好，费了几毛钱，就探明了这一件小小的疑案，委实再便宜没有。不过还有那刀的问题，还没有破解。你想他究竟为了什么缘故，起先偷取了那刀，后来又送还原处？这里面有什么作用？"

霍桑对于这一个疑问，竟也解释不出。他皱着眉峰，沉吟了一会儿，才缓缓答话。

他说："我以为这定是误会的，那刀也许始终没有被人偷过，或是偷刀的并不是他。……明天我定意亲自去见他一见。这疑问一定就可以明白。"

"他已杀了人"

凡表面上平淡无奇的案子，案情的发展往往会出乎意料，这种事我们经历得已多。这马姓老妇的案子，据霍桑的解释，已很明显，似乎更没有什么玄秘的存在了。不料下一天的早晨，我还没有起身，忽见施桂奔进我的卧室中来，惊惶地把我唤醒：

"下面有一个老妇，急得什么似的，要求见先生。"

我一听得是一个老妇，便想起了上一天的事情：

"这妇人你可认识？"

"就是昨天早上来过的一个。"

我立即知道那案子一定又起了变端。

我又问道："霍先生呢？"

施桂道："他已照常出去散步了。我见伊急得没法，才来唤醒你。"

我点了点头，不再多说，忙从床上跳起身来，一边穿好衣服，一边用面巾抹了抹眼睛，慌忙赶下楼来。

我走进会客室时，果见那妇人颤巍巍地站在那里。伊的面色苍白，两眼大张，头发也像乱蓬一般；那种惊悸不宁的状态，比昨天更觉厉害。

我向伊招呼道："什么事呀？请坐下来讲。"

伊颤声答道："先生，这件事不得了！我实在坐不住了！"

我觉得昨天伊的腿骨上仿佛还只装的弹簧，今天大概已变换了铁条，当然没有法子再叫伊坐下。

我问道："究竟怎样？你且说出来。"

老妇道："他已杀了人哩！"

"什么？"

"我实在怕吃官司，求先生救救我！"

我不禁暗暗吃惊，但外表上仍不得不保持着镇静的态度：

"你不要慌，说得明白些。究竟是谁杀谁呀？"

"就是那叶姓的房客，杀死了一个不知谁何的人！"

"有这事？他在哪里行凶？"

"就在他住的后楼上。"

"唉！既然如此，你把这事情详细些说一遍给我听。"

老妇颤声说:"昨天深夜他回来的时候,带了一个人同来。那时我已睡熟,没有瞧见是什么样人,但听得他们在楼上互相谈着。那另一人的声音很低,不知道是男是女。我就觉得有些诧异。但我既把屋子租给了他,自有他的主权。他多住一个人,我也不便干涉。况且又在深夜,我也就听他们自然。

"今天清早,我的当家的往厂里去的时候,忽而碰见弄口的一家邻居,问他我家后楼上的房客,是不是已经搬场。我当家的呆了一呆,回答没有。那邻居才说天明时他瞧见那怪客捎了一个铺盖似的大包走出去,因而疑心那个人已迁去了。

"我当家的也不禁惊疑起来。他常听得我说这姓叶的房客,每天总要到午膳时方才起身,怎么会一清早出去。他回进来告诉我。在这时候,我在房中也已发现了一种可怕的东西。我们卧床的帐子顶上,有好几滴血点,仔细一瞧,是从楼板缝中漏下来的!

"我正自惊慌无措,忽见我当家的回进来告诉我邻居的话。后来他一瞧见帐上的血迹,也大吃一惊,忙奔到楼上去叩那后楼的门。不料门上已下了锁,这怪客当真已经出去了。同时我到灶间中去找那一把刀,竟又不知去向!

"我们才知道这怪客一定已干了杀人勾当。又据前楼毛先生说,昨夜里他也听得有两个人在后楼谈话;在将近天明的时候,又仿佛听得一种呼叫的声音。从种种方面看来,料想那怪客昨夜把什么人骗到了楼上,后来又借着我们的刀,把那人杀死,到了天明,他就把尸体包裹了移送出去。这种事既然关系人命,我们实在怕吃连累的官司。现在我丈夫已往警厅里去报告了,我特地赶来,求先生们给我们出一出面,证实一下。我们对于这件事,实在是完全没有关系的啊。"

　　这一番说话，当然也是经过我整理归纳的。我回想起霍桑昨日的见解，未免太觉轻忽。他对于那刀的问题原没有解释明白，却不料竟会酿成一件命案。现在他还没回来，这老妇又是十二分惶急，我势不能不再代他走一趟。

　　于是我用五分钟的工夫，结束我的梳洗事务，又向施桂说明了一句，就匆匆跟着老妇同去。

　　我们赶到宝通路大庆里时，那第七家姓马的老妇门前，已围集了好几个人，正在三三两两地谈论。我到了里面，才知警厅里已派了人来搜查。我认识那个搜查的侦探，叫夏炳生，彼此招呼了一句，便先到老妇房间里去察看血迹。

　　卧床上一顶帐子是半新旧的，却新近洗过。白布的帐顶上面，果真有好几点血迹，凝集在一起，足有银币般大。我依着那血迹的直线，向上瞧视，楼板缝中，当真还有干结的余血。

　　夏炳生在帐顶的血迹上摸了一摸，点头说："是的，明明是楼板缝中滴下来的。这血迹还很新鲜。"

　　我们赶到楼上。那后楼的门上果真有一把廉价的西式小锁。我从板壁的隙缝中向内瞧视，里面都糊着黑布，完全瞧不出什么。那锁本是一种最劣等的东西，夏炳生略一用力，便把那锁扭开。室门打开了，我也跟他进去。

　　室中有一只小床，床上也挂着帐子，不过帐子的颜色，已从白的变成灰色。床上的被褥杂乱，似睡后不曾整理。床底下有一只破旧的皮箱，还有些纸匣、帽笼，和一只煤油箱改造的小箱，却已锈旧不堪。靠床有一只半桌，两只椅子，桌子上除了一叠旧书，和一个方形的纸包以外，还有一种东西，赫然接触我们的眼帘，就是我昨天见过的那把尖刀！

　　那侦探似也觉得这一种东西最有吸引他的视线的能力，忙走近去将刀拿起来，凑到近光处去瞧了一瞧。

他忽惊呼说："唉，刀上还有血呢！他虽曾抹过，却不曾抹得干净。包先生，你瞧，这锋口上不是还留着一丝丝的血痕吗？"

我接过那刀一瞧，觉得侦探的话完全不错，凑近鼻子嗅了一嗅，还有很触鼻的血腥。

夏炳生又惊呼道："包先生，你再来瞧瞧。这里另有一种显明的证据。"

我回头瞧时，见他俯着身子，正在查验地板。我也偻着身子细瞧。

我答道："不错。这里也有血迹。下面帐顶上的血，确是从这里流下去的。这一点已丝毫没有疑问。"

探员从床足边拾起了一个纸团，大声说："还有呢。这纸团就是他抹血用的——"

这时我忽听得下面一阵子呼叫声音，仔细一听，那姓马的妇人正在欢呼：

"捉住了！捉住了！"

那警厅的夏探员似已会意，便向我说："好了，这件事大概已没有什么周折，不久就可以水落石出哩。我们刚才有两个人到这里来的。我的伙伴曹胜标在弄口守候，以便等这怪客回来。现在你听下面的声音，一定已经把那个人捉住了。"

我说："但这叶时仙既然干了这样的凶案，为什么竟会重新回来自投罗网呢？"

夏炳生答道："我料他还想不到我们已发觉他的阴谋。现在他既已把尸体移去，自然仍安然无事地回来了。"

我还没有答话，下面又发生一种杂乱的脚声。我向下面一瞧，看见上楼的竟是霍桑。

我忙问道："你也赶来了？这案子竟闹大了！"

霍桑似乎没有听得。他到了楼上，态度上仍安闲如常。他向夏炳生点了点头，打了个招呼：

"我刚才见过你的同伴曹胜标。他竟性急得很，已经把叶时仙带进厅里去了。"

我接嘴道："你打算怎么样？怎么说曹胜标性急？"

霍桑答道："我觉得他若使听我的话，一同到这里来搜索一下，也许可以证实叶时仙的说话。现在你们可曾搜出了什么？"

夏炳生忙把桌子上取得的尖刀授给霍桑。

霍桑把刀瞧了一瞧，嘴里喃喃地说："这把刀确是一种最绞人脑筋的东西。但现在我所要搜集的，还有别的东西。"

夏炳生又指着地板说："这里有血；这纸团是抹血用的。"

霍桑接过了纸团，轻轻地展开，忽而见纸团中夹着一小片白色的羽毛。

霍桑忽点头道："哈！第一步已经证实了。"接着他的眼睛在桌子上一瞥，忽问我道："包朗，你把那桌子上华新书局包皮纸的纸包打开来，瞧瞧里面是不是一部《符咒大全》？"

我依言将那纸包展开，果真如霍桑所料，心中暗暗诧异，不知霍桑怎么竟有透视的眼光。并且他这种奇怪的搜查，也使人莫名其妙。

霍桑俯着身子，从床底下把那一只煤油箱改造的小箱子拉出来，随手开了箱盖，忽而从箱中取出一只死的白雄鸡！

霍桑嘴里发了一声惊喜的呼声，仍旧把死鸡丢下。他回转头来，从我手中抢了那部《符咒大全》，先翻开了目录一瞧；随即把第三本书翻开；翻到一页，便指给我们瞧：

"炳生兄，这就是全案的关键。包朗，你也来瞧瞧。这也可以增长些常识。"

这是什么一回事？我越发如坠入五里雾中，我看见霍桑指着的一行，印着道：

求财得彩法。……先时斋戒茹蔬三日，于黄道吉日之破晓前，四目不见：杀公鸡一，蘸血书后列之符一通。书符时，应念咒如次，藏此符于身，凡摸彩摇会，定可得中。

这几行字后，又附着一道符形，和四句不可解释的咒语。

我和夏炳生二人，正自面面相觑，霍桑又向夏炳生说话：

"炳生兄，现在你总明白了。这叶时仙实在没有杀人，只杀了这一只公鸡。他所以要杀鸡的缘故，就因为他要发财，便想入非非，画了符去买彩票。你现在赶紧回厅去，在他身上搜一下子，一定可搜得到这一道相同的符，也许还有一张彩票！"

我这时才恍然明白，原来是这样一出滑稽的把戏！我既料想不到，竟也认假作真。

我问霍桑道："这一出戏真是不可思议的。但你又怎样知道的？"

霍桑答道："我刚才听了施桂的话赶来，也是和你一样吃过一回虚惊的。但我赶到这弄口的时候，曹胜标恰正把他捕住。他听说他已蒙了杀人的嫌疑，吓得失了魂魄，急忙把这事的真相和盘托出。我一听便深信不疑，但曹胜标却以为他完全说谎。炳生兄，现在这些东西都是你眼见的。你就回厅里去，把这件事弄个明白，免得再误会下去。不过他们在释放叶时仙以前，应得限他在短期中迁居。否则这位姓马的二房东疑心生暗鬼，也许真个会闹出乱子来。”

夏炳生似乎还有些半信半疑的样子，问霍桑道："那么，还有那个昨夜里和他同住的人可也有着落没有？"

霍桑答道："那是他的朋友。昨夜里那朋友再三向他商量，他才留了他一夜。今天一早，他捎了铺盖，送他上火车去的。他还说今天天明以前当他独自画符的时候，他的朋友忽在帐子里梦魇呼叫，几乎坏了他的大事。他说这朋友是往无锡去的。你们若要证明这句，也不是办不到的。"

霍桑说完了，向我招呼了一声，先行下楼。我也就跟着同下。他又向那姓马的老妇解释了几句，才同我一块儿出来。

我们到了外面，霍桑才向我说："这一出把戏，就因着叶时仙惜了些小费，自己闹出来的。"

我说："我不明白你的说话。他惜什么小费？"

霍桑说："他以为杀一只鸡，用不着特地去买刀，就打算把二房东的尖刀借用一回；他又过分周到，先把那刀取出去磨了一磨。这事既然是秘密的，他自然不便告人，因此才闹成这场误会。否则，他如果悄悄地买一把刀，岂不是完全没有这一回事了吗？"

那叶时仙在警厅里供明以后，又剖明了几则较小的疑点。他身上果真有一道鸡血画的符，并且他送了他的朋友上火车以后，已顺路买了五块钱彩票。他所以有这发财的妄想，就因他见报纸上登着的符咒广告，说得天花乱坠，引动人心。几天前，他又偶然买中了十元的彩洋，他便定意利用符咒，大买一买，满望发一注横财。至于那晚上他玩弄了好久的银元，实际上他只是盘弄着那得彩的十块钱罢了。

这一件看似滑稽而含有社会问题的案子，既已完全揭露，不禁引起了我的慨叹。

我叹息说："彩票足以引起人们的侥幸心和贪心，容易使人起不劳而获的妄念！实在是最害人的东西！"

霍桑也感喟地说："是啊，不过这里面还有根本的问题。这几年来，时乱年荒，一般人生计艰难，便容易想入非非。几千年的迷信的势力，至今还笼罩着整个社会，那些画符念诀作法斗宝的神怪小说又在推波助澜。教育这样低落，一般人的常识，又非常缺乏，才会演出这种荒谬可笑的把戏！唉！我不知道这种可笑而又可怜的事实，到几时才能绝迹于我们的社会！唉！可怜！"

夜半呼声

一个小窃

　　近十多年来，我将霍桑经历的探案陆续发表出来的已经不少，然而就霍桑历年来的纪录而论，还只十分之一二。不过有许多案件，因着种种关系，一时还不便披露。这一件案子也有相当顾忌的必要，所以案中主要人物的姓名和服务机关大半是隐藏假托的。但全案的情节的曲折离奇，在霍桑的经历中也是不可多得的，所以我得到了霍桑特许，提前将它发表出来。当时我因着旅行在外，并不曾亲身与闻，所以在记述的方式上也不能不加变换。这是要请读者们予以谅解的。

包朗记

　　西区警署探员倪金寿每夜从署里回家，总要在十二点钟左右。但在十一月十六日那一天晚上，他因着他的儿子俊才正害着寒热病，急着要回去瞧瞧他服药以后病势有没有变动，所以他一听得他的办公室中的那只时钟当当地打了十一下以后，就拿了呢帽，急急从署里出来。他的寓所就在平安路口兴安里，离署所本来不远。这时警署门口既没有车子，他就步行，沿着嵩山路向南。夜风挟着寒气向行人无情地袭击，使金寿打了几个寒噤。到了黄河路转角，他立定了点着一支雪茄，他的脑子又想到他的儿子俊才。

这孩子才十二岁，已经接连病了一个星期，换了三个医生，可是各人的诊断竟彼此不同。这未免使金寿有些惊疑了。他早想请西医诊治，可是他的妻子太守旧了，不但绝对不赞成西医，却还要迷信地请教看香头的巫婆。金寿在办公事时，有时候也会摆出些叱咤嗷喝的姿态，可是一碰到这位顽固的妻子，竟弄得无所措手。今天已是第三个医生了，俊才服药以后不知道究竟有效验没有。

他一边思忖，一边又动脚转弯，走进了黄河路。他正要再向南转弯穿过济生路，陡觉有一个人飞步从济生路出来，竟和他撞个满怀。金寿整个的脑子本萦回在他的儿子身上，不提防有这一撞，因此他口中衔着的雪茄也落到了地上。倪金寿站住了脚，准备看那个和他相撞的人有什么道歉的举动；忽见那人一言不发，旋转身子，反望着来的方向飞也似的奔回去。

"唔，这个家伙有些不妥当！"他哼了一声，便舍了雪茄，放开脚步追赶上去。

那前面奔逃的人举步很快。倪金寿追了二十多家门面，仍旧追他不着；但越是追赶不到，他越不肯轻轻放过。一个意念打动了他：这家伙仓皇逃避，不是干了什么犯法的事吗？于是他且追且伸手从衣袋中掏出一个警笛来。他正待把警笛放到嘴里去吹时，猛见前面逃走的人突地仆倒在地上，大概是失足跌倒了。

那人正待爬起来重新奔逃，倪金寿早已跳到近边，一只粗壮的右手已经在他的领背上一把抓住。

金寿厉声喝道："你逃到哪里去？"

那人气息咻咻地喘着。电灯光照见他的瘦脸的颜色灰白，一双小眼睛中也露着骇光。那人略停一停，才断断续续地回答：

"我……我并不逃啊！我……我……"

"你还想赖？你起先明明是向北去的，在路口和我撞了一下，忽又重新回向这方面奔过来。你要不是心急慌忙，奔得这样急促，怎么会失足跌倒？快老实说！你到底干了些什么勾当？"

"我……我……我实在没有干什么。我因为撞了你老人家，只怕冲犯你，心里一吓，便走向这方面来——"

"胡说！你还要骗人？真要讨苦吃哩！你知道我是什么样人？"

金寿的右手仍抓住在那人的衣领上。那人的身材矮小，穿一件青色的破棉袄，下身却只有一条黑布的夹裤，形状很像一个工人。他在瑟瑟地抖，却不答话。

倪金寿又道："你不是抢了什么人的东西吗？"

那人着了慌道："不……不！我没有抢过东西。"

金寿哼着说："那么你在这冷僻的路上干什么？大概是准备来抢劫的，不过此刻还没得到下手的机会，是不是？要不然，你这种惊慌的样子，也许要暗算什么人。唔？走，跟我往警署里去！"

那人两手合十地作哀恳声道："先生……先生……我老实说吧。我因着没有饭吃，打算进什么人家去偷些东西。"

倪金寿大喜道："哼！我早已瞧出来了！那么你偷得了什么东西？不是在路口第一号田家里偷的吗？他家里上月中已经失窃过一次，想必也是你做的。"

那人慌忙地摇着手："不是。先生，我没有偷得什么。今夜还是第一次。"

倪金寿仔细瞧瞧他的面，果然不像是个积窃："你还赖？

偷到了什么？快拿出来！"

"先生，我真的没有偷着。你不相信，可以在我身上搜一搜。"

这句话是多余的。倪金寿的左手早已老实不客气地伸进了那人的袋中。他摸索了一会儿，果然没有什么，未免有些失望。

那偷儿又说："我本想溜进三号洋房的王公馆里去的，可是他家的前后门都把得很紧，里面又有许多人，所以我到底不敢进去。"

"你一定是进去过的，不然，你也用不着逃。"

"先生，真的。你已经搜过了，我实在没有拿什么东西。再不相信，你可以到王公馆里去问问，到底有没有失去什么东西。"

倪金寿也记得那句"捉贼捉赃"的老话，不能一味冤枉他。但此刻他既然急于要回去瞧他的儿子，更不耐陪着他到王家去质问。他略一沉吟，便有了主意。这时他们已到了济生路的南部，再过去些，就有南白沙路的岗位。他准备把那人送到署里去，让当值的去问个明白。他拖着那人走不到四五家门面，便见有一个警士正缓缓地从南面踱过来。倪金寿看见那警士是八十八号，名叫罗招弟，就迎上去向他招呼：

"招弟，这是一个小窃。你把他带回去，仔细问一问。我要回家去了。"

倪金寿放了手，把那失败的小窃移交完毕，约略地说了几句缘由，就匆匆地自己回去。

发　案

十六日那天晚上，那个被派在南白沙路口的夜班警士李根宝，在上差以前忽得到吴巡长的嘱咐，叫他对于济生路面东的一栋洋房特别注意些。因为上月中第一号维新大学教授田文敏家曾经报过一次窃案，这夜里第三号里又有一件行窃未成的事实发现，所以吴巡长吩咐下来，对于这几家屋子应得随时留意，不要教偷儿们走熟了路。

当十二点钟的时候，李根宝从署里出来，穿过济生路去上差。他走过第一号田家屋子时，看见百叶窗隙缝里面灯光雪亮。第二号是空着没有人居住的。第三号就是王公馆。李根宝走到了王家门前，停了脚步，果然听得里面高声笑谈，分明那主人今夜里请客，还没有散席。李根宝停了一停，便继续向前行进。

那时他突然觉得背后有脚步声音，急忙回过头去，看见一个人已走近他的身旁。那人起先似乎本是在侧径上走的，到了根宝的近旁，忽而向马路的中心走去。根宝略略有些怀疑，向那人细瞧。那人是个男子，穿着长袍马甲，低垂了头，脚步却很慌忙。

根宝暗想：这个人从哪里来的？为什么这样匆促？他在王家门前立定过一会儿，不曾看见开门，显见这个人不是从王家里出来的。这人大概是从田家里出来的吧？还是从黄河路转弯过来的？但根宝也是从黄河路经过的，却并不曾见背后有什么人。根宝一边思忖，一边也急急地向前，和马路中心的那人恰巧走成平行线。一会儿，电灯近了，李根宝张眼一瞧，忽而停止了脚步。原来那个人的面貌已经给李根宝辨别清楚。

这人是维新大学校里的厨司，名字叫作阿荣。往日根宝当早班的时候，时常看见他往小菜场夫，此刻既已认识了他，不便再跟上去。因为这阿荣不过略略有些慌张状态，若使就凭空

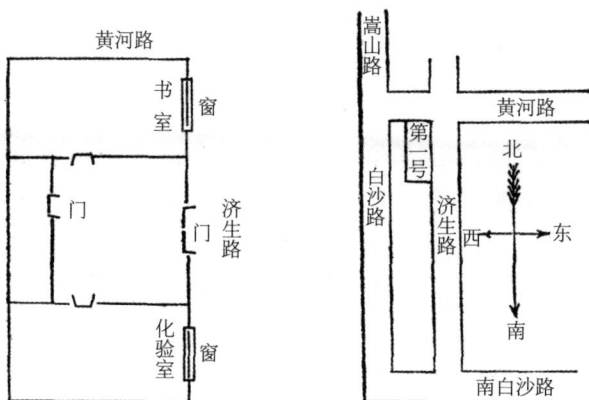

疑心他，未免说不过去。但根宝的疑团已给打破，相信阿荣一定是从第一号田文敏家出来的。田文敏在维新大学里当教授，阿荣是校中的厨司，彼此当然认识。不过在这个时候，他为着什么事情来看这位教授？为什么又这样急促？李根宝立定了默自思索了一会儿，不禁有些怀疑。他便回身过来退到第一号田家的窗前。

窗隙中的电灯依旧明亮，里面却静悄悄的没有声息。他看见两扇百叶窗中间露着一条隙缝，伸手一拉，一扇便门开了，原来虚掩着没有关上。里面的玻璃窗也完全开着。根宝仰起足尖，乘势向内一瞧，空洞洞不见一人。可是他仔细一瞧，有一种景状竟使他益发惊疑。

那是一间书室。靠壁有一只写字桌，上面书报纵横，有一本翻落在地上。写字桌前的一把椅子也已离了原位。室的后部有一只圆桌，左右的两只椅了也参差不齐，桌子上是空空的。壁炉檐上除了一张肖照，一个铜瓶和中央的一只报时的玻璃钟以外，还有一只瓷质的大花瓶。花瓶里面插了几朵菊花，那些花都抵住在墙壁上面不能舒展，显见这花瓶本来的位置不是在炉檐上的。

李根宝见了这种情形，不禁从怀疑而转到惊异。但他还不敢冒昧，就曲了一个指头，在玻璃窗上轻轻地敲了两下。里面没有回音。他又敲得重些，仍旧没有声响。"奇怪！电灯既然亮着，怎么没有人呢？"根宝暗暗地嘀咕了一句，便决定了他的步骤。他高声叫起来：

"里面有人吗？"

他到底失望。他仰头向楼窗上瞧瞧，黑漆漆地不见灯光。于是他走到门前，握着门钮旋了一旋，却也和窗一样地开着没有锁。李根宝踌躇了一下，便咳嗽一声走进去。大门里面黑暗无灯。根宝将随身带着的电筒一照，左右各有一扇门，右室中就是书室，有灯光透露出来。他先到左室门前，用手旋旋门钮，也没有下锁。但室中墨黑，显见没有人在。他依旧把左室的门关好，又向正中一间客室照一照，后面有一只转弯楼梯。他跨前两步，又高声呼叫：

"楼上有人吗？"

仍旧没有回声。李根宝产生了一个念头，觉得这屋子中一定已出了什么岔子。因为书室中的电灯既然明亮，门又开着，却上下都没有一个人，实在不能不使人惊怪。他定一定神，推开了右向的室门，走进书室里去。

唉！景状更可疑了！不但椅桌的位置有些移动，壁上的一张油画画架有些歪斜，连那条重价的青灰地毯也留着卷皱的痕迹。有人打过架吗？还是有什么偷儿进来过呢？李根宝直立着呆瞧，竟有些不知所措。他又瞧瞧室中陈列的东西。炉檐上的一只玻璃的时计、一个银瓶和一座古铜的裸体雕像，似乎都是相当值钱的。书桌上除了文具以外，还有一只银杯和一个小小的银盾，也都仍安然供列着，似乎不像有过偷盗的事实。但这只是表面的情形，内幕中也许已遗失了什么重价的东西。李根宝回头一瞧，壁上装着一个电话箱，他第一个意念，想打一个电话到署里去报告；一转念间，又觉得不无鲁莽。他想这楼下的三间固然是没有人，但楼上或者有什么仆役们正当好梦酣熟，故而叫唤不醒，也未可知。

他走出了书室，照着电筒，一步一步地走上楼去。他把上楼时的步声故意放重些，希望可以借此惊醒熟睡的人，不至于突然间上去，使他们吃惊。

梯级走完了，还是静寂得没有人声！

根宝再度立定，看见迎面是一间憩坐室，左右各有一室。他先到书室楼上的一间门上敲了两下，就用手旋那门钮，却锁着不动。他略一踌躇，又趋向对面的一间去。这一室的门没有锁，应手而开。电筒光照见洗器脸盆等物，似乎是间洗盥室。内部还分隔着一半，有一扇门开着。李根宝索性走进去，瞧见里面布设着床褥椅桌等器具，但都很粗贱，并且也不很洁净，大概是仆人的睡息处。这时床上空空，颜色暗污的被褥也折叠完好。

李警士又得到了一个结论，这上下六间室中，一定都没有人在；否则那对面锁着的一室中，即使有人，也一定不是个活人。

他不再疑迟，急急退到楼梯旁，预备下楼去打电话报告。他刚跨下了一步梯级，猛听得"砰"的一声，显然是楼下前面的开关声音；接着又恢复了先前的静寂。

李根宝自然而然地停了脚步，两只脚好像站不稳定。他立在楼梯顶端的第二级上，关上了电筒，侧着耳朵静听。有人进来吗？还是那室门给风力吹开的？他再仔细一听，觉得有一种很粗的呼吸声音。唉，有人在下面了！这个人是谁？是不是这屋子的主人？但这人为什么偷偷掩掩，不听得脚步声音？分明这个人进来以后，便静止着不动。为什么呢？根宝承认在这样的局势下，似乎不便放重了脚步堂堂皇皇地走下去。他轻轻地一步步下了楼梯，正待开放电筒来照时，猛觉有两只坚壮的手臂，向着他的头部兜抱过来。这一着他倒没有防备，几乎被抱住了。好在根宝的两臂也很有几斤气力，他把右臂一扬，便将黑暗中的手臂挡开了，同时他耳朵中听得呼叫：

"捉贼！捉贼！"

"别乱喊！你是谁？"根宝才知是误会了，急急地把电筒开亮，直向那人照着。

电筒光果然止住了喊声。嘀嗒一响，中间的电灯也霎时通明了。一个男子站在梯脚下面。他是个三十上下的人，穿一件旧黑绸棉袍，头上戴一顶廉价呢帽，像是个仆人。

那人张大了眼睛，惊异地说："唉，你是警察先生。我刚才听得楼梯上有人走了一步，突地停止了，还以为是——"

李根宝忙道："你是谁？此刻从哪里来？"

那人道："我叫黄水金，才从戏院里来啊。"他说着便把右向的室门一手推开，探头朝里面瞧了一瞧，立即退出来。他又作诧异声问道："我的主人在哪里？可是在楼上？"

李根宝道："你主人就是田文敏先生？"

那人点点头，眼光中有着"你怎么在楼上"的问句，却没有说出来，兀自盯住警士。

根宝又道："楼上有一间的门锁着，我不知道你的主人是不是锁在里面。"

黄水金又点头说："我主人睡的时候常常是锁门的。但他曾对我说过，今夜里等我回来了再睡。并且这里的灯还点着，他怎么会去睡？"

那仆人开步奔上楼去。李根宝仍站着不动。他听得钥匙开门的声音，不一会儿便见水金匆匆地下来，脸上满现着惊骇：

"先生，没有啊。床上的被褥还是端端正正的，显见我主人没有睡过。"

"那么你可知道你主人往哪里去了？"

"我不知道。当我往戏院里去时，他明明述在书室里面，并没有说起要往哪里去。"水金走进书室里去，向四面一瞧，"哎哟，这里的东西好像都给动过了！"他走前一步，又发出一种惊怪声音："警察先生，快来！这地毯上还有血呢！"

失　踪

倪金寿的儿子服药以后，热度非但不退，却反见加增起来。金寿非常焦灼，口中不免发几句怨言。他的颇有主见的妻子也有些着急了。伊听了丈夫的责怨，觉得请余医生是伊的主张，现在服了药并无效果，也有些心虚，不敢反唇相讥。他们俩因着担忧的缘故，自然都睡不着。到了一点钟相近，警署里忽然派人来传唤，说是济生路发生了案子，叫他即刻去查勘。他怔了一怔，有些怕冷恋床，但又不能不即刻赶去。

他到了田文敏家里，客室中除了黄水金李根宝以外，还有署里派来的一个姓姚的探伙，李根宝便把发案时的情形一五一十地向倪金寿报告了一遍。

倪金寿问那探伙道："你可曾察看过？"

探伙道："约略瞧过一会儿。地毯上有两点血渍。在壁炉的近边，除了一本翻落的杂志以外，书桌上还有几本外国杂志也都颠倒不齐。"

倪金寿先看看地毯，又走到书桌前去瞧瞧，低着头不语。一会儿，他站定了，用目光向四周打了一个转旋，忽停住在炉檐上的那只瓷花瓶上。

他问水金道："这东西可是天天放在这上面的？"

水金想了一想，摇头道："不是，我记得这瓶是放在那圆桌上的。"

倪金寿道："那么怎么会移到炉檐上去？"

这问句是很有意思的，可是不但黄水金瞠目地答不出来，就是倪金寿自己也推想不出。

姚探伙忽开口问道："水金，你家主人平时和什么人来往？此刻他大概在什么人家？"

水金道："他平日常往曹小姐家去的，还有几个学校里的先生们也常常往来。"

倪金寿也加入问话："这曹小姐是谁？可是你主人的亲戚？"

水金道："不，伊是我主人的未婚妻，名字叫爱美。曹小姐的父亲叫作曹其英，就住在大世界附近。"

倪金寿点头道："唔，曹其英是大华铁厂的主人，就住在槐荫路六〇四号。我本来知道他。但你说过有几个来往的先生，你可知道他们的住址？"

"有一个叫陆守昌，住在白沙路二十号，我曾送信到他家里去过几次。还有一个姓俞的，听说住在龙门路上，但门牌和名字我都不知道。"

"此外他可还有什么亲戚朋友？"

"我不知道。我主人不是上海人。我不曾听得他说过这里有什么亲戚。"

李根宝忽凑近身子，附着倪金寿的耳朵说了一句，就回身出去。

倪金寿又问那仆人道："除了姓陆姓俞的那两个以外，可还有别的在学校里做事的人常到这里来瞧你的主人？"

黄水金寻思了一下，答道："我不记得有什么别的人。"

"你可记得有一个叫作阿荣的，往日里可曾到这里来过？"

"阿荣？他是什么样人？"

"他是在维新大学里当饭头的。你总该记得他吧？"

黄水金定着目光努力思索了一下，仍摇头道："我不知道。我主人平日来往的，都是上流的先生们，那个当饭头的人怎么会和我主人相交？"

倪金寿皱了皱眉头，又举手在自己的额角上拍了一下，忽向那探伙说："你回署里去派人往曹陆俞三家去问问，今晚上田文敏教授有没有去过？"

探伙答应着，马上走出去。黄水金忽目送探伙的背影，自言自语：

"我主人即使往他们那里去，此刻也早应当回来了啊！"

倪金寿也承认这句话委实不错。因为这时候半夜已过，像田文敏这样的人物，想必不致有酗酒赌博的举动。他为什么再留在外面？瞧这书室中的情状和地毯上的血迹，分明这室中有人打过架。但打架以后怎么会同时失踪？莫非一个人逃走，一个人追踪出去？倪金寿的心本来给他的儿子的病情抓紧着，不料不先不后，偏偏在这个当儿发生了这样一件疑案。他觉得他的头脑今天特别迟钝，简直有些力不胜任。

一会儿，他又勉强问黄水金："你主人平日晚上可是常常出去的？"

水金应道："是，出去的日子多。"

"他常往什么地方去的？"

"他最喜欢到什么跳舞会和音乐会里去，因为他自己也会唱。此外戏院里他也是时常到的。"

"唔，他当然不会一个人到这些地方去的，是不是？你可知道他的同伴是谁？"

"他常和曹小姐一块儿玩。"

倪金寿斜过眼睛瞧水金的颜色，似乎有些怀疑："你怎样知道的？"

水金答道："有时候我听得主人打电话给曹小姐，有时候我是从主人的装扮上知道的。因为每逢主人穿了跳舞衣鞋出去，他总要花费几分钟的化装工夫；并且他回来的时候，衣服上也总是香馥馥的。"

倪金寿点点头，又瞧瞧这个看似鲁钝而实在很慧黠的仆人，心中在暗暗地称赞他的思考力。

他又问道："你方才不是说他今天晚上不会出去吗？"

黄水金道："是的，我出去时他还对我说：'你去吧。今晚上我要看许多卷子。大概你从戏院中回来的时候，我还没有睡哩。'因此我才知他今夜不预备出去。"

"他没有说今晚上有什么朋友要来访他吗？"

"没有。"

"那么你可知道你主人有没有仇人？"

黄水金又瞠目摇头地答道："这个我不知道。"

倪金寿寻不出什么线索，低头想了一想，另换了一个题目："你说今晚上你是出去看戏的？"

"是。"

"你在什么时候出去的。"

"约莫九点钟。"

"往哪一家戏院？"

"大舞台。"

"什么时候从戏院中回来？"

"十二点不到，因为我怕主人等候，所以不等到散戏就走。"

"你可是常常去瞧戏的？"

黄水金顿了一顿，才道："不，难得的。"

倪金寿的眼光闪了一闪，好像抓住了什么破绽。他冷然问道："这也凑巧极了。你今夜刚巧出去，你的主人便发生了失踪的事实！"

黄水金慌忙道："先生，这里面有个缘故。我往大舞台去，是主人叫我去的，原不是我自己要去。"

倪金寿疑讶地问道："喔，是他叫你去的？"

黄水金道："是的。主人说，他自己天天晚上出去，我在寓里守门，从没有休息游玩的机会。今天他既然要看卷子，不能出去，所以赏我一张钞票，叫我去看一夜戏。"

倪金寿又低垂了头，暗想这说话如果不虚，显见田文敏一定有什么秘密性质的约会，因此故意将他的仆人差开。后来那约会的人果然来了，大约因为彼此的意见冲突，结果竟至用武。那时候内中有一个人还动过凶器，才留下了两点血迹。像这样的受过高等教育的上流人物，竟至争殴动刀，可知彼此间一定有什么深怨宿恨。但这怨恨的原因是什么？结怨的是个什么样人？这时候一主一客又都往哪里去了？这几个问题，在倪金寿的脑室中盘旋了好久，到底没有解决。

倪金寿又向黄水金问了几句。黄水金将戏单取出来，证明他确曾往大舞台去过。他又说明这屋子里只有他主仆二人，另有一个姓陆的短工老妈子，每天早晨来做些整理卧室和洗涤便器等事，却并不住宿。他们主仆俩的伙食也不自理。田文敏本是在校里寄食的，黄水金却包在饭铺里。金寿又知道田文敏和曹爱美的婚期，定在十二月一日，相差只有两个星期；因此推想田文敏的失踪假使果成事实，一定和他的婚事有关。

一会儿，警署的回音来了，据说警士曾去那曹陆俞三家敲门问过，都说田文敏博士没有去过。那曹爱美一听这个消息，更非常着急，便打电话给警署署长，要求即刻侦寻，必须寻得田博士的下落。倪金寿觉得这件事既然棘手难办，自己的心绪又不安宁，真有些担当不下。他就想到了霍桑，准备下一天请他来帮忙。他吩咐回复的姚探伙守在那里，自己预备回去。

黄水金忽拉着他问道："先生，你想我主人怎么还不回来？他不会被人家杀死吗？"

倪金寿忽又站住了向他瞅了一眼，反问道："你怎么有这样的问句？"

水金指着地毯上的血滴，说道："那里不是有血吗？"

倪金寿沉吟了一下，摇头道："不会。这两滴血似乎还不足以致命。就算他是被人杀死了，也断没有人敢背了死尸逃走。不会的，你尽管放心吧。"

两粒弹子

霍桑对于任何事情，若没有充分的观察和研究，决不肯轻易下断语。这是他的一贯态度。在十一月十七日的清早，他听了倪金寿的一番报告，倪金寿就问他有什么意见，他自然仍保守着缄默的态度。

他说："我以为这件案子在还没有仔细地调查和观察以前，假使就贸贸然下什么断语，实在是没有什么益处的。我们不如再到田家去仔细勘察一下。"

霍桑跟着倪金寿从爱文路寓所中出来。在汽车行进时，倪金寿焦虑地叹息着。

他说："这件案子太离奇，当事人又是社会上的知名人物。它偏偏发生在小儿患病的当儿，我越发觉得对付不下，不能不来请求你老人家的帮助。"

霍桑问明了俊才的病状，安慰他几句，还应许他少停一同到他家里去瞧瞧，那病势是否有碍。他们俩到了田家，霍桑一进门就留心观察。门口有一方毡垫，门里面也接着棕织的毯子，所以没有足印可寻。他们进了靠右的书室，那仆人黄水金忙迎上前来。

他问倪金寿道："先生，你可曾找到我的主人？"

倪金寿摇头道："还没有。水金，我正要问你，你主人的衣饰状貌怎么样？——"

霍桑忽在他的肩膊上轻轻地拍着，附耳说道："瞧，那壁炉檐上的一张照片，不就是田博士的吗？"

黄水金回头一瞧，答道："是的，这正是主人的肖照。"

霍桑走过去把相架拿了下来，仔细地瞧。那相片的状貌非常漂亮，宽广的前额，下颏略显尖削，两条浓眉覆着一双有神的眼睛，一个高隆的鼻子，鼻尖略略内弯。他的年纪在三十左右，头上戴着方顶帽子，帽顶上缀着金缨，身上穿一件黑色的宽袖大袍，是一身博士礼服。霍桑瞧瞧相片下面的几行西字，知道这照片是本年六月在美国加利福尼美术馆摄的。

他说："我记得田博士回国的时候，报纸上曾经记载过的。他是美国芝加哥大学的物理学博士，这张照片大概就是他的毕业的纪念。"

倪金寿问黄水金道："昨晚上他穿的什么衣服？"

水金道："他这几天穿一身淡灰色柳条呢的西装，灰色的呢帽，白背心的纽扣上挂一条金链和一只金表，一支金墨水笔扣在短褂的袋口，外面另有一件深棕色的哔叽大衣。"

霍桑接口问道："可就是那一件挂在门背后的大衣？"

黄水金依着霍桑的手指瞧去，点点头道："是，正是这一件。"

"我想他绝不至于只此一件。你可知道别的大衣放在哪里？"

"不错，还有一件黑细呢的大衣，平日本来也挂在一起的。此刻它既然不见了，谅必他昨夜穿出去了。"

霍桑不答。他的眼光不住地在四面溜转，忽而凝住了。他指着室门一面的墙壁：

"金寿兄，你瞧，那墙脚上失落了一块石灰。什么缘故呀？"他早已走近一步，俯下身子去细瞧："唉！是一个枪弹！"

倪金寿慌忙回过身来，看见霍桑已从墙脚边将弹子拾起，承在手掌中。他凑近去细瞧。

他也骇然地说："这样看，他们动手的时候，内中有一个人所用的武器并不是刀，是一支手枪。"

黄水金也惶惶然道："哎哟！我主人的性命不是已危险了吗？"

霍桑的眼光仍旧像电光般地向四下闪着。一会儿，他仍冷静地说："我看他们中间不止一个人用枪。金寿兄，瞧，那对面的壁上不是也有一个枪弹的痕迹吗？"

倪金寿抬起头来，果见壁炉附近有一个小小的窟窿。不过那窟窿不再在墙脚上，约有一人的高度。霍桑和倪金寿一同走过去瞧时，那弹子还深深地陷在墙壁里面。

霍桑说："但瞧这两面的壁上都有弹子，便可以想象到当时有两个人举枪互射的景象。昨天晚上你怎么连这两个要点都没有瞧见？"

倪金寿涨红了脸，期期地答道："我真该死！昨晚上我给俊才的病困住了，脑子简直像发昏！"

霍桑说："那么我们先将这两粒弹子取出来保存好，再仔细瞧一瞧，有没有别的线索。"

他们俩取出了枪弹，又在书室中查验了好一会儿，才走到楼上去。各室中都不见新鲜的异象，也没有别的被盗的痕迹。后来他们在楼下靠南的一间室中，发现了一把铁锥。那扇临街的窗，外面的百叶窗虽然关着，里面的玻璃有一块却已撬去，窗口上又留着泥印，显见有人撬开了窗爬进来的。那一把遗在地上的铁锥，不消说就是撬窗时所用的工具。此外地板上还有一根烧尽的火柴，别的却没有异状。这靠南的一间本是田博士的化验室，室中的各种仪器都位置井然，细察四周也都是灰尘层积，分明已许久不曾移动。

霍桑推开了一扇窗，在化验室的各部毫不遗漏地加以观察，随后立在窗口，又向窗外的人行道上左右俯视。倪金寿也在旁边追随着视察。

倪金寿说："瞧这情形，那个和田文敏争斗的人，一定是从这窗里偷爬进来的。这一着显然出乎田文敏的意料。"

霍桑移了一把椅子到窗口前，坐下来答道："你不是假定过那昨晚的来客本是田博士预约的吗？"

倪金寿也坐了下来，辩道："那是我先前的见解。现在得到了这两种物证的发展，我的意见自然要改变了。"

霍桑微微地一笑："那么田博士叫黄水金出去看戏，只是偶然的巧合，也并不是故意的。如果如此，你不会觉得太凑巧些吗？"

倪金寿瞧着霍桑，目瞪口呆地答不出话来。他也觉得这是两个相反的线索，顾此失彼，实在不容易圆满解决。

他讷讷然说："霍先生，这件事总要请你帮忙了。像我这样的脑子，委实不能够解释这件复杂的案子。"

霍桑又微笑说："别客气。我知道你因着心绪不宁，才会这样子粗忽。现在你定心些，令郎的病，我料想不会有什么危险。"

倪金寿半羞半喜地说："很好。现在你对于田文敏的失踪可有什么见解没有？我们私下谈谈，行吗？"

霍桑沉吟了一下，才说："他的失踪果真是非常奇秘的。我看这不但是一件失踪案，也许已酿成了血案。不然，你想田博士昨夜半夜里出去了，怎么这时候还不回来？"

"你以为田博士已被人杀死了吗？"

"不，我还不能说定。我只觉得这案中至少有一个人已死。但死的人是否就是博士，或是博士竟杀死了另一个人，他自己却已畏罪逃走，我还不知道。"

倪金寿疑惑道："如果这样，总得有一个尸首。那尸首又往哪里去了？那人既要逃走，为什么要带了尸体一起逃？"

霍桑蹙着眉毛说："是，这一点果然是难解释的。带尸而逃，在事理上太不可思议。可是这不可思议的推想也许竟是事实。"

"唔，你可是已得到了什么证据？"

"是，你不见那个壁炉檐上的瓷花瓶吗？据黄水金说，花瓶本是放在圆桌上的。但他在匆忙中忘记告诉你，桌子上还有一条台毯。因此我推想那花瓶所以被移到炉檐上去，无非有人要借用那条台毯。台毯既已到手，仓皇中却忘记将花瓶重归原位。至于那人所以要用台毯，屋子里既然没有失窃的迹象，也许就为了包裹尸体用。"

倪金寿张目道："台子上还有台毯？你怎么知道的？你可是已问过黄水金？"

霍桑淡淡地说："你如果曾仔细些瞧瞧那桌面和那桌面中缝的一端，便可以知道那台毯还是一种墨绿色的线织品。"

倪金寿似乎还不深信，立起来走出化验室去。他果真往书室里去瞧察。霍桑也将那把铁锥拿起来仔细查验，又俯身在地板上瞧了一会儿，拿出纸笔来绘了一个图，倪金寿已重新回进来。

他惊喜地说："霍先生，你的眼力真可算得无微不至！此刻黄水金告诉我，桌子上真是有一条墨绿毯子的，发案后却已失去。"

"唔，那么你也赞同这个不可思议的推想？"

"不，我以为台毯的遗失不见得一定是包裹尸体。"

"唔，你说有什么作用？"

"若使有什么惹眼的东西携带不便，那台毯也是用得着的。"

霍桑点点头："这果然也是一种推想，我但愿如此。"

"现在你打算怎么样进行？"

"我以为应分头并进。我还认为有一个尸体必须先把它找出来。"

"那可以在报纸上登一个寻人的广告，一面派人在近处寻觅有没有遗弃的死尸。"

"是，譬如隔壁的空屋和附近的阴沟等，都应得先去寻寻。不过登报还不必着急。我看眼前还有别的方面可以进行。"

倪金寿忙问道："什么？你可是说把那个厨司阿荣找来问问？唔，这一着我本来准备要进行的。"

霍桑答道："是。但还有一条更近的路，我们应当第一步走。"

倪金寿对于更近的一条路似乎摸不着头绪，张目呆瞧着不答。

霍桑道："你刚才说过，昨夜你回家的时候，在济生路上捉得一个小窃。我以为这个小窃也许会进过这里来。如果这样，他和此案就有些关系。"

"你知道这小偷一定进来过？"

"是。别的莫说，这铁锥分明就是偷儿的家伙，至少可以说有个小贼曾进来过。从你拘住他的时间和地点上看，很像进来的就是你捉住的一个。这个人此刻谅必还在署里面，你不如先去向他问问。"

倪金寿恍然地应道："不错，我倒忘记了，的确很像。那人的身上虽没有什么东西，但那种惊慌匆促的状态，现在回想起来，的确可疑。我就打一个电话问问，他是不是还在署里面，或是已经——"

滴铃铃！……滴铃铃！……

隔室中的电铃响了。霍桑就同倪金寿从化验室走出，回进书室里去。那黄水金正握着电话筒问答：

"正是……还没有去上课吗？……是的……他昨夜出去了还没有回来……我也不知道……是。"

这是维新大学打来的，分明也不知田博士的踪迹。倪金寿也打了一个电话到署里去询问，不料那小窃已经被释放了。因为当小窃给八十八号警士带进警署以后，警士就打电话到济生路三号王家里去。据王家说，那晚他们请客，门口有仆人守着，并不见有偷儿进去，也没有失去什么东西。那小窃叫方阿三，并非积窃，他的身上也毫无赃证，故而值夜的孙巡长就把他放掉了。

霍桑作失望状道："我以为这个偷儿是案中的一个重要线索，不料竟当面错过。"

倪金寿道："你若说那个偷儿果真重要，我想弟兄们还可以把他找来，不至于十分费事。"

霍桑说："那么就请你回去通知你的同事们，最好再把那个偷儿找来，愈速愈妙。"他又指着那铁锥："这东西也有用，你收拾好了。我现在就去见见那个厨子阿荣。"他开始向外走。

倪金寿也陪着走出来："他住在道德路三德里十七号，我们已调查明白。可要我陪你一同去？"

霍桑已到门外，摇头道："不必，让我一个人先去。如果有什么端倪，我马上可以通知你。"

阿荣的谈话

阿荣家是三德里的一所石库门的中式屋子，楼下也有一个布置楚楚的客堂，从那些檀木的家具上推测，他的景况也相当富裕。霍桑到阿荣家里的时候，有一个穿青华丝葛棉袄的中年女子开门出来接见，回说阿荣不在家中。这女子就是阿荣的妻子。霍桑原预料他不一定在家，并不失望。

他笑嘻嘻地问道："阿荣可是往学校里去了？"

那女子向霍桑打量了一下，应道："是的。先生找他有什么事？"

霍桑仍带着笑说："没事，我顺便来问他一声，昨夜他为了什么事失约。"

那妇人好像呆了一呆："他和先生有过约吗？"

"是的，他约我在大舞台看戏。我等他到十二点半散戏时，他还不来。他可曾和你说起过？"

"没有。但他昨晚上头痛发热，吃过了夜饭便睡，因此才失约。先生，对不起。"

霍桑不再多问，就辞别出来，心中暗想这妇人的话假使实在，阿荣昨夜似乎不曾出外，那一定是李根宝瞧错了人。他在这阿荣身上本来寄托着一种希望，现在这希望起了动摇，这案子便越发难寻头绪。因据霍桑料想，阿荣的老婆来不及准备，伊的答语大半是可信的。

霍桑到了维新大学，在厨房中找到了那个阿荣。他姓薛，是无锡人。他的身材很高，肩膊也阔大有力，穿一件玄色绉纱的棉袍，左手无名指上戴一只厚重的金戒。这时他的太阳穴上贴着两个黑色的头痛膏，一双胡椒小眼半开半闭，脸色微黄，仿佛是有病的样子。霍桑悄悄地把他叫到厨房后面一个静僻的地方，才婉声问话。

霍桑柔和地说："阿荣，我问你一句话，你要老实答复才好。你可知道田博士的事情已经发作了？"

阿荣怔了一怔，他的小眼注视着霍桑，反问道："田博士？可就是这学校里的田文敏——"

霍桑忙点头道："正是他。你不是和他很要好的吗？"

"唔，是的，我认识田先生的。什么事？"

"什么事？你还问我？"

霍桑的虚冒的措辞原是非常洗练的。他的眼光又锐利地盯住着对方。他暗暗地欢喜，因为阿荣的目光垂下了，神色上和他的妻子答话时显然不同。

他又进逼一句："田博士昨夜里忽然失踪了，今天没有来上课。你不是已知道了吗？"

薛阿荣显然着了慌，吞吐地道："先生，我……我不知道……我……怎么会知道他……他怎么样失踪的？"

霍桑仍很和缓地说："这就是我要问你的。你要是知趣，还是老实些告诉我。"

阿荣忽竖直了头颈，睁着两只小眼作坚决声道："先生，我委实不知道他怎样会失踪。如果你一定要冤枉我，那我可以发个誓！"

霍桑仍丝毫不带火气，点点头说："好，你不知道也罢。现在你把昨晚上干的事情说给我听听。"

阿荣低了头，答道："我昨夜头痛得厉害，吃过夜饭便睡，没有干什么事。"

"你出去过吗？"

"没有。"

"当真吗？"

"自然。"

霍桑仍冷冷地说："我看你得想一想再说。"

"我说不出什么。"他的头依旧低着。

霍桑仍瞧着他说："我倒可以代你说一句，昨晚十二点钟敲过，你还在济生路上快快地跑呢！"

阿荣忽略略抬头，摇头道："谁说的？我不承认有这一回事。"

"不承认也好，不过你吃了苦再承认，那就太迟，也太不聪明。"

"先生，你别乱说！"

霍桑微笑着说："嘿嘿，你的嘴虽强硬，但你的眼光脸色早已把你干的事告诉我了！"

薛阿荣的黄脸变白了，声音也有些发抖："先生，你说我干过什么事呀？"

霍桑索性又发一句虚冒："你还要我代替你说？昨晚上你将田博士谋害以后，匆匆出来，后来在街上瞧见了一个警士，就急急避开，向街中心走去。这些事都有见证，你还想赖掉？"

阿荣的面色越发惨白，颤声说道："先生，这是有性命出入的事，你怎么可以随便冤枉人？谁说我谋害田先生呀？"

霍桑道："谁说的并不重要；重要的是你得自己问问，到底谋害他没有？"

阿荣抬起了头，大声道："先生，实在没有！"

霍桑又向他凝视了一下，才道："你这话确实吗？"

"的的确确，若说了谎我给电车碾死！"

霍桑叹气说："很可惜！但你的别的说话既然狡赖不肯实说，人家自然不会相信你。现在田先生失踪不见，人家自然就说你是谋害他的凶手。你不是自讨苦吃吗？"

霍桑说时声音仍旧温柔，脸上也带着同情的颜色。薛阿荣向霍桑呆瞧着，嘴唇张合有些颤动。

一会儿，他才说："先生，我老实说吧。田先生的失踪我是知道的。我也疑心他被害，但内幕中的情由，我委实不知道。"

霍桑舒了一口气，点头道："那么，你但把你所知道的告诉我好了。昨晚上你不是和田先生会面过的吗？"

阿荣摇头道："没有。我本来打算看看他，谁知我到他寓里时，他已经不在。"

"你什么时候去的？"

"昨晚吃夜饭以后，我因着头痛，先上楼去睡了一会儿，后来再起来到田先生家去。"

"你夫人没有知道吗？"

"没有。伊已经睡着了。"

"好。那时候几点钟？"

"我记得出门的时候已经十一点三刻。"

"你到了田家以后怎么样？"

"我进去时，楼下书室中电灯亮着，却没有一个人。我叫了几声，也没有人答应。我以为田先生就要回家，便坐在书室中等他。谁知我等不到他回来，越等越觉得害怕，心中不禁胡思乱想。因为我看见室中的东西有些杂乱，好像已经闹过什么乱子。我约莫等了半个钟头，仍不见田先生回来，我怕人家闯进来疑心我，不敢再等，就匆匆地退出来回家。那时候我大概被一个马路上的警察瞧见了，就冤枉我有什么谋害的举动。先生，这完全是真话！"

霍桑点头道："唔，你既没有干这件事，也不必害怕。现在我要再问你几句。你说你进去时，屋子中没有人，是吗？那么前门的情形怎么样？"

阿荣沉吟着答道："前门和书室门都虚掩着没有锁。我起先还敲过几下，因着没有人答应，才直闯进去。"

"你入室以后有过什么动作？"

"我说过了。我叫了几声，没有人答应，就靠着一张圆桌坐下来。"

"室中的器物你可曾移动过？"

"完全没有。"

"你可曾上楼去？"

"没有。"

霍桑寻思了一下，又问："还有一层，你深夜到田博士家去，为着什么事？"

这问句又使阿荣的头垂落下去，他又嗫嚅着说不出来。

霍桑催着道："这是你故事中的一个要点。你若然守着秘密，没有充分的解答，那就依旧脱不掉你的嫌疑。你的话还是不能叫人相信。"

阿荣踌躇了一会儿，才吞吐着答道："田先生约我去的。"

"他约你什么时候？"

"十一点钟。但我醒来的时候，已是十一点半。所以我到那里时已经过了约时。"

"他为什么事约你去的？"

薛阿荣迟疑道："先生，这一着能不能原谅我？我曾经答应过田先生，决不和别的人说起。"

霍桑婉声道:"但是现在情势变化了,你不能再保守秘密,还是说出来的好。"

薛阿荣被霍桑一再催促,只得低声说道:"他要向我借钱。"

"借钱?借多少?"

"三千元。"

"他可曾说为着什么用的?"

"没有。他只再三叮嘱我不要告诉别的人。"

"那么你昨天晚上到他寓所去,不是就送钱去吗?"

"正是。他说正等着应用,所以约我在昨夜十一点钟,悄悄地将三千元送去。他应许我二分利息,但没有抵押,也不写借票。我认为他是大学教师,不会赖我们吃手艺饭的人的钱,故而就应许了他。谁知昨晚我送钱去时,扑了一个空,书室里的样了又有些可怕。所以我回出来时,心中怀着惊疑,身边又有三千元钞票,才格外匆匆忙慌张。"

霍桑停了一停,又问道:"阿荣,你的话都说完了吗?此外可还有什么地方隐藏着不说出来?"

阿荣摇头道:"没有了。先生,我说的话句句都是实在的。"

霍桑点点头,就也不再问下去。接着他退到校中,去寻黄水金所说的一个姓陆和一个姓俞的同事。那姓俞的叫鸿仪,是英文系主任,刚在上课,不便接见。霍桑就向那个当体操教员的陆守昌问了几句。据陆守昌说,田博士还是本学期进维新大学的,相处不过两个多月,已往的历史,他并不深悉。博士自己说是北边人,但他虽操着国语,有时候却夹杂些湖州口音。末后霍桑问起田文敏和曹家的亲事。

陆守昌说:"曹爱美小姐非常漂亮,跳舞弹琴样样精妙,还有一个天赋的歌喉,实在可以称得上社会之花。伊的父亲是大华铁厂的主人，家里又很富裕。田博士也是一个时髦的新少年，有一条高音的喉咙，会唱歌，会打球，人品既然俊秀，学问又很渊博。这两个人可算得铢两悉称，所以在一星期前彼此已经订了婚约。"

霍桑又问田博士为人如何，有没有怨仇。陆守昌回说因与博士是初交，不知底细。霍桑辞别出来，走到学校门口，忽又站住了脚步，向门房中的一个年轻的守门人招招手。

他说："我要问你一句话，在近几天中，可有什么人来访田文敏先生？"

守门人毫不思索地应道："有的。昨天饭后有一个人来看他，并且还……"那人忽呆瞪瞪向霍桑瞧着，不说下去。

霍桑催着问道："那个人怎么样？你为什么不说下去？"

守门人道："因为我刚才听说田先生昨夜里忽然失踪了。现在想起来，这回事和昨天那个客人也许有些关系。"

霍桑很注意地问道："唉，你觉得这个人有关系？你怎么会有这样的意见？"

守门人道："因为那个客人前天下午已来过一次，恰巧田先生不在。昨天他第二次来，见面以后，竟和田先生高声吵起来。我看见那来客还举着拳头在会客室中的桌子上击了几下，差不多要动手打架的样子！"

新发展

这是一个无意中得到的情报，自然会使霍桑暗暗地欢喜，但他的外貌上仍没有表示。他索性走进那门房里去，那看门的少年也跟着进去。

霍桑婉声问道："既然如此，你可知道那个客人的姓名？"

守门人搔搔头，呆住了寻思，仿佛一时记忆不起。

霍桑提示道："那人进来时，可曾有什么名片？"

守门人点头道："有的，还是我将那名片传送进去的。田先生一接得后，便慌忙出来见他。"

"喔，田先生有些慌忙的样子？……我想你一定是识字的，他的名片你当然也瞧见过，是不是？"

"是的，我果真瞧过一下的，可是当下我并不留意，此刻竟记不起来。"他紧皱着双眉，又在搔头。他等了一等，忽又道："唉，我记得名片上好像有一个'王'字。那客人大概是姓王。"

霍桑有些失望："唔。名片上想必总有籍贯，你可曾看见？"

那少年摇摇头："我也没有瞧清楚。不过我听那人的口音绝不是本地人。"

"喔，你听得出他是什么地方人？"

"这个……这个……我也说不出，好像是浙江人。"

霍桑仍耐着性子点点头："他的模样怎么样？"

"他戴一顶西式阔边的黑呢帽子，身上穿一件灰布棉袍，外面罩一件玄色素缎的马褂，衣服很朴素，像是个上等人。"

"多少年纪？"

"四十左右，嘴唇上还有倒翘的八字胡。"

"他和田博士会见约有多少时候？"

"时候不多，只有一刻钟光景。我因着听得会客室中吵闹击桌的声音，才走过去瞧瞧。我看见他们俩正在那里口角，那客人用手指指着田先生大骂。一会儿，那客人红涨着脸，气冲冲地走出来。田先生却冷笑一声，缓缓地回进去。"

霍桑觉得这个人不能轻易放过，就将问明白的来客的面貌写在日记簿上。接着他拿出一张钞票塞在那门房的手中，才离开学校，回到警署里去。他在办公室中找到了倪金寿，坐定下来，准备把探访的事情告诉他。倪金寿忽兴奋地抢着先说。

他说："霍先生，我在弟兄们中间查问了一会儿，已经得到了一个重要的发现。"

霍桑注意地问道："什么？可是已有人发现了尸首——田博士的尸首？"

倪金寿摇头道："不，不是，不是。田博士实在没有死。"

"什么？真的？"

"是，昨晚上还有人瞧见他从寓所中出去！"

"谁瞧见他的？"

"就是昨夜我遇见的那个八十八号罗招弟。他说昨夜他在南白沙路上往来巡行。踱到济生路南口时，他看见一个穿黑细呢大衣和戴灰色呢帽的人，匆匆从济生路的北面走来。招弟往日常看见田博士出进的，近来又常看见他穿这一套衣帽。那时路上行人已稀，博士又像很慌张，因而引起招弟的注意。博士走到了离招弟不远的地点，就叫了一辆黄包车一直向南面去。"

"那罗招弟在什么时候瞧见的？"

"大约十一点钟过后，恰在我将那个小窃方阿三交给他以前。那时候招弟听了我的吩咐，将小窃送到署里来。他想不到田博士有什么关系，所以当时不曾告诉我。因此我料想博士大约已离了上海。我要贯彻登报的计划，预备悬赏找寻。"

霍桑在沙发上低头沉吟了一下，才喃喃地说："如此，那个小窃越发有关系了。你想博士的走出恰在方阿三被捉以前，可见这小窃也许就掌握着这秘密的钥匙。如果他真是进过博士的屋子里去的，那么博士出走以前，在寓所中有什么举动，这小窃或者会眼见知情。这不是很可能的吗？"

倪金寿点头赞同道："对的，从时间上看，的确很可能。这方阿三此刻虽已释放，料想不至于走远，况且还有那柄锥子可以做个引线，我想不久总可把他寻来。"

接着倪金寿才问起那个厨司阿荣的事。霍桑就把他刚才调查的经历，和无意中从学校的看门人嘴里得到有一个客人去访问田博士的情报，告诉了金寿。金寿又非常兴奋，就请他发表意见。

霍桑说道："从这种种上推想，我们似乎可以假定一种推想。那个到学校中去访问而争吵的客人，一定和田博士有什么过不去的地方。他们俩当时既经口角，不欢而散，那客人心不甘服，到了晚上，就到博士家去实行他的报复手段。但结果那客人是失败的，胜利却反被博士所得。博士既然打死了仇人，自己也不能不畏罪逃遁，因此便悄悄地出去。"

倪金寿寻思了一下，仍坚执着这案中并没有杀人的见解。

他反问道："你仍然认为博士曾杀死一个人吗？但博士逃了，那个被杀的死尸又往哪里去了？我曾向罗招弟仔细问过，他只看见博士一个人匆匆地走过，手中什么东西也没有。"

"唔，这就是一个重要的疑点。最好你在附近的空地和阴沟中仔细搜寻一下。"

"这一着我当然可以遵命。但隔壁的空屋和邻近的阴沟，我们都已去寻过，并没有什么迹象。若说移尸到较远的地方去，事实上就未免难以成立。你想博士既是一个人空身逃走的，又有什么人会来替他移尸灭迹？"

霍桑皱着眉峰，摇头道："这真最是困人脑筋的，我此刻也不能解释。"

他立起来走到办公室的窗口去,目送着天空的行云,神思也飞到了霄汉里去。室中静默了一会儿,倪金寿又提出一种意见。

倪金寿道:"霍先生,我倒另有一个假定。"

霍桑旋转身来,收摄了他的遐想,问道:"什么?"

"我仍认为这案子里并没有死人。这不是一件凶案。"

"喔?"

"我认为有一个人去看田博士,起先曾吵过一会儿,后来彼此出去。田博士往南被罗招弟瞧见;那另一个人却向东往黄河路去,没有被人瞧见。这不是同样可能的吗?"

霍桑略加思索,摇头道:"这假定也有破绽,恰和我的推理一样有说不通的地方。你想当初他们俩既然互相开枪,后来却又好端端地各走各路,已经不近情理。况且田博士既没有被害,又不曾杀人,此刻他怎么又失踪不见?这不是也解释不通吗?"

倪金寿没话可辩,便背负着手,在办公室中踱来踱去。一会儿,他低垂了头喃喃地咕哝着:

"这真是一件非常幻秘的怪案!好像玩一个九连环,通过了这个环子,又阻住了那个!我真看不透!"

霍桑点头道:"是啊。瞧眼前的情势,若要拟一个前后贯通的推想,原是谁也办不到的。现在我们还是从搜集线索上着手,否则虚拟推想,非但不容易贯通,即使贯通,也未必一定符合事实。"

"对,我很赞同。你想从哪一条路搜集线索?那薛阿荣的说话怎么样?"

"我看他不像说谎。不过他对于这案子的关系，远不及那个到学校里去访问的外乡客人来得重要。"

"你想这是个什么样人？为什么事和博士争吵？"

"这两个问句就是我们眼前的课题，我还不能解答。我想你应当先设法探听那曹爱美平日的行为和品格。"

倪金寿忽低声答道："伊是一个交际界上的明星。你难道疑心伊也关系到这件案子？"

霍桑摇头道："不是。这不过是我们应有的步骤。你想田博士在一星期前才刚订婚，两星期后便将成礼。在这个时期，忽然发生这个岔子，我们自然不能不联想到婚姻问题。"

"那么，你以为这案子的主因就关系到这件婚姻？"

"那也只是假定原因的一种。其次，据薛阿荣说，博士曾降格向他借钱，而且需用很急，似乎那借款就准备作为结婚的费用，因此可见博士眼前的经济状况非常拮据。此外，博士的往史也有调查的必要，可惜眼前没有人知道。例如他在出国以前也许有什么仇人，也是说不定的。"

倪金寿应道："好，我就去打听曹爱美的历史。如果有什么消息，我们再来商量进行的方针。"

霍桑道："很好。我现在要再去问问田博士的仆人黄水金，顺便往府上去瞧瞧令郎的病。再见。"

霍桑离开了警署，又赶到田家去。田博士的踪迹依然杳然，屋子里只有水金和那姓陆的女仆。那陆妈已是五十多岁，耳朵有些重听。霍桑吃力地问了几句，毫无结果，就重新向水金探问。他这一次的问题，着重在博士的来往的信札方面。

水金说道："近来一星期中不见有什么信函，但在一星期前差不多天天有信。主人接信以后，总是非常发火，并且好几次立刻把来信用火烧掉，似乎他厌恶那些信，故而不愿意让它存留。"

霍桑虽觉得那些信一定有些关系，可是既已烧毁，书桌抽屉中也搜不出一封，无从取证。黄水金也不知道是谁所寄和从哪里寄来，但知道都是外埠信。霍桑又姑且往邮局里去询问，但既不是挂号快递，当然无从查考。

霍桑在失望之余，就往倪家里去。他看见金寿的儿子俊才所患的病很像是恶性疟疾，金寿的妻子正在忙着请巫婆赶鬼。霍桑曾经在倪家出进过几次，金寿的妻子也认识他。这时霍桑就用恳挚温婉的语调，向伊说了许多劝解的说话。他告诉伊病有病因，根本和虚无缥缈的鬼没有关系，巫婆是骗子；如果延搁下去，反而会耽误病势。他又把何乃时介绍给伊，竭力担保请西医断没有什么危险。金寿的妻子在诚意的感应下勉强信从了，答应马上去请。

这天下午，霍桑和倪金寿没有会面，但曾接到金寿的电话。据说那曹爱美的交际很广，同时给三个少年追求过，都想向伊求婚，但到底被田文敏得了胜利。这三个人中，一个是大中银行董事长的儿子，姓金；一个是大学生张少蓉；还有一个叫杨乃森，是个上海所谓"大亨"的儿子，都是有相当势力的。田文敏怕夜长梦多，预防有什么变端，所以订约和成婚时间只隔三个星期。因此倪金寿准备再从这一条路进行，向这三个失恋者下一番更精密的调查。霍桑也赞同的。不料到了发案的第二天十八日清早，这案子又有一种新的发展。原来倪金寿又来一个电话报告，那个给释放的小窃方阿三已经被探伙们寻着了。

尸 首

在霍桑的意中，方阿三是一个可能的证人，也是全案中一个最重要的环节。所以他一听到方阿三被捉到的信息，自然非常高兴，就急急赶到警署里去。那时倪金寿正在问供室中向方阿三问了好一会儿工夫。可是阿三只是闭口摇头，什么都回答不知道。霍桑向那人打量了一番，觉得这个人不像是职业的偷儿，不能用威胁的方法使他吐实。倪金寿所以问他不出，也无非采用了对付积窃的手段，一味使用硬功的缘故。霍桑从衣袋中摸出一本日记簿来，簿中夹一张折叠的白纸，绘着一只鞋底的印。他带着笑容，走到方阿三面前。

他说："阿三，这是一种毛布底鞋子的印子。你脚上穿的一双仿佛跟这个相同。你姑且脱下来对一对。行吗？"

阿三的脸上顿时露出恐怖状来。他并不否认，却也坚持着不肯脱鞋。

倪金寿插口道："好啊。霍先生，这个印子可是昨天你在化验室中得到的？我看比对起来一定是相同的。"他说着就要用强制的手法去脱方阿三的鞋子。

霍桑忽摇摇手道："金寿兄，别动手。他既然不愿意，我们也不必勉强。你得知道他在法律上只站在证人的地位，他本身并没有罪，我们不但不应当难为他，还应当好好地优待他。他如果肯照实把所见和所知道的事实告诉我们，我们才可以破案。这样我们不是应该重重地酬谢他吗？"

这几句话有着某种力，好像攻破了方阿三的一层壁垒，使他显出一种半信半疑的状态。他抬起了目光，呆木木地向霍桑注视着，可是仍紧闭了嘴。

霍桑仍用和缓的声音说："阿三，你须明白，我生平探案，最不愿连累无辜的人。我知道前天晚上你一定是进过济生路一号田博士家里去的。你无非是因着饥寒的逼迫，想盗窃些什么东西。可是一进去后，你非但不能下手，却还眼见了一幕惨剧，是不是？现在我知道这回事与你是完全没有关系的，只要你能把眼见的事实告诉我们，我们真是很感激你。"

方阿三的嘴唇微微牵动了一下，似乎准备回答了，可是他的眼睛转了几转，又忍住了。

霍桑仍忍耐地问道："你要说什么呀？你不必疑惑，但须照实说明，你本身绝不会有什么处分。阿三，你不是眼见那出杀人把戏的吗？"

方阿三突然开口道："先生，我只是听得，没有眼见！"

霍桑急忙点头应道："唉，听的也一样。你把前晚的经历仔细些说出来。"

方阿三停了一停，才说："先生，我本来是拉车子的。四五天前，不幸害了两天病，我的身体还软弱，不能再去拉车，平日奔走一天，还不能吃饱，自然也没有钱积起来。我没法可想，才走到这一条偷窃的路。

"前天晚上，我本来打算到济生路三号王公馆里去的。因为我眼见得他们里面饮酒作乐，一定很有钱。谁知我正在那门前打转的时候，忽然有一个人走过来喝我一声。我一吓，回身便逃。那人忽一把将我抓住，在我耳朵中轻轻地说：'你别怕。我们原是同道啊。'我立定了向他细瞧。他的年纪比我大些，身材也高我半个头，穿的衣服也果然很像此道中人。他又取出一把铁锥来给我瞧。他又说：'你瞧，这是我们的符号。你大概也有一个吧？'我却是初次出手，并没有预备这家伙，只向他摇了摇头。他又低声笑道：'你是一个新角色吗？怪不得连眼睛都没有。你听，三号里有许多声音，你即使进去，怎么可以下手？我看还不如到第一号里去。'

"于是他领我到了第一号门前，又告诉我他上月里已经得手过一次。这一次他叫我合伙干，到手了大家平分。我依了他，又拿了他授给我的一把铁锥。我向左右一瞧，没有来往的人，就动手撬那南边一间的窗。那时那伙伴已转弯到黄河路上去把风等我，预备我得手以后再和他分赃。

"一会儿，外面的百叶窗已给我撬开了，我更把里面的玻璃撬去了一块，就悄悄地从窗口中爬进去。我进去后仍旧把百叶窗关好，恐怕被外面人注目。当我没有进去的时候，明明觉得这一间靠南的室中黑暗无光，一定没有人居住。这时我就放大胆子，擦了一支火柴。从火光中一照，我不禁大大地失望。原来桌子上只是些玻璃东西，并不值钱，又不能拿。我正想另寻方法，往别室中去，忽听得隔室中椅桌倾翻的声音，仿佛有人在打架。我有些奇怪，又不敢进去瞧。止在这时忽听得砰的一响，接着又有女子的惨呼声音，使我的毛发都竖起来！"

那小偷叙述他的毛发耸竖的过程，居然实地表演出来。他的瘦颊上完全灰白，一双小眼也睁圆了。倪金寿也大惊出神。

霍桑插口问道："你听得的是女子的声音？"

方阿三答道："是，那声音非常尖厉，好像是女子的。"

"那声音的性质怎么样？"

"那只是哎哟一声，可是听在耳朵里，真是寒凛凛的。"

"好，你说下去。"

"当时我吓得失落了魂，只得蹲伏在窗口下面，动也不敢动。因为那声音是从向北的一间室中发出来的。那一室恰在街的转角上，难保不被外面人听见。这时候我虽然再没有下手的机会，但若使即刻逃走出去，也是十二分危险。因此我静悄悄地伏了十多分钟，觉得外面没有动静了，刚想冒险从窗口中出去，忽听得时钟叮叮地打了十一点钟。接着我又听得皮鞋声音，似有人从北室中开门出来，从正中一间的前门走出去。再等一会儿，室中已完全静寂，似乎一个人已从前门出去，另有一人谅必已直僵僵地躺在那北面的室中。我猜想这一定是一件谋杀勾当。我既然没有关系，当然是三十六计走为上计。

"我听听室中既然静了，外面又没有人声，就重新把百叶窗推开，轻轻跨了出来。我到了外面，果真不见一个人。我的惊魂略定，依旧合上了窗，回身向北，预备从黄河路逃走。因为黄河路上警察少些，并且我的合伙的伙伴还等在那里，不能不知照他一声。不料我刚要转弯，就和这一位先生相撞，给他捉住。"他的眼光移到了倪金寿的脸上，随即又垂下了。

倪金寿问道："既然如此，你当时为什么不和我说明，反假说要往王家里去行窃？"

方阿三咬着嘴唇，还没回答，霍桑忽从旁接口。

他道："这也不能怪他，他无非觉得这件杀人案可怖，怕给牵连罢了。"他又望着方阿三问道："你说你听得砰的一响，可就是枪声？"

方阿三答道："是的。"

"你一共听得几响？"

"只有一响。接着就是那惨呼声音，又有一种像重物倒地的声音。"

霍桑低下了头，摸着下颏寻思了一下。一会儿，他抬起头来，皱眉说道："金寿兄，这又是一个疑点。我们在室中明明检出两颗弹子，而且我已将弹子仔细验过，口径大小也不相同。但他却只听得一响。岂不是依旧解释不通？"

倪金寿解释道："也许他听得了第一次枪声，心中一惊，这第二次枪声便没有听得。"

方阿三插口道："不，我实在只听得一次。"

霍桑道："那么除了枪声以外，还有没有别的声音？"

阿三道："我还听得椅桌移动声和皮鞋橐橐声，我因此只能静伏着不动。直等到那皮鞋声音出了前门，我才敢爬窗出来。"

这一席问答在表面上看，似乎已有若干进步，但从案子的内幕上着想，却反而觉得纠纷幻复。因为根据阿三的说话，凭空地添了一个女子。这女子是谁？和博士有什么罗辖？伊已被博士打死了吗？伊既给打死，博士又用什么方法移尸灭迹的呢？并且照此而论，那个往学校中去见博士的客人，反而似乎没有多大关系。霍桑和倪金寿也曾费过许多推索功夫，可是隔壁摸索，终也想不出一个具体的理解。在霍桑意中，认为那阿三听得的呼声，是案中的一个要点，非设法证明不可。倪金寿也曾提出一个意见，假定方阿三所听得的声音实在不是女子的而是男子的，那男子就是那个到学校去过的不知谁何的客人；他因着受了惊痛而发出的惨呼，声音的高度当然比较尖锐些；阿三又在惊骇亡魂的当儿，就误听了认作女子。这推想霍桑虽不赞成，也不否定。他们商量的结果，定意一面寻访田博士的踪迹，一面追究那客人的来由。

霍桑又向倪金寿道："在一星期前，博士曾接得几封信，但看过之后，立刻烧掉。我认为这些信大有关系，如果能够查明那发信的人，这一个疑团便不难打破。我昨天虽曾往邮局中去问过，没有端倪。现在打算再找几个送信的邮差问问，他们也许比局中的职员们更容易注意些。"

霍桑再度努力的结果，果然找到了一个姓何的信差，据说博士的信件有几封都是从湖州来的，信面上还盖着学校的图章，但那学校叫什么名字，姓何的却不曾留意。霍桑假定这田文敏也许是湖州人，至少他总在湖州勾留过。他便打电报给一个湖州朋友。那朋友叫孙伯梅，在警署中当书记。霍桑教他先调查田文敏博士的往史，以便有所参证。因为霍桑假定此案多分关涉博士的往史，他在那里也必有几个亲戚朋友，不难探听明白。

他发电之后就回寓所去休息。他觉得这一件案子起初好似平淡无奇，此刻却越弄越幻，不容易瞧破它的真相。他虽不辞劳瘁地东奔西走，但案子的进展仍非常迟缓，使他感觉到异常闷懑。可是案事的变化往往像暑天的气候，事前不能预知，看来好似晴朗沉静，一霎眼间竟会有迅雷暴雨。这案子也发生了意外的变端。当十八日傍晚时分，霍桑正在寓所中玩弄他的提琴的时候，倪金寿的电话又突然来了：

"霍先生，你的眼力真厉害。这案子果然不出你先前所料。这案子里真有一个死人，死的真是田文敏。他确是被人谋杀的！"

"唔，你已经发现了他的尸首？"

"是。在一小时前，我们的探伙在黄河路东段义冢相近的阴沟中已经找到他。请你快来！"

"是。"

第二个证人

霍桑放弃了晚饭赶到警署里时，倪金寿忙迎他进了办公室去，把发现的经过兴奋地报告霍桑。

霍桑仍镇静地坐定了，问道："你们已经把死尸证明过了？"

倪金寿应道："是，我已叫黄水金瞧过，的确是博士本人。"

"死尸的状态怎么样？"

"尸体用一只旧麻袋包裹着——"

"什么？是旧麻袋？不是台毯？"

"不是。怎么样？"

"唔，没有什么。请说下去。"

"我已经约略看过，他身上的衣服完全剥去了，只有一身衬衣。他的头部右边的太阳穴中有一个枪弹窟窿，弹子还在里面。这显然就是致命的原因。"

"此外可有别的伤痕？"

"我还没有仔细验过。柯循埋医官准备明天检验，等检验终了就有报告。"

霍桑不答，低着头在思索什么，仿佛他又感到一个不易解释的疑点。

倪金寿又自顾自地说："这个发现固然出我意料，但因此可以证实一种理解。"

霍桑忽抬头问道："什么理解？"

倪金寿道："那小窃方阿三不是说他听得的是女子的惨呼声吗？现在死的是博士，可知那呼声也就是博士发的。博士是个善于唱歌的音乐家，他的声带也许较高，所以阿三就误认作女子。我早晨假定的不是已经证实了吗？"

霍桑但点了点头，并不批评。他又问道："那发现尸首的阴沟和博士的寓屋约有多少距离？"

倪金寿寻思道："约有半里光景。那里本来很冷静，夜间更不必说。"

"半里路？"霍桑缓缓摸出纸烟来点着，"那么那尸首又用什么方法移送到那边去的？你想阿三从听得枪声惨呼以后，至多潜伏了一刻钟工夫，便听得凶手开门出去。凶手出去以后，便乘车而逃。从时间上论，他当然来不及移尸啊。"

倪金寿也点着了一支雪茄，缓缓答道："是的，这一点我也仔细推想过。料想前天晚上，干这案子的有两个人，一个是主谋，一个是同谋。主谋的人将博士打死了，就穿了博士的衣服出去，借此遮人眼目。罗招弟所见的乘黄包车的人，一定就是这个乔装的主谋凶手。移尸的是另一个同谋的人。"

霍桑吐着烟说："喔，你以为另外还有一个同谋的人？"

"是啊。没有同谋的人，尸首又怎样移出去？"

"唔，你的意思，移尸的人就是同谋的人？"

"是啊。这还有什么疑问？我们不是已经确知那凶手是空手逃走的吗？难道你又说行凶和移尸属于一个人吗？"

霍桑摇头道："不，行凶和移尸截然是两个人，已经没有疑义。但这移尸的人是否就是凶手的同党，或者只是偶然的合作，我还不能够说定。"

倪金寿作诧异声道："什么？偶然合作？这话有什么意思？"

"你不明白这里面的区别？若是同党，那人起先就有帮同行凶的意思，在法律上已构成附从罪。若是偶然合作，那移尸的人对于行凶的勾当起先本没有合谋，后来却因着凶手的贿赂或威胁，才临时和他合作，将死尸移送出去。两者的情势既然不同，处分上也就有轻重的差别。"

倪金寿仍蹙着双眉，疑惑地说："霍先生，你想这案子里有一个临时参加的合作人？这个人又是谁？可就是他的仆人黄水金？"

"不是。黄水金是很忠实的，绝不会服从了凶手干这叛主的勾当。我想另外也许有一个不相干的人。"

"一个不相干的人？太奇怪！霍先生，你根据什么说的？"

霍桑又吐吸了几口烟，才说："你不是说那尸体是用麻袋包裹，并且尸身上只穿衬衫，别的衣服都已剥去了吗？我根据这两点，便推想到一个人。"

"唔，谁呀？"

"你可记得方阿三说过，当他打算进田家去行窃的时候，还有一个给他一把铁锥的合伙的老贼吗？"

倪金寿突然醒悟地点头道："唉！不错！这个人我早已嘱咐过伙伴们，叫他们留意察访。你以为就是这个老贼和凶手偶然合作吗？"

霍桑弹去了些烟灰，缓缓说："是的。据阿三说，当他撬窗爬进去时，那老贼在黄河路把风等待。当枪声发作的时候，老贼当然也不会走远。他既然等在黄河路和济生路的转角附近，也一定听得到枪声。这老贼也许因此看破了凶手的秘密。凶手怕他张扬，就借重金钱的力，塞没了老贼的嘴，乘势用台毯将尸首包好，叫老贼移送出去，借此灭迹避罪。你想这推想可近情理？"

倪金寿疑迟地说："但发枪以后，阿三只听得有一个人开门出来，却不曾听得有人进去，并且时间不多，那凶手和老贼又怎么样接洽的？"

"那靠北的书室中不是有一扇临街的窗吗？老贼转弯过来，一定先向窗口中瞧望过。所以我料他们俩就在这窗口中接洽，那老贼本来没有进去。"

"尸首怎样移出去的？"

"自然也是从窗口里授受的。"

"唔，后来怎么样？"

"后来老贼将那尸体背到了空旷的所在，就将台毯解开，又剥去了博士身上的衣服和金表等物，另用自己所有的麻袋存放尸体，藏在阴沟里面。你总知道麻袋和铁锥本是偷儿们随身的法宝啊。"

办公室中一度静默。两种不同的烟雾在空中氤氲地交纠着。灯光照见霍桑的神色庄穆，倪金寿的头却在静默中连续点动。

一会儿，倪金寿说："这样说，全案的线索完全在这老贼一个人的手中，我们不能不用全力寻觅他的踪迹。"

霍桑说："对，这人是第二个重要证人。我们若能将这个老贼寻到，那凶手是谁的疑团便不难迎刃而解。现在你但须吩咐探伙们，往各处当铺中去通知一声，如果有人拿田博士的金表一类的东西去质钱，便应当留住了追究根由。"

倪金寿应道："不错，这真是一个重要的引线。我马上去派人通知。"他说完就急急从办公室中出去。

霍桑一个人留在里面，丢了烟尾，又重新点了一支。他因着案子的进展已经露着一线曙光，竟忘却了饥饿。他约莫等了五分钟，还不见倪金寿进来。忽然有一个小探伙在门口探头进来，向里面瞧了一瞧，便站住了呆瞧。霍桑向他瞟了一眼，看见他的神情紧张，好像来报告什么重要的公事。

霍桑问道："你要找你们长官？可是来报告什么消息？"

那人答道："是的，我们已找到一个车夫，叫周七。此刻在外面。"

霍桑不明白原因，不知是哪一案的车夫，一时不知道怎样回答。幸而倪金寿已回进办公室来，就向那探伙简单地问了一句。

他惊喜地说："全福，很好，快领他进来。"

探伙退出去后，金寿便向霍桑解释。上一天他听了罗招弟的报告，看见一个穿田博士服装的人趁黄包车走的，所以就差了几个伙友，分头向黄包车夫们探听，希望可以知道那坐车人的来踪去迹。

他补充说："这个希望本来很渺茫。因为车子很多，又散开在各处，不一定打听得出，所以没有和你说起。不料此刻竟已被全福找到，可算巧极！"

两三分钟以后，那探伙全福已领了一个褴褛瘦弱的黄包车夫进来。倪金寿便抢先开口。

他问道："你叫周七？是不是？……前天晚上你可曾在济生路上拉什么客人？"

周七答道："是的，我拉过一个男人到黄河路去。相近济生路口时，他就叫我停车下来，但我明明看见他转弯向济生路去的。"

"你不曾看见他走进哪一号里去？"

"没有，不过他的状态鬼鬼祟祟，很觉可疑。"

"怎样鬼鬼祟祟？"

"他是从东新桥街叫我的车子的。一路上我好几次觉得车身颠动着。我回头去瞧瞧，他也正回头向后瞧视，好像防什么人跟随他。"

倪金寿向霍桑侧一侧头，暗示这消息还嫌空泛，并不能满足他的期望。霍桑倒很高兴，就接续着问话。

霍桑问道："周七，那个人的状貌怎么样？有多少年纪？你可记得清楚？"

周七答道："记得的。那人四十多岁，唇角有须翘起，身上穿一件灰色的袍子，罩一件黑缎子的马褂。"

霍桑的眼光闪了一闪，又问："那人的头上不是还戴一顶西式帽子吗？"

车夫点头道："正是，他的确戴一顶阔边的黑呢帽子。"

倪金寿才不禁惊喜道："唉！这个人不就是往维新大学去看博士的那个客人吗？"

霍桑不暇回答，只点了点头，又问车夫道："你送那人到黄河路去时，可记得在什么时候？"

车夫疑滞道："约莫十点半钟。"

"可是正好十点半？"

"虽不能说正好，但大概总相差不远。"

霍桑顿了一顿，又问："你可曾听得那人的口音？是不是本地人？"

车夫摇头道："他不是本地人，像是湖州人。我听得很清楚。"

霍桑点点头，便向倪金寿道："这是另一个重要证人，你得赏他几个钱，叫他留个地址，好好地打发他，将来还要用着他哩。"

那个车夫周七领了赏，欣欣地退出去后，馆子里恰巧送进了几样菜来。倪金寿就和霍桑 同进晚膳。晚膳终了时，金寿又和霍桑讨论，请他发表他的见解。

霍桑说道："这案子逐步进展，现在已有了一个轮廓。我想田博士也许真是湖州人。他在湖州地方必曾结下了什么怨仇，或有某种秘密的镠辖。那人起先曾写过几封信给博士，后来因着不得要领，就亲自到上海来见博士。他到学校里去会面的时候，已经和博士口角争吵，几致用武。分别以后他分明还心不甘服，就乘夜到博士的寓中去。但瞧他去的时候举止诡秘，便知他早有行凶的意念。他到了田家门前，也许是博士自己出来开门的，或是博士正等薛阿荣送三千元去，门本是虚掩着，那人就乘机进去。总之，那人进门的手续，事实上并无困难。但既到里面，他见了博士，势必有过一度的争吵。后来他们俩各出手枪，博士就被他打死。那人为灭迹逃罪计，就用台毯将尸体包裹；又贿通了那个老贼，叫他将尸体移出去掩埋；他本人却将田博士的外衣披在身上，就匆匆地乘车逃走。"

倪金寿点头赞同道："对，这一个推想果真进步得多了。我们如果能够再找到凶手逃走时所雇用的那个车夫，那么凶手的去向我们也不难知道了。"

霍桑摇头道："你不要希望太奢，有一个报告凶手来踪的车夫也就够了。你能找到那个周七，不能算是意外的幸运。"

"那么你有方法知道凶手的踪迹？"

"是，眼前就有两条路可走。"

"喔，哪两条？"

"第一，我们根据各方面的情报，可以假定那人是湖州人，并且像是教育界中的人物。我们若使派人到湖州去打听，如果有这样状貌的人，在今天或明天才刚从上海回到湖州，那就可以把他拘留了问问。"

"对。第二条？"

"那人也许还没有回去，那么我们但往东新桥一带的客栈中探问一下，有没有一个新从湖州来的客人。如果真有状貌相同的人，那就简便得多。这一件疑案立刻就可以破了。"

倪金寿连连点头道："不错，东新桥街本是客寓集中的所在。他在那里叫黄包车，大概就是从栈房中出来。我们立刻就去，也许还来得及。"

霍桑同意了，就和倪金寿一同走出警署，预备往东新桥客寓里去探问。他们在门前等汽车的当儿，倪金寿又谈到这凶案的原因。

他问道："凶手既然是从湖州方面来的，显然是因着博士的前怨，那么对于这一次曹爱美的婚事不是没有关系了吗？"

霍桑道："曹爱美是个交际花，有三个少年追逐伊。如果有人和博士竞争失败，因而行凶泄愤，也是可能的。但看眼前的事实，又不像有直接关系。……你调查这三个人的结果怎么样？"

倪金寿答道："内中有一个杨乃森比较最可疑。他是个流氓少爷，平日里争风打架是拿手戏。十六日晚上他一夜没有回去，我也调查不出结果。霍先生，你总明白，他老子是个'大亨'，如果我们的脚跟站不稳，多问是会问出乱子来的。"

霍桑不答，微微叹了一口气。

倪金寿又说："现在线路已很明显，这金张杨三个家伙用不着再空费心思，是不是？"

霍桑还没回答，汽车已开到他们的面前。倪金寿拉开了车门，正要请霍桑先上车，忽见有一个探伙从背后追出来。

探伙报告道："长官，东区署里有电话来。有个老贼叫张炳卿，刚才在源昌押铺里已给捉住，现在在东区署里。"

几种证据

这消息自然会使霍桑和倪金寿感到十二分欢喜。但为着节约时间，他们便定当分头进行。霍桑仍往东新桥客寓中去探问，倪金寿却单独往东区署去。那个老贼不但是指年龄说的，他的资格也够得上一个"老"字。他起先还想抵赖不认，后来他被倪金寿手嘴交用地威吓了一阵，又看见了那支在押铺中被截留的金墨水笔，上面镌着 D. V. M 三个字母，分明是"田文敏"的缩写，证据确凿，赖无可赖，方才承认移尸的事。

倪金寿问道："那么，你得老实说。那个凶手是什么样人？"

张炳卿道："他是一个短小身材的男子，我临走时见他从窗口中探头出来，戴着一顶黑呢帽子。"

"他叫什么？住在什么地方？"

"先生，我不知道。我……我不认识他。"

"唔，你还骗人？你不认识他，肯替他把尸体背出去？"

"先生，实在的。我真的不认识他，并不是通同的。这回事是碰巧——"

"碰巧！你拿了他多少钱？还替他掩饰？"

"哎哟！真是冤枉的！我实在没有得到他一个钱！"

倪金寿厉声道："胡说！你既然不认识他，又不曾得他的钱，倒肯白白地替他移尸！你真骗鬼！你难道不知道移尸是有罪的吗？"

炳卿张大了眼，辩道："先生，这件事原是弄错的。我当初本不知道包裹中是尸体啊！"

倪金寿呆了一呆，才作诧异声道："什么？你既然替人家移尸，还说不知道是尸体？"

老贼咬了咬干枯的嘴唇，答道："先生，这真是一件凑巧的事，说出来也不容易教人相信。因为前天晚上，我本想一个人往一号田家里去的，忽然碰见一个新手，就和他合伙干。他撬窗进去，我却在附近把风。后来我在黄河路上向东踱了一会儿，重新回到济生路口，忽然看见那靠近转角的窗开着，灯光从窗口中照射出来。我暗忖我的同伙怎么这样胆大？他竟开亮了电灯动手，足见他是初出手的新家伙。

"我正在奇怪，忽见有一个很大的包裹被轻轻地放在窗口上面。我以为我的伙伴居然偷得了东西，要从这个窗口爬出来了。我老实说，这时我起了一种不良的念头，准备将赃物独吞，不再和他均分。因此我偻着身子，悄悄地挨到窗口，拉着那包裹，用力一拖。包裹从窗槛上落下，落在我的肩上，我就回身背着逃走。那时我还回头去瞧视，看见一个戴阔边黑呢帽子的人从窗口中探头出来，低低地惊呼了一声。

"我才觉得我所夺取的包裹，并不是我伙伴所偷得的东西，却是另外一个人的。但我想那人眼见我夺取了他的包裹，却不敢叫喊或追阻，显见他也是和我们干同样勾当的。那么包袱里面不消说必是些重价的赃品。

"我一边想一边奔，好在黄河路上静悄悄没有一个人，也不怕被人瞧见。不过我的如意算盘打了一会儿，渐渐有些怀疑起来。因为我觉得背上背的东西太重了，但用手摸摸，却是软的，又不像是什么金属的东西。因此我就拣一个空地，把包裹打开来一看，想不到是一具死尸！"

这讲故事的人枯黯脸上的惊怖表情，竟影响了旁听的东区的于巡官。倪金寿当然也是很惊异的，不过他还有相当训练，并不会在脸上露出来。但听他的并无驳斥的答语，可见他已全部接受了这老贼的故事。

他催促说:"说下去。以后怎么样?"

那高个子的炳卿说:"我当时大吃一惊,幸亏没人瞧见,还容易脱身。不过我费了许多力吃惊吃吓,当然不肯空手回去。好在那尸首上还有念头好转,不致真个空手。我就将那尸体上的西装脱卸下来,另用我自己的麻袋把尸体装好,顺手塞在附近的阴沟里面。接着我就拿了衣服和一条包裹尸体的台毯回客栈里去。"

故事既经结束,倪金寿回想霍桑所料的有一部分果然料中。他假定那移尸的人不是同谋而是偶然合作,这一着果然不错。但这老贼所以合作移尸,并非出于自愿,却还是偶然中的偶然!这倒是出于霍桑意料的。金寿和于巡官低低地谈了几句,又向那老贼发问:

"你的话都确实吗?"

"句句都实在,没有一句假。"

"这样说,你既没有直接替他移尸,谅必也不曾和他交谈过了。"

"当真没有。我只听得他轻轻地惊呼了一声,分明他不提防我会去抢他的包裹。但那呼声很低,一会儿就忍住了。"

"当你的同伴爬窗进去以后,和你在另一个窗口中抢包裹以前,你可曾听得什么声音?"

张炳卿反问道:"什么样的声音?"

倪金寿道:"就是你偷抢尸首的那间室中,可曾有什么声音透出来?"

张炳卿摇头道:"没有。那时候我在黄河路的东面踱来踱去,一直不曾停留,所以没有听得。"

倪金寿沉默了一下，目光照在这炳卿的憔悴的脸上，似乎已相信他的话未必虚伪。

那于巡官耐不住地插了一句："你从田博士身上剥下来的衣服和别的东西，想必还来不及完全销掉。此刻都藏在哪里？"

张炳卿道："可以变钱的东西只有这一支墨水笔，别的都不能够变钱。"

倪金寿忽大声喝道："什么？我们明明知道田博士身上有一只金表和一条金链，别的谅必还有钱夹一类的东西。难道你还想吞没？"

张炳卿着急道："先生，你不要冤枉我。我实在没有拿到什么金表钱夹，只有一套淡灰色的西装，衣袋中除了一块丝巾，就是这一支金墨水笔。"

"哼！别的都没有了吗？"

"还有一条台毯，一件背心，和一条领带，可是都染着血迹，一时还不能够出货——"

倪金寿不禁睁着眼睛，发怒道："你好狡猾！你还想干没了赃物骗人？"

张炳卿战栗地说："我真的没有干没，也没有一句谎话！"

于巡官冷冷地道："你还是知趣些说出来吧。要不然，那你就要吃苦了。"

于巡官的语调和倪探员的怒目闭嘴的面孔，都使这积窃丧失了定力和加增了寒战。他的经验告诉他，如果不接受于巡官的警告，那后果是可以想象到的。

他作恳求声道："先生，我说……我说……除了那套衣服以外，还有……还有 把可怕的手枪！"

倪金寿突然一震，惊骇道："喔！有一支手枪？在哪里？"

"在我的客栈里。"

"金表金链呢？"

"先生，实在没有表。"

倪金寿略略停顿："此外可还有别的东西？"

那偷儿寻思道："在那件西装短褂的里面袋中，有一封信和一张名片。我只摸出来瞧了一瞧，因为不值钱，仍旧放在袋里。"

倪金寿又和于巡官商谈了几句，便定意派人先把这些东西吊了出来，然后将张炳卿解到西区署去。于巡官就派了一个小探伙，押着张炳卿一同往小客栈里去吊赃。倪金寿独自回西区去。这时霍桑也已探听回来，大家就在办公室中坐下来。霍桑先说明他的经过。

东新桥的一爿平安旅馆里，在三天前来过一个湖州客人，姓严，名玉冈。这人住了两夜，昨天已动身回湖州去。严玉冈的衣服状貌，和大学的门役和黄包车夫周七所说的完全相同。一个疑问总算已告解决。倪金寿也把张炳卿的口供告诉了霍桑。霍桑也很满意。

倪金寿表示他的意见说："这样看，那个严玉冈大概就是凶手。因为张炳卿虽没有和凶手接谈，但他从窗口中所见到的黑色呢帽，明明是一种证据。"

霍桑沉吟地说："不错，不过我们还需多搜集些证据。"

倪金寿又道："张炳卿说，死者的衣袋中有一封信和一张名片。这两种东西也许在案情上也可以有什么证明。"

霍桑点点头："正是。就是那支手枪我以为也是一种要证。"

半小时后，那吊赃的探伙已经回到西区署来。那台毯包裹着的，果真是一身淡灰色柳条呢的西装，不过胸肩部分已染有血渍。此外还有领带背心和一支黑钢的手枪。霍桑先将手枪取出来查验。

他说："唉，这是一种 .32 口径的新式枪，枪膛中共有九粒子弹，此刻却还剩七粒。"

倪金寿提着那件短褂，也走过来细瞧，点点头。

霍桑接着道："这不是一个制声机括吗？这种枪发射时没有声音，最灵便，价值也贵得多。"他随手将枪放在书桌上。

倪金寿已从博士的里衣袋中摸出一张信笺和一张名片，忽然惊呼道："唉！果真是严玉冈！"

霍桑动神地瞧那名片，上面印着"严玉冈"三个字，右角上一行细字，是"湖州师范学校校长"。

倪金寿说："这名片谅必是严玉冈往学校去访问时留下的，田文敏却顺手纳在袋中。但那个门役怎么竟说是姓王？"

霍桑说："我料想这门房当时只在名片上一瞥，就把那三个字中笔画最简单的一个'玉'字印在脑子里。'玉'字和'王'字仿佛，所以他就误以为姓王。这原是人们视觉上最容易发生的错觉，也不足为奇。"

倪金寿点头道："是，大概如此。不过这张片子既然就是行凶的严玉冈的，怎么会留在博士的袋里？那也有些费解。"

"唔，你指哪一点？"

"我听张炳卿的口供，似乎玉冈在行凶以后曾经在博士的衣袋中搜索过一下，所以值钱的金表金链都已给拿去，炳卿实在不曾到手。那么，这片子明明是重要的铁证，玉冈怎么反任它留着？"

霍桑将倪金寿手中的一件短褂接过来，指着右襟里面的衣袋，问道："名片是从这衣袋中取出来的吗？"

倪金寿点点头。

霍桑寻思道:"西式衣服大概只有左襟的里面有袋,右襟里面有袋,本不是件件这样。况且这袋的袋口很小,容易忽略。我料凶手搜检的时候,匆忙中没有瞧见这一只袋,故而遗留了这一个要证。"他把短褂交还了,沉吟了一下,又自言自语地说:"田文敏不会故意将片子放在这袋里的吧?"

倪金寿忙问道:"什么?你说他是故意的?什么意思?不是要嫁祸移罪吗?如果这样,行凶的又不像是严玉冈了呀?"

霍桑不答,摸着下颏,显得很困惑。倪金寿又缓缓将先前和名片一块儿摸出来的一张信笺展开来。

他说:"霍先生,你瞧这信和案事可有什么关系?"

严玉冈

那是一张淡绿色的西式信笺,写的是楷书,相当工整。那信道:

> 蕙芳夫人亲鉴:我接连得到两封手书,仿佛奉到了瑰宝,欣幸万分。不才的微意,幸蒙夫人谅解,并且拳拳致意,更见得夫人垂青不才,真是说不出的侥幸。其实男女的恋爱本是绝对自由的,一方面既然多年远游,他方面自然没有终身厮守的义务。况且尊夫在外,爱情也未必专属,所以夫人此举,实是在夫人自由范围以内,在我辈新人的眼光看来,原是一件光明正大的事。余容面谈,恕不一一。
>
> 昆谨上

霍桑将那信反复读了几遍，他的困惑神气加深了。他将信笺放在书桌上，咬着自己的嘴唇，定着目光向倪金寿呆瞧。倪金寿也瞠目相对地莫名其妙。

一会儿，倪金寿说："这好像是一封情书，你看里面有什么暗关子没有？"

霍桑摇摇头道："不见得，好像很显豁，一个自命为新人的男子，欺骗一个有夫之妇，引诱伊背夫改嫁。此外我看不出有什么双关的含意。"

倪金寿道："瞧信上的语气，那女子似乎也是有意思的。"

霍桑叹一口气，作恨恨声道："阅历少知识浅的妇女们，怎受得住这种'新人'们的甘言蜜语？怎么会不落圈入套呢？"接着他又深深地叹了一口长气。

倪金寿有些暗暗诧异，他想不到霍桑会发这一句牢骚。他重新拿起了信笺，凑到灯光下去细瞧。略停一停，他才继续发问：

"霍先生，照你看，这一封信是谁寄给谁的？怎么会在田文敏身上？你想它和这一次谋杀的惨剧有没有直接关系？"

"唔，照眼前的情形论，这信当然是有关系的。"

"那么这蕙芳是谁？"

"我不知道。但具名的那个'昆'字也许就是严玉冈的名。你也许听得过'玉出昆冈'的典故。"

"喔，这样，这信是严玉冈寄给一个叫作蕙芳的有夫之妇的。是吗？"

"从已知的迹象看，大概如此。"

"但玉冈既然办学校做校长，明明是有知识的上流人，怎么会干出这种事来？"

霍桑忽叹气说："知识真像一支枪，可以制恶兽，也可以杀人。一个良心残废的人，有了知识，就会借用了好听的名词来掩饰他们的罪恶。若是一般无知识的老百姓，如果干了这样的事，也找不出这样冠冕堂皇的名义哩！"

倪金寿也笑着说："这样说，知识倒是一种危险的东西。"

霍桑只是喟叹地不答。

金寿又问："这秘密信怎么会落到田文敏手里去？"

霍桑的嘴唇动了一动，正想答复，忽又忍住了不说出来。他踌躇了好一会儿，才道："这一节我还不能确定。但玉冈知道了这信既已落到了博士的手中，当然不愿意，因此他急急地赶来，向博士索回他的秘信。田博士或想借此挟索，或是另有别的原因，不肯还他。严玉冈不愿罢休，所以又到他的寓中去。田博士也许始终坚持，结果彼此闹翻了，演成了开枪流血的凶剧。"他顿了一顿："不过这是根据着现在所见到的情形推论的。我看这件事不会如此单纯，内幕中也许另有复杂的因素，可惜，我还看不透它。"

商量的结果是决定了进行的步骤。无论如何，先应把这严玉冈找到了，捕解到上海来；这一节由倪金寿担任，他预备亲自到湖州去拘捕移解。霍桑仍留在上海，打算下一天参加检验田文敏的尸体。他还想再往各方面去调查调查。

自从十一月十九日那一天起始，上海的各种日报上面，都大量登载着田文敏博士被杀的新闻。田博士是教育界中的有名人物，平日除了在维新大学讲授理化专科以外，有时还有讨论社会问题的文章在报纸上发表，什么"自由恋爱"哩，"家庭存废论"哩，都是崭新的题目，都曾受过一般时代青年的赞赏。现在博士忽然被人谋害，自然是上海社会的一件大事，而最表同情的人，不消说就是那些醉心博士学识的少年们。日报的新闻一连登载了几天，到了十一月二十四日那天，新闻的资料越发如火如荼。内中要算《上海日报》记载得最切实扼要。

那新闻如下：

维新大学理化系主任教授田文敏博士，本月十六日晚在济生路一号寓中被人杀死，本报已陆续记载。但因着侦查和缉凶的关系，关于凶案的内幕事实，负责当局严守秘密，故而所记都略而不详。现在嫌疑凶手既已拿解到案，并开过侦查庭两次，定于本日上午在上海地方法院公开审讯。据闻此案的嫌疑凶手名严玉冈，浙江吴兴人，是湖州某学校的校长，在当地颇有势力。当上海的探捕往湖州去提捕的时候，当地的学界中人全体反对阻抗，都说严玉冈道德高尚，平日急公好义，足为社会的表率，决不致有此杀人犯法的举动。后来经严玉冈自愿投案，才能够引渡到上海来。

此案的真相如何，开审后不难水落石出，等全案结束，本报自当详细记载，以飨读者。

法院开审的时间本定在上午十时，但到了九点四十分左右，男女俱备的观审人们已经拥挤不堪。这案的原告是地方检察官，见证的人除了警署中的倪金寿、李根宝、罗招弟和私家侦探霍桑四人以外，还有死者的仆人黄水金，两个小窃——张炳卿、方阿三，一个黄包车夫周七，和一个维新大学的门役朱福。此外旁听席上，另有两个和这案子有间接关系的人——一个是被杀的田博士的未婚妻曹爱美女士，另一个是维新大学的厨司薛阿荣。法庭上虽是人头济济，但大家都静悄悄地等待法官出庭，许多人的目光都不约而同地集注在曹爱美身上。

那爱美女士天生着一副安琪儿似的神态，此刻既因着未婚夫的惨毙，装束上比较的朴素一些，可是仍旧掩不住伊天然的娇媚。伊身上穿一件白灰素绸的银鼠顺袍，罩一件深青薄呢的大衣。伊的美目低垂着，脸色也微微灰白，显见伊的芳心被隐忧所控制着。若在平时，伊足迹所到，总是珠光宝气地耀人眼目，此刻除了伊的手指上的一只三克拉以上的钻戒以外，别的饰品完全屏除。

第二个足以引人注意的人，就是那正襟危坐的私家侦探霍桑。霍桑的名声虽然早已传遍了上海社会，但他的面相，看见的人却还不多。因为他每次探案，只在幕背后着力，等到疑案破获，公审结束，他总教那些官家探员们去邀功领赏，他自己从不肯出庭露面。这一次他竟破例出庭，显见这件案子不是等闲可比。

这时有许多人在交头接耳地窃窃私语。有些似乎在那里谈论霍桑的往史，怎样勇敢，怎样敏捷；另有些人却在对曹爱美女士表示同情。更有一班少年男子，别有用心地替田文敏博士暗暗地叫屈，似乎觉得他凭空里丧掉性命，又失掉了这一个多金美貌的妻子，着实有些可惜。

十时一刻法官和检察官出庭了。法官先将案卷略一检查。接着就由检察官起立申诉案由，又列举着种种证人，指示严玉冈——严昆——是此案的主凶。举出的证人如下：维新大学的门役朱福，证明严玉冈在十五十六日两天都曾到过校中；十六日那大义曾和博士争吵过一次。据黄包车夫周七证明，在十六日晚上，严玉冈曾到济生路去。又据张炳卿说，在窗口中瞧见过严玉冈的黑呢帽子。案由陈述完毕以后,检察官恢复原坐。严玉冈就被带进被告栏去。

严玉冈的衣服年龄,完全与朱福和周七所说的相同。他站到了被告栏内,挺身直立,仍是体态轩昂。他的面色虽然枯黄,有些憔悴的样子,但他的双目明灼,唇吻紧闭,越显得他的下颌阔大。霍桑起初本垂目默坐,这时看见了严玉冈的状态,不由得显露些注意的神气。法官向严玉冈端详了一下,照例问过了姓名年龄籍贯以后,便开始问供:

"你有什么职业?"

"我是湖州师范学校的校长。"

"那么你是教育界中的人,怎么会干出这种事来?"

"请问庭长,我干了什么事?"

"你干了杀人犯法的事,难道还假作痴聋?"

"我杀了哪一个?"

"田文敏不是你杀死的吗?"

严玉冈忽而挺直了身子,抬起头来,高声回答:

"庭长,不是。我没有杀过人!"

故　事

严玉冈的声音坚决而高亢,态度又绝对地镇静,不像是一个被审的人对法官的样子。观审的人们都暗暗诧异,这个嫌疑凶手怎么竟这样强硬。法官却只冷冷地笑了一笑:

"你不曾杀死田文敏?那么你可和田文敏相识?"

"我也不认识他。"

法官随即将桌面上一张呈案的名片举示给他瞧:

"这可是你的名片？"

"是的。"

"你既然不认识田文敏，这名片怎么会落在他的袋里？"

"这是我到他学校里去见他的时候留下的。"

"唔，你已承认你曾到学校里去见过他吗？"

"是，我承认的。"

"你在学校里还和他争吵过一次，几致彼此用武。时间是十一月十六日下午三时。这一着你也承认吗？"

"是，我也承认的。"

"你为了什么事和他争吵？"

严玉冈的头低下了，他不立即回答。观审人都静默地瞧他。他沉吟了一下，才抬头作答，但声音减低了些：

"庭长，这里面还牵涉一个女子。如果没有申诉的必要，我实在不愿意说。"

"这一节关系全案的因果，你不能不说。你所说的牵涉的女子是哪一个？"

严玉冈的头又一度低垂，显然在考虑，一会儿他忽鼓起勇气，挺起了颈项：

"我所说的女子，就是那田文敏的妻子！"

这话一出，法官的眼光忽而移到旁听席中的曹爱美的脸上。许多观审人的视线也不约而同地回过来集中在伊。伊有些发窘，伊的头低下去，又抬起来，惨白的颊上不禁泛出了一阵红潮。伊好像要从座中立起来，忽听得那严玉冈的洪亮的声浪又破空而起：

"我所说的田文敏的妻子是已结婚的合法的妻子。伊叫徐蕙芳！"

　　曹爱美显然地怔了一怔，禁不住发出一种低低的惊呼，又赶紧用一块白丝巾掩住了伊的樱口。刚才伊的脸上的红潮霎时已消归乌有。伊似乎已没有气力站起来，仍忍制着坐在原位上。这时除了曹爱美外，全庭的人——连检察官法官和书记官也不除外——也都在那里暗暗诧异，酿成了一种轻微的声潮。只有霍桑一个人依旧不动声色，静悄悄地坐着，似乎严玉冈的说话并不在他意想之外。法官又继续发问：

　　"你这话怎么讲？我听得田文敏订婚的妻子是曹爱美。怎么又有一个徐蕙芳？"

　　"徐蕙芳原是田文敏的合法妻子，结婚已经五年，田文敏新近又和曹女士订婚，在法律上本已犯了重婚罪。我所以到上海来见他，就想要向他进忠告，以便他免于罪戾。这里面的经过情形相当复杂，现在为了要剖明案情，我也不能不据实宣露出来了。"

　　"是，你得从头供出来。"

　　全庭的人都感到了紧张，大家打起精神，预备听严玉冈的故事。曹爱美引着粉颈，锁着柳眉，更显得特别注意。严玉冈定一定神，似乎把他的故事整理了一下，才开始陈说：

　　"我早已说过，我本来和田文敏并不相识，但他的妻子徐蕙芳五年以前是在我的学校中卒业的。就在卒业的那年，伊和田文敏结婚。田文敏是蕙芳的表兄，本来住在南浔，结婚以后，就移到岳家居住，仿佛是入赘的样子。他们的婚姻原是出于他们自己的意愿的。成婚以后，徐蕙芳的父亲——徐宪民，因着没有儿子，就留田文敏住在岳家；并知道他有志留学，只是缺少相当的费用，他老人家就把所有的资产，凑集了成数，助成他的女婿的志向。于是田文敏成婚才得半年，就离别了妻子，往外洋去留学。这还是五年前的事。

"在起初的四年中，田文敏留学的费用，都是他的岳父徐宪民源源接济的。但徐宪民的家况本来不十分富有，到了第四年的秋季，宪民故世了。因着丧葬等一切费用，资产已经用完，不但蕙芳没有力量再供给伊的丈夫，就是伊本身的生活费用也没有着落。因此蕙芳来和我商量，希望在母校里得一个教席，维持伊的生活。我应允了，就在附属小学中给伊一个每月十二元月薪的位置。直到今年夏间，我闻得伊的丈夫田文敏回国了，又闻得他曾到过湖州一次，我却始终没有和他见过面。

"在我的意中，蕙芳的丈夫既然得意回国，又在上海的大学中就了教职，声名的荣誉不必说，就是经济情形也一定可以比较富庶，蕙芳也不一定再会做清苦的小学教员了。不料暑假开学，蕙芳并不辞职。并且伊的态度也忽而改变，常见伊悲怨满面，郁郁不乐，似乎蕴蓄着什么不可告人的苦衷。我不免暗暗诧异，但蕙芳既不肯宣露，我们外人当然不便过问。

"直到有一天早晨，伊不来上课。我派校役去请示，家中也没有人接应。我亲自赶去瞧视，才知蕙芳已经服毒自尽，正奄奄待毙。我查得前一天田文敏有信从上海来，大概夫妇间有什么意见冲突，蕙芳一时愤怒，就做出这自杀的勾当。"

严玉冈的神色忽而变异，双目大张，两只手也紧握着拳头，仿佛满肚子怀着怒气。庭上的大众看见严玉冈略略停顿，便形成了一种紧张的静默，都伸长着脖子，急切地等他继续。大家都显然对那可怜的徐蕙芳表示同情，急切要知道伊的生死。法官也催促着他：

"徐蕙芳可是就这样自杀了？"

"不，伊没有死。伊受的是磷毒，幸亏救治得快，没有致命。"

"伊到底为了什么要自尽,你可也知道?"

"伊起初只说这是一件莫大的羞耻的事,情愿一死了事,不肯宣布出来。后来经我们再三诘问,伊才说明伊所以自杀,就因为伊的丈夫将伊休弃了。但伊的丈夫——田文敏——是受过高等教育的,他用的利器,就是那'离婚'两个字。"

"无论休弃或离异,都应当有个理由。田文敏所持的理由是什么?"

"在田文敏方面,理由是很充足的。他说夫妻的结合就在一个'爱'字。他认为自己对于蕙芳已没有了爱,就不能不彼此离异。但在蕙芳方面,觉得这是一个莫大的耻辱。伊也曾再三恳求伊的丈夫,希望他回心转意。但田文敏决不理会,把已往的情义完全抛在九霄云外。因着他最后的决绝,蕙芳羞愤交并,就忍不住想出那自杀的下策。"

"离婚的成立,须得双方同意。据你所说,田文敏的理由是片面的,在法律上也不充足啊!"

"原是啊。可是徐蕙芳是一个女流,亲戚既少,伊又不愿意觍颜求人,法律解决在事实上是不可能的。但我们校里的同事们,都觉得这件事田文敏有些仗势欺人。他凭着他的留学生的资格,利用了一知半解的自由的名义,欺凌一个女子。他即使要离,也应当有一种相当的待遇,决不应一丢便了。因此同事们公举我出面,用婉劝的态度和田文敏交涉。所以我们一面安慰蕙芳,一面写信给田文敏,进一种朋友的忠告。谁知他接得我的第一封信以后,只寥寥地复了几句,大意说人各有志,夫妇间的事用不到旁人干涉。以后我接连去了几封信,他一概置之不复——无论信中的措辞逐渐地严重,他竟完全漠视。

"不久，报纸上宣传，田文敏已和另一个女子订婚。蕙芳得了这个消息，又图第二次自杀。于是我再忍耐不住，认为无论如何，总得来见他一面，希望他能取消订婚，恢复他们的夫妇关系。万一不能，我也得听听他的一言半语，谋一个相当的解决。我就在十四日那天动身到上海来。我十五日第一次往学校中去，没有相见。第二天十六日再去，才得看见他。他的言语轻松，竟好似没有这一回事。

"我因此警告他说：'你如果一味狡猾，我们要和你法律解决了。'

"他依旧笑嘻嘻地答道：'法律解决？那很好。我也正打算从这一条路了结这一件麻烦的事。'

"'你这样子离弃你的妻子，不怕法律的制裁吗？'

"'正是。我想法律不能够片面地制裁我吧？'

"'你即使能够仗势枉法，但名誉上的制裁总不会宽恕你！'

"他忽而向我狞笑地说：'唉，这真是以怨报德了。你得知道我所以缄默不说，就为着保全你们的名誉。你倒反而想损坏我的名誉吗？'

"我觉得他用'你们'二字，势必连我都牵连在内。但我的名誉要他保全？这岂不是笑话？

"他又冷冷地说：'你自己总该明白了吧？你既已占夺我的妻子，还要假惺惺作态？'

"唉！这是什么话？我觉得他含血喷人，明明要诬陷我，用心险毒已极！我恨不能一拳结果他的性命！"

严玉冈的呼吸突然急促了，咻咻地不能赓续。他的眼珠怒突，额角上的青筋暴起，显见他果真受了冤屈，郁怒万分。观审人仍鸦雀无声。霍桑仍敛容倾听，没有表示。倪金寿也伸长了脖子，分明全神贯注。

法官又问道："你可是说田文敏对于你的说话是诬指你的？"

严玉冈高声应道："是啊。但他还假造了一种证据！有一封荒谬绝伦的信，算是我写给蕙芳的。当他将信远远地举示给我瞧时，我禁不住举起拳头来，准备和他拼命。可是那时候有一个校役走来，我不得不忍止了。"

"这封信现在已经呈案，并且和从你湖州校里取得的你的文件比对起来，笔迹也似乎相同。你说是他假造的，你有什么证据？"

"庭长，我不知道我应得提供什么样的证据。不过我有没有这种没廉耻的行为，请庭长派人往湖州去调查，立即可以明白。若说那封信，是他模仿着我的笔迹写的，目的无非想借此挟制我，使我不敢再代蕙芳抱不平。"

"虽然，法律重实证，你必须指出他假造的证据来才好。"

"田文敏是善于书法的，尽可以拿我写给他的信依样画葫芦。但此刻他既已死了，我又何从取证？"

法官回头和书记官低低地说了几句，又把桌上的信看了一看，似乎表示不满。这时证人席上忽然有一个人立起身来。观审人的眼光一时又齐拢来。站起来的就是霍桑。

霍桑说："庭长，能不能容我说几句话？"

法官点点头："好，你有什么关系到这案子的意见，不妨说出来。"

霍桑的辩证

霍桑在检察官和群众的密集视线之下，不慌不忙地发表他的见解：

"庭长，那一封信的真伪问题，无非足以证明被告严玉冈和田文敏的妻子徐蕙芳有没有暧昧行为。现在有一个解决方法，我们若能够知道被告和徐蕙芳确有苟且的举动，那么这一封信的真假已不成问题，否则，他们俩如果没有瓜葛，那信定是出于死者的假造，借此钳制严玉冈的口，也就没有疑义。我不知道庭长可赞成我这个意见？"

法官又点点头："这个见解果真不错。但你有什么法子可以知道严徐二人有没有苟且行为？"

"我有一个理解，请庭长明察。我因着田博士的案子，曾经请湖州警察署里的一个朋友孙伯梅君，探听田文敏的历史。昨天我方才接得他的回音。据他的报告，我才知道田文敏已经娶妻，这一次和曹女士订婚，确已犯了重婚的罪。孙君对于博士离婚的举动虽没有知道，但说博士的妻子徐蕙芳，在师范附属小学里当一个教员，平日的行为确是一个贞静朴素的好女子。不料在本月十三日那天，伊忽而投河自尽。这就可以证实严玉冈方才所说的徐蕙芳第二次自杀的话；并且可以知道他这一次赶到上海来，也许就因着为义愤所迫，不忍袖手旁观的缘故。至于严玉冈为人如何，我虽素不相识，但据警署探员倪金寿说，当他往湖州逮捕的时候，当地教育界人士曾有反抗的举动。大家都说严玉冈的操行高尚，绝不至于作奸为非。因此可见这两个人确是有人格的，足以保证他们俩不至于有非礼的举动。

"从另一方面推想，徐蕙芳假使当真有了外遇，伊的丈夫虽离弃别娶，在伊也不至于认为是重人的打击，或者会反而觉得解除了一重障碍，可以成遂伊的夙愿；退一步说，即使伊有所不满，也断不至于两次自尽。还有一层，那被告如果玷辱了蕙芳，无论怎样凶恶，对于伊的本夫终不免有些内疚。如果这样，他还敢挺身而出，明目张胆地和田文敏交涉吗？而且交涉的目的，还会是希望他们俩恢复夫妇关系吗？

"我从这两方面观察，觉得他们俩绝没有什么不端行为。那一封信当然是出于假造的。这虽是我的推想，但实际的证据也并不难得。我认为那信既出假造，无论怎样相像，若请教专家去查验，多少总可以发现些破绽，不过略费些手续和时间罢了。"

法庭上静了一静。法官对于这一番议论是否认可接受，并没有表示。群众却在窃窃私语，似在暗暗佩服。严玉冈也注视着霍桑，好像他想不到会有这一个义务的辩护人。曹爱美因着大众的注意力移转了，态度上自然了些，但伊仍敛神地听着。

一会儿，法官又说："其实严徐二人有没有暧昧行为，原是次要的问题。现在要查究的，就是行凶问题。照现势而论，暧昧行为假使属实，严玉冈所以行凶，不消说是为着索取情书而启衅。假使不然，那么仗义不平，也同样有行凶的可能。严玉冈，你老实说，你到底为了哪一种原因杀死田文敏的？"

严玉冈毅然答道："庭长，我说过了，我没有杀死他。"

"你果真没有杀死他？但这里有两个证人，都证明你有过行凶的举动。"

"谁证明我曾经行凶？"

法官便传唤证人黄包车夫周七。

周七立起来说："我在十六日晚上十点半钟光景，拉这个人从东新桥街往黄河路去。到了济生路路口相近，他就下车。"

严玉冈的目光在那车夫的脸上瞟了一眼，忽而微微一震，脸色灰白，显出恐怖的状态。这状态在他踏上了公堂以后还是第一次表现。倪金寿看见他的颜色变异，也张大了眼睛。有几个观众似乎在替严校长担忧。因为他即使犯罪，为的是仗义任侠。可是法律是无情的，他到底免不掉法律上的处分，未免可惜。

法官问车夫道："周七，你的说话确实吗？你有没有错认？"

周七道："不会错。现在他的头上只缺少一只黑呢帽子，他身上的灰布棉袍、玄缎马褂，和那晚上所穿的完全相同。并且他的菱角式的黑须我更不会忘记。"

法官道："虽然，一天到晚，坐你车子的人不少，怎么你对于这一个人竟特别注意？你这几句话，关系到人家的性命。你自己想想，到底有没有错误？"

周七道："我和他无怨无仇，怎么会凭空诬陷他？那晚上他坐在车上，不时探头探脑，因此才引起我的疑心。其实我即使闭着眼睛，也不至于错认他。他的湖州口音已尽够证明他了！"

法官又重新问严玉冈道："你都听见了没有？还有什么话说？"

严玉冈把低垂着的头缓缓抬起来，答道："请庭长明察，这件事对于我果真有很大的嫌疑，但我可以宣誓，我实在没杀死他。因为我在学校中和他决裂以后，本想即刻回湖州去，但一想到那封假信捏在田文敏的手中，着实有些危险。万一他把它宣布出来，在一般不明内幕的人看来，既然不易辨别真伪，结果自然要颠倒黑白。那时候我个人的名誉牺牲了还不足惜，然而那清白无辜的蕙芳和神圣庄严的学校，都不免连带的名誉扫地，那岂是寻常的事？

"因此我定意在晚上再去见他一次，打算用和平的态度，叫他销毁那封假信。我在十点钟时，果真坐了车子到济生路一号田寓里去。我老实说，这一次我到他那边去，原是有秘密性质的，所以下车的地点和在车上的举动，这车夫说得完全不错。可是我到了田家门前，忽又疑迟起来。我想我虽抱着和平主义，但田文敏既然这样狡黠，也未必就肯依我。倘使谈判不成，再有第二次的决裂，那未免要闹出意外的岔子。进一步想，他既然能够伪造了一封假信，他即使当场销毁，或让我取还，他仍可以伪造第二封。那么，我不是多此一举吗？因这转念，我就定意不再进去。"

"你的话是事实吗？还是你临时构造出来的？"

"完全是事实。"

"那么那晚上你见过田文敏没有？"

"没有。"

"你也没有进田文敏的屋子里去吗？"

"也没有。我只在门口外面逗留了两三分钟，就重新回去。"

法官微微一笑，说道："你的话跟事实有些不符合了。这里还有一个证人，明明瞧见你在田文敏的书室里面。"

严玉冈忽又震了一震，失色道："什么？有人瞧见我在屋子里面？谁瞧见的？"

于是第二个证人张炳卿就立起来陈说，他说他误抢台毯包裹的尸首时，瞧见有一个戴黑呢西帽的人从书室的窗口中探头出来。

法官又问道："严玉冈，你听见吗？他是瞧见你在屋子里面的。你那时大概已经将田文敏杀死，正打算移尸灭迹。

但你把那死尸放在窗口上时，忽被张炳卿抢去，是不是？"

严玉冈大声说："不是，实在没有这一回事！这是冤枉的。"

"冤枉吗？但你说的话都缺乏证据。你说你虽曾到过田文敏家的门前，却没有进去。有什么方法可以证明你的说话？况且田文敏明明是在那个时候被人杀死的，如果你不曾行凶，谁又偏偏在这个当儿进去行凶？这两方面你可能指出什么证据吗？"

"我没有证据，可是我实在没有杀死他。"他顿了一顿，补充说，"像田文敏这样行为的人，说不定另有什么仇人设计将他谋害。那也未始不可能。"

法庭上的空气又紧张起来。严玉冈虽一再否认，可是提供不出实际证据，总不容易教法官相信。忽而霍桑又从证人座中立起来：

"庭长，我有方法可以证实被告严玉冈不曾杀过人！"

这句话又引起观审人小小的骚动，大家似在暗暗欢喜。倪金寿的头颈仿佛突然加长了一寸。

法官也很诧异，问道："你能证实严玉冈不曾行凶？有什么证据？"

霍桑指着黄包车夫周七和老贼张炳卿说："我的证据就是这两个人。我先前已经听他们说过。现在请容许我再向这两个人问一遍。"在法官点头之后，他先回头问张炳卿："你当时在窗口中所看见的戴呢帽的人，可能说定就是这一个人？"

张炳卿疑迟了一下："这个……这个我不能说。"

"你可曾瞧见这个人的面貌？"

"也没有。因为那时候我很惊慌，没有瞧清楚。"

"那么你把当时所看见的情形再仔细些说一说。"

"我看见一个戴西式阔边黑呢帽子的人，从那靠街的窗口中探头出来。他的身材好像不很高。"

霍桑回头向法官说:"庭长,请注意。我以为从这一点上就可显示,张炳卿所瞧见的那个在书室中的人,并不是严玉冈。请瞧,严玉冈的身材足有六英尺长,似乎不能算不高。还有一层,这件案子发生的时间,据另一个证人方阿三证明,恰正在十一点钟。因为他听见了枪声和惨呼声以后,就听见打十一点钟。但那车夫周七所指示的时间,虽说在十点半钟,却没有确定。我曾到被告寄宿的平安旅馆中去仔细调查过。有个姓史的茶房,曾记得严玉冈那晚上离开旅馆的时间,十点钟还没有到。这可知他那晚坐车往黄河路去,也一定在十点过后。试想那时候严玉冈既已到了田家,怎么会盘桓了一个钟头方才动手行凶?若说像他们二人的感情,还可以有一个钟头的寒暄敷衍,那岂不是不近情理?除此以外,凶器也还没有查到。因为我们在书室中捡得的两粒弹子,分明是从两支不同的手枪发射的,现在却只发现了一支枪哩。"

霍桑的证词说得井井有条,理由又非常充足,检察官在不自主地暗暗点头。听审的人们都感到同情的快慰,因此肃穆的法庭上又引起一阵咬咬的私语。

法官又问霍桑道:"你认为严玉冈不是凶手?那么凶手是谁?"

霍桑答道:"这是另一个问题,姑且搁一搁。现在据我的假定,那天晚上严玉冈到了田家门前,略停一停,便退回去。到了十点三刻模样,一定另有一个人到场,走进了田家——"

这时候忽而公堂外面有一阵子喧哗声音,大家都惊愕回头,有几个人甚至站立起来。霍桑也顿住了不说下去,注视着法庭的入口。一个法警匆匆地进来,走到法官的座前,便站立着举手行礼：

"禀庭长，外面有一个女子吵着要进来，我们阻拦不住。伊知道此刻正在审问田文敏的案子，便自认是杀死田文敏的凶手。"

这是一个意外而且奇怪的打岔。在局势的需要之下，法官便破例地允准那女子进来。倪金寿更暗暗奇怪，霍桑刚才说到凶手另有一人，就有一个凶手进来自首！但怎么竟是女子？曹爱美又用白巾掩住了嘴，用惊异的目光瞧着刑庭的门口。全庭的人也都十分诧异，也有些人在佩服霍桑的先见。霍桑侧转了头，张目直立，分明他也不提防有这一回事。

一会儿，一个女子手中提着一个包袱，一步一瘸地被法警引进来。那女子的年纪在二十六七，身材相当长，穿一件灰色爱国布的顾袍，头上还梳着发髻，也没有一些装饰。伊的面容惨白而消瘦，一双含愁的眼睛仿佛蕴蓄着无限怨恨。伊的呼吸也咻咻不定。伊一眼瞧见了被告席中的严玉冈，忽径自走近前去，深深鞠一个躬：

"严先生，我拖累你了！"

严玉冈呆呆地向伊瞧着，眼珠仿佛要突出眶来，嘴唇张开，却说不出话来。

那女子回身走近法官的座前，说道："庭长，我叫徐蕙芳，是田文敏的妻子。他实在是我打死的，与严先生无干。"伊打开了手中的包袱，取出一支笨重的手枪来："请庭长明察，这就是我杀死田文敏所用的手枪。"

在手枪给法警呈上去的时候，全庭中悄无声息，好像连呼吸都屏住了。可是谁也不曾松懈他或伊的视觉，大家都集注在法官的案座。法官将手枪细细瞧了一瞧：

"这里还有五颗子弹。你打过一枪吗？"

"正是。"

"你为什么杀死他？"

"因为他实在是一个没情没义的衣冠禽兽！"

法官静默了一会儿，又问："你既然自己承认是凶手，那么你把行凶时的前后情形仔细供出来。"

徐蕙芳叹了一口气，凄咽地说："我受了他的欺侮，本来准备一死了事，可是两次自尽，都被同事们救回。后来我听得严先生为着我的事已经赶到上海来。我明知这个没情义的人绝不会接受忠言的劝告，决计不会有什么结果。所以我在严先生动身的下一天，就也悄悄地来到上海。因为我再三思忖，就变了主意。我虽然决意一死，但白白地自尽太觉没有价值，也太便宜了这薄情的人。我受愚而死，我死了以后，也许还有第二个无辜女子步我的后尘。他既然抱着玩弄女子的心理，将来他厌旧喜新，尽可以再离弃了一个，另娶一个！他戴着新人物的面具，利用那神圣的'自由'的名词，满足他的私欲，法律也奈何他不得。所以我定意先杀死了他，然后再图一死。这样，我直接可以复仇，间接也可以替一般柔弱的女子们除掉一个害物。

"我到了上海，先到济生路去观察一下。到了十六日晚上十点半光景，我就一个人走到那里。那时窗隙中有灯光透露，前门却虚掩没有下锁。我轻轻进了前门，在他的书室门外窃听了好一会儿，听得他在室中踱来踱去，此外没有别的声音，料想只有他一个人在里面。我略一踌躇，就鼓足勇气，推门走进书室中去。他一看见我，起初竟笑面相迎，原来我穿了一件灰布长衫，戴一顶黑呢帽子，改作了男装。后来他认出是我，不禁吓了一跳，他实在不提防我会去见他。当时我没有说话，实在是气极了，一时不知说什么才好，只张目向他怒瞧。我不记得我和他相持了多少时候，但记得骂了他一声忘恩负义的流氓。

"他忽而回头瞧瞧钟，十一点还缺十二分钟。他好似有些惊恐，接着低低地发一种命令声来：

"'快出去！'

"我只冷冷地笑了一笑，仍不答话。我正准备取出枪来。他忽然先从裤袋中摸出一把小手枪来：

"'你出去不出去？我再警告你一声，你要性命，还是赶快走！你得知道这是一把无声手枪。我要是打死了你，不会有一个人知道。'

"我愤怒已极，一时仍开不了口。我瞧他的神色也带些惊恐，似乎他只是恫吓，不敢真个开枪。可是他手中既然先拿着枪，若看见我也取出枪来，那时弄假成真，他自然要先开枪了。因此我不立即摸出枪来，乘他不备，奋身扑过去夺他的枪。这自然是不自量力的举动。他的身材虽瘦小，但非常敏捷。他一手将枪藏过，一手和我抵抗。我和他扭持了一会儿，椅桌都翻倒了，到底夺不着他的枪。末后他用力一推，我反而跌倒在室门那边。在这时候，我就乘机摸出枪来，看见他正立在壁炉的左向，就瞄准他开了一枪。但他也早已瞧见。当我举枪发射的时候，他也同时开枪。枪弹打在我的左腿上，我不由得呼叫了一声，倒在地上。幸亏我的伤势并不重，只伤破些外皮，略等一等，我就缓缓从地板上挣扎起来。我看见他也已倒在壁炉旁边，才知我的枪弹也不曾虚发，已经把他打死。

"那时我觉得屋子里静悄悄的，向窗外瞧瞧，街上也没有人。我这举动分明还没有人知道。我如果布摆一下，也许还可以逃罪。我起先虽决意一死，那时我的耻仇既雪，心意一快，

反觉得给这样一个东西抵命，太不值得。我想若使我把他的尸体移到马路上去，先将他身上值钱的东西拿掉，人家一定会疑作被盗劫而死，那我就可以脱罪。于是我先将倾翻的椅桌归了原位，又将他的衣袋中的金表钱夹等物取出，用一条台毯将尸体包裹好，他的一支手枪也暂时一起放在包内，预备省些力从窗口里移出去。不料我把那尸体放到窗口上时，忽然被一个人从窗外猛力抢去。我大吃一惊，以为我的机密已给看破了。谁知那人背了尸包便匆匆逃去，并没有揭发我的秘密的企图，我才略觉安心。

"这时候我的唯一的意念，就准备怎样可以脱身。我看见门背后衣钩上有一件黑呢大衣，随手取下来套在身上，又将我头上伪装的黑帽除下了放在袋里，换了他的一顶灰色帽子，以便出门的时候即使有人瞧见，　时还可以瞒过。现在这些东西都在这包袱里。"

一段紧张的供述到这里暂时停顿。一个法警又将徐蕙芳的包裹递送上去。法官在检视包裹中的衣帽的时候，庭中仍保持着绝端的静默，连曹爱美的呜咽也忍住了。一会儿，法官满意地点点头：

"说下去。以后怎么样？"

"我去的时候是从黄河路走的；出来时向南面走，马上雇了一辆车子，兜了一个圈子，仍旧回到山东路大吉旅馆里。我知道这件事迟早要被发觉，所以不立即回去，仍在旅馆里等待消息，看这案子怎样结束。万一因此连累什么无辜的人，我仍可以出来自首。直到今天早晨，我见了报纸上的新闻，才知道严先生已给误认作嫌疑凶手，我便赶来投案。庭长，请治我应得的罪。此刻我的怨恨已经申雪，我死也甘心了。"

法庭上又静了一静。法官仍镇静地问供：

"你到上海以后，可曾和严玉冈会过面？"

"没有。我到上海后没有见过一个熟识的人。"

"那么你的手枪是从哪里来的？"

"这本是湖州学校中体操教员庄世良先生的东西。我动身的那天，特地到他家里去，悄悄地从他的书桌抽屉中拿了它出来，藏在身边。我想他此刻大概还没有知道哩。"

法庭上又是一阵静寂。这静寂非常难堪。原来案情既已明白，大家知道一个薄情的丈夫虽已伏诛，但这个可怜无辜的女子却不免要做法律的牺牲品了。在群众无声感喟的当儿，有一种镇静的声浪忽而刺破了这个静境。霍桑已第三次立起来说话了：

"庭长，徐女士的供词，除了一部分以外，完全是和事实符合的。庭长总也可以信任了吧？"

法官似乎有些惊异："你不是说伊的供词中还有一部分不实在吗？"

"是。我说有一部分不符事实，并不是说徐女士说谎。我想那不符的原因，徐女士自己也没有知道。"

"唔，哪一部分？"

"徐女士自认是凶手，这就是不合符的一点。伊不是真凶。真凶已经死了！"

诧异而紧张的气氛又笼罩了法庭的每一角落。多数人面面相觑，仿佛在交互地做无言的问难："这是怎么一回事？""霍桑竟在法庭上开玩笑吗？"这真像剧场中的观众看到了最后的高潮以后，又来一个意想不到的高潮，反有些莫名其妙。倪金寿坐在证人席中有些坐不安稳，很想拉住了霍桑问几句。连那博士的仆人黄水金和警务人员李根宝罗招弟也都张大了嘴合不拢来。法官在诧异之余，又继续向霍桑质问：

"什么？凶手已经死了？谁呀？"

"就是田文敏！"

"喔？你说田文敏是自杀的？"

"正是。"

"唔，太奇怪！有什么根据？"

"有。刚才徐女士说，伊的一枪打中了田文敏。其实伊的一弹只陷在壁炉左旁的墙壁里面，并没打中田文敏。那一弹已经取出来验过了，是一种 .45 口径的手枪所用的弹子。方才徐女士父验的一支枪，大概就是 .45 口径的。请庭长将徐女士交呈的一支枪和那早先在案的弹子验一验，便可明白。"

法官果然把枪弹和手枪验了一验，又和书记官谈了几句，才微微点一点头。

霍桑又说："还有一粒弹子，我们也是从书室中的门背后墙脚边取得的。那是一粒 .32 口径的，确是那另一把无声手枪中的弹子，我们已经验明。除了这两粒枪弹以外，柯循理医官不是也交来一粒弹子吗？这第三粒弹子也是 .32 口径，柯医官是从田文敏的脑壳中钳出来的。当柯医官剖验时，我也在场，我看见尸首的右太阳穴上还有些弹灰痕迹。因此我才知徐蕙芳女士抱着一种严重的误解。

"现在我可以推想当时的情景。当徐女士发了一弹，弹子却陷在墙壁里。田文敏随手回了一弹，打在徐女士的腿上。徐女士惊呼倒地，田文敏以为伊已给打中了要害。那时或是因惊吓的缘故，或是因良心上的内疚不能自容，他就举枪自击，受了最公道的裁判。我们已知道他的枪是装着制声机钮的，所以发枪时没有声音。但徐女士不知道，便以为他是给伊打死的。这是徐女士的误解，也就是我所说的不符事实的一点。"

一阵喃喃的由于佩服而惊叹的私语声，渐渐演化为洪亮的欢呼，竟破坏了威严肃穆的法庭秩序。原来观审的人都忘其所以，禁不住欢呼称快。如果分析他们的心理现象，除了纯粹的佩服心以外，还充满着一种感激的情绪。这案子和他们的本身固然没有直接关系，但他们见霍桑凭着他敏锐的眼光和致密的头脑，从九死一生中救回了一个无辜的弱女和一个仗义的男子，便自然而然地生发出一种感激心来。至于那些有直接或间接关系的当事人，对于霍桑的印象和感情怎样，我想托付给读者们的想象，不打算再一一描写。不过内中有一个人，对于霍桑另有一种特殊的感激心理。这人就是倪金寿。他因他的儿子俊才的疟疾，经过了何乃时医生的诊察治疗，已经好了大半；他的夫人见了效验，也渐渐地破除了迷信，不再和伊的丈夫无理取闹地执拗。倪金寿饮水思源，自然就格外感激不尽了。

白 纱 巾

与虎谋皮

那渐渐西沉的日轮一落到地平线以下，大地上的景象便整个地起了变动。天空中虽还留着些嫣红的余光，但那沉沉的夜幕早已在扩张势力，逐渐地从四周围拢来，准备把大地囫囵地吞噬下去。自然这残余的光彩没有存留好久，便已被黑夜所制胜。这一刹那间的景况，真像人类社会中的真理，有时候被恶势力所蒙蔽凌夺，一时没法伸张，只得暂时隐忍屈服着。

那时银河路路口的转角上，有一个年约二十的少年在蹀躞徘徊着。这少年的身材不高不矮，穿着一件白夏布长衫，已不算得怎样干净，足上是一双胶皮底的帆布鞋子。他的头上戴一顶草帽，下面的黑发似乎已蓄留得很长。他的面貌俊秀中含着英武的神气，皮色略带苍白，一双黑眼更奕奕有神。他已经在转角上徘徊了好一会儿，不住地用手巾抹着额汗，嘴里暗暗地自言自语。他不时把两手叉在他的腰间，抬头向着银河路上一宅朝东的洋房瞧着，显露一种恼怒不耐的样子。

这少年所注视的这宅洋房，共有三层三开间。那是用红色的砖头砌成的，中间嵌着几条黑线。寻常的红砖洋房，总免不掉一股热辣辣的火气，但这宅屋子已从深红而变成赭色，像一个脱尽火气而修养有素的老人。屋的前面有一个小园；园的中央种着一丛扁柏，长得浓密异常；环着这个柏丛的便是那圆形的通道；通道两旁都种着高可及肩的黄杨；那外圈黄杨的后面，还有几棵棕榈和木芙蓉夹竹桃一类的杂树。那前门是盘花的铁条做成的，门上新加深绿的油漆，又钉着一块铜光灿然的"贾宅"的牌子，倒也焕然一新。靠近这铁门后面，有一小间门房，里面有一个年约五十秃发的阍人。

也许是天气太热吧？那个穿白夏布长衫的少年，兀自把一块白巾在他的额角和头颈上一再地抹着。一会儿，他忽又走到铁门的门前，立定了脚步向门内张望。门固然是有孔隙的，但因着园中央柏丛的阻隔，到底不可能一直望到里面。他抬起了视线，看见二层楼上靠南一个有白绸窗帘的窗上，已经有灯光透露；隐约中似乎还有一个女子的黑影不时地映在帘上。这少年瞧了一瞧，又降下了视线，向那门房里的阍人瞧瞧。那老头儿正执着一小方报纸，戴着一副铜边眼镜，凑在电灯光下读报。

少年暗暗地忖度："我能不能趁这个老头儿不备，就悄悄地掩进去？"接着他又自己反辩："唉！不！我何必如此？我的主意已经定了，第一步不妨和他开诚布公地谈一谈。如果他还有一星天良的话，这件事总还容易解决。"他点点头："对，这办法最妥当。不然，刚才我已经向这个守门人问过几句话，万一我有什么举动，因着这老头儿的见证，我势必也脱不了干系。不，我此刻决不能采取秘密行动。我姑且再等一会儿，随后堂堂皇皇地进去和他开始谈判。"

少年的计虑中的步骤，经过了最后一次的修正，他又回转身来，踱到那先前站立的转角上去。那宅屋子和转角的距离，原只有六七家门面。铁门里若是有人出入，站在这转角上，当然可以一目了然。

夜幕已密密地张开，把大地包裹得没有一丝间隙。街路上的电灯四处通明。这虽有利于这个少年，因为他的徘徊已不如日间那么容易被人注意，但他的一颗焦急的心却越觉不耐。他想要见见那一宅洋房里的主人。他造访的目的非常奇特，他自己也不知道见了面怎样开口。无疑地这会面的结果是吉是凶，他更是没有把握。

一辆黑漆的汽车从尚文路直驶过来，一驶到银河路转角，它的速率立即减低。那少年一见汽车，心头怦怦地乱跳，料想这汽车中的乘客谅必就是他要见面的人。

汽车果真在洋房门前停止了，但下车的却是两个女人：一个身材矮些的，上身穿着淡色绸的短衫，下面还系着玄色裙子。另一个略为高些，却是个剪发穿白色薄纱颁衫的新式女子；这又使这少年大觉失望。可是慢——在这两个女子下车以后，另外有一个面色苍黑、身材短小、头戴龙须草草帽、穿白纱长衫的中年男子，也跟着下车。那少年好像从失望中得到了安慰，呼出了一口长气，又自言自语地咕哝着：

"是他！……正是他！"

十分钟后，这身材矮小的洋房主人贾春圃，已坐在他书室中的那张靠窗口的锦茵沙发上。他的长衣已经脱下了，穿着一身白印度绸衫裤，纽扣上扣着一条粗重的赤金表链。他的斜背后有一座摇头风扇正习习地转动着。他的嘴里衔着一支雪茄，手中执着那老阍人刚才送进来的一张名片。他在电灯光里把名片瞧了又瞧，似要把这张纸下一番分析研究。其实这名片上只印着"郁海帆"三个铅印的宋体字，绝无研究的价值。他所以一再瞧察，无非借此掩饰他心中的疑虑不决。他皱了皱眉，便抬起头来，向送名片进来的老看门人问话：

"你说这个人今天已来过一次？"

"是，他第一次来时，太阳还没有落山。"

"他是一个二十多岁的孩子？"

"是。"

"你为什么不给我拒绝了？"

老人似乎怕受责备，忙着申辩："是……是。第一次我早已拒绝了。此刻他说亲眼看见你坐了汽车回来。我没法托词，只说主人晚上不见客，请他明朝来。可是他不肯走，一定要进来见你。"

贾春圃沉吟了一下，又问："他说他一定要进来见我？他可曾向你说什么别的说话？"

"他说：'你但把这名片送进去，包管你主人会见我的。'"

贾春圃忽闭着嘴唇，从沙发上立起身来。他踱了两步，作坚决状道："好，你就叫他进来。"

守门人退出以后，这位洋房主人忽而表现一种异态。他先抹了抹嘴唇上和额角上的汗液，在室中踱了几步；又举起他的两只肌肉坚实的手臂向空中挥了几挥，似乎表示他本来不是一个弱者，用不着怕人。这贾春圃的身材虽很短小，头部的额角却特别阔大，显见他富于脑力。他的皮肤并不怎样细，两只三角形的小眼，敏慧而带狡诡，血色红润的嘴唇间，露出两行参差不齐的牙齿。他的阔张的下颌，须根修剃得很光洁，表示他是一个意志顽强而工心计的人物。

贾春圃示威似的活动了一下，才在书桌前的一只旋转椅子上坐下来。那个在门外守候了好久的少年也已走进书室中来。贾春圃只把身子略略偏过了些，横着目光向来客打量了一下，便冷冷地发问：

"你就叫郁海帆？"

那少年点了点头，又深深鞠一个躬。主人虽省免了"请坐"的客套，这郁海帆却自动地移过一把椅子，靠近书桌前坐定。

他答道："正是。老伯，你在去年冬天曾到舍间来过一次，怎么半年工夫便不相识？"

"唉……我却记不得……"

"我想老伯虽然贵人多忙，但敝姓这个郁字，在老伯的脑室中谅来也不至于就会容易忘记吧？"

贾春圃本想用冷淡的态度拒绝这个来客，不料这孩子竟也好整以暇，并且口齿伶俐，看起来似乎也不容易应付。

"唉！你就是郁——"

少年忙接嘴道："是啊！我父亲就是郁景周。老伯，你虽不认识我，但我父亲的名字，我相信你绝不会忘记。"

"唔，景周是我的老朋友，自然不会忘记，只可惜……"

"可惜什么？"

"可惜你爸爸的命运太不济，结果遭了匪徒的害！我们辛辛苦苦所得到的，已被匪徒们劫去了，如果性命不曾被害，那也许还有发展的机会。我现在再能够在商界里厮混，那就因我留得这条性命，不能不说是我的幸运。"

"唉，老伯，你的命运真是好极了！去年你到我们家里去时，你告诉我母亲，你和我父亲一同遭了匪劫；我父亲不幸遇害，你虽逃了性命，却也同样被劫得寸草不留；你们俩十年辛勤垦荒的结果，都已落到了匪徒手中。不料你在半年之间，就挣了三十多万，又变作了富翁。像老伯这样的幸运谁想得到呢？"

郁海帆说话的时候，眼光始终凝注在贾春圃的脸上。贾春圃起初也静默地瞧着这孩子，可是越听越不自在，忽把眼光避开了，低着头兀自不抬起来。

一会儿，主人才喃喃地说："笑话！谁说我有三十多万？"

少年说："老伯，何必客气？别的莫说，就是你新近购进的这一宅洋房，已经是五万多啊。"

贾春圃感觉到对方的语中有刺，攻逼得相当厉害，不能不抵抗。他突地抬起头来，怒睁着两目，厉声诘问：

"什么？我的行动竟劳你这样注意！"

郁海帆依然镇静地应道："老伯，我老实说吧，我当真很注意你的行动。"

"奇怪！为什么？"

"正是奇怪！因为我父亲在东北冒险经营了十年，据他最后的一封信说，他已准备把垦熟的田卖出，估计足值十多万元。谁知后来据你的报告，就在卖田成交的第二天晚，他忽而遭遇匪害。但你们俩在东北十年，不曾遭遇过一次匪劫，卖田以后忽就遇匪，我父亲又因此丧命，你却独自侥幸逃生。这真是不能不教人奇怪。"

"这有什么奇怪？你的爸爸命太苦！你怨谁？"

"是的，我父亲命太苦，你的命又太好！你归来时，你也说身无分文，可是一转眼间，你竟积到三十多万。这一回事，像老伯这般忠厚诚实，当然不会说谎，或是有其他阴谋，但据一般人想来，又怎能不发生怀疑？"

贾春圃的脸色忽而由红而白，由白泛红，在电灯光中连续地发生了好几种变异。接着他好像辩不过这孩子，忽又鼓足勇气，突地立起身来。他握着拳头，在书桌上猛力击了一下：

"你这小流氓！……你这番话有什么意思？你莫非要说你父亲的死是我谋杀的？……你难道想来敲诈我？唉！假使你有这个思想，你真要自讨苦吃了！……"

郁海帆的面色也已变成灰白，呼吸也急促了些，但他仍勉强坐着：

"老伯！别误会。你有没有谋杀我的父亲，你自己总知道，我可不曾说你。你说我来敲诈，更不成话。我家里虽然清寒，却也能够自立，绝不想弄什么不义之财。你尽管放心！"

"那么你今天来见我有什么目的？"

"没有什么。我只希望你说一句实话，我父亲究竟是怎样死的？"

"我去年不是早告诉你们了吗？他是被匪徒杀死的。多问有什么意思？"

"这话我们固然听到过了，不过我希望老伯能换一个说法。"

"换一个说法？笑话！他被杀死是事实，我能说什么别的话？"

"那么他的尸骨在哪里？也请你说明一声，做儿子的才可以去把他的尸骨找回来。"

贾春圃闭紧了嘴，站了一会儿："海帆，你留心些，别胡言乱语。你父亲是给匪徒绑去杀死的，我早已完全告诉你们。他的尸首在哪里，我当然不知道。要是你存什么胁诈的意思，想在我面前弄什么乖巧，那你真是不自量力。你得知道，我只需一个电话，便可送你到警察署去；就是叫你坐几年监牢，也容易得很。我身上也是随时戒备着的。我想你还是知趣些就走！"他用手拍拍他自己的腰部，他的眼睛里仿佛有火。

郁海帆也不得不立起身来，但仍耐着性子地说："老伯，你何必动怒？又何必用这种恐吓的说话？"

贾春圃忽把他的右手伸到他的腰后去。他略一沉吟，放步走到门口，推开了书室的门，大声向这少年发出一种威胁的命令：

"走！快走！不然，我要不客气了！"

自告奋勇

七月二十三日的午后，霍桑的办公室中又来了一位新主顾。这人名叫郁海帆，是一个年约二十的少年。我在上一章所记的谈判的事，就是郁海帆在上一天傍晚的经历。他见了我们以后，便把经历的事实详细地说给我们听。我想换换读者的目光，特地用第三人称叙事的体裁记述出来。

我们听了这少年的一番说话，室中静默了好一会儿。霍桑经过了一度考虑，才摇头答话：

"郁先生，据我看，你这件事情不是我们侦探范围里的事。你应得去请教律师。"

那少年显然有些失望。他抬了抬身子，嗫嚅着想要发问。但霍桑又继续说话：

"你说你父亲和这个贾春圃十年前一同往东北去垦荒；到了去年，你父亲打算回南京安享余年；不料被胡匪所劫，两个人的辛苦所得，完全被匪徒劫去，你父亲又丧了性命。在你意中，疑心这件事完全是出于贾春圃的阴谋。但你既然毫无凭据，贸贸然去见他，自然要受他的无礼驱逐。就是你叫我们去和他会面，我们又何从开口？我们执行职务，必须依据事实。若要凭空和人家去舌战口辩，那你还是去请一个律师，比我们胜任得多。"

郁海帆低头沉思了一会儿，叹气地应道："霍先生，你的话委实不错，这件事原很难办。但你说去请律师，你能不能够介绍一个？据我平日的见闻，上海的律师虽多，可是真正主持公道保障民权的，却找不出几个；一大半却都是金钱的奴隶，案子的是非曲直，只瞧金钱的多少做标准。我是一个穷人，生长在宁波，这里人地生疏，又没有助力；我的对方却是一个财主。若把我的案子去请教这班唯利是图的律师，那不但没有申冤的希望，我的反坐的处分却是保得住的。因此我的同学俞光照除了帮助我奔走探听以外，便竭力推荐你们二位。他说这事虽不属侦探范围，但你们两位都是仗义任侠的长者。要是你们知道了这事的原委，也许可以给我尽力。故而我才不辞冒昧地来请教。"

他的语气很恳切，眼眶中也好像有些水汪汪。我承认虽没有他末后几句恭维的说话，我也很愿意给他效力。不过霍桑的拒绝也是实情。这件事假使委托我们去和贾春圃谈判，我也不知道怎样措辞。

霍桑沉默了一会儿，才缓缓地说："如果我们的能力所及，我们也很愿意给你尽力。可惜这件事毫无实证，我们实在不知道怎样着手。"

郁海帆忙道："直接的实证虽还没有，但事实是很显明的。东北方面虽常有胡匪出没，但他们俩所驻的地点是在哈尔滨附近的马家沟，匪风比别处好些，一向是很平安的。若说他们在卖田以后，马上就遇匪劫，未免太巧。"

霍桑辩道："这却难说。往年他们两个只是手胼足胝的劳农，匪徒自然不会注目。一旦他们卖田得了巨款，匪徒们才眼红动手，原也可能。"

郁海帆道："就算他们当真是遭了匪劫，但怎么会如此凑巧？我父亲遇害，贾春圃却单独地侥幸逃生。他带回来当作凭证的那张《大北日报》，只载着有两个垦荒的田主被胡匪们掳劫，内中一个人被胡匪掳去了没有下落。新闻上并无姓名，非常简略，显然有假借的可能。还有最使人怀疑的一点，当贾春圃逃回来时，自己说他也被匪徒盗劫破产。怎么在半年中间，他竟能娶美妻，买洋房，坐汽车，竟一跃而变成一个富翁？"

霍桑又低下头去，伸手换了一支新鲜的白金龙，缓缓地抽着。他靠着椅背，凝住了目光默想。

我不禁作赞同语道："唔，这件事确实是很可疑的。我也深信这个贾春圃不是一个善良人物。但瞧他昨天对待你的那副状态，便可以推想他的心地不很纯正。不过我们用什么方式去和他谈判，实际上确很为难。"

霍桑吐了几口烟，也仰面说："原是啊。这贾春圃果然可疑，但你若要希望借我们的手给你父亲复仇，现在我委实不知道怎样着手。我们所活动的，不能不有确切的事实和物证作为根据。现在只有推想，没有事实，他在法律上，便不负任何责任。所以这件事，你若使一定要办，不能不费些时日，另外，应从正当的途径上进行。"

"喔，霍先生，什么样的正当途径？"那少年似已产生了一些希望。

"我觉得有两条路：第一，我们应得亲自往他们开垦的地点马家沟去实地调查一下，也许可以搜得些人证和事实。"

"这一点我也想到。但往东北去一次，一来一往，盘费不小，我没有这一笔钱。"他又皱眉踌躇了。

"钱的问题还小。眼前我被别的案子束缚着，一时还不能远离。所以时间问题是最使我踌躇的一点。"

我默忖霍桑既然太忙，我可以代替他到北方去走一趟吗？这件事如果不出我们的所料，往那里去实地搜集证据，也不算难办。但我虽然有这种自告奋勇的意思，一时还不敢贸然发表。

郁海帆的希望心增加了些，又问道："那么，第二条路呢？"

霍桑答道："这一条也须费些时日。我们一方面应设法和这姓贾的接近，乘机刺探他的口气，搜罗些佐证；另一方面我们不妨先委托我们在那边的朋友，代替我们侦查。若能得到一两个要点，我们便可进一步使他服罪。"

那少年重新皱着眉峰，答道："方法果然很妥当，可是我不能久留在上海，未免缓不济急。……霍先生，你可能用什么简捷的方法，直接去见他一见？"

霍桑仍目注着地板吸烟，还没有回答。我却已耐不住地插口：

"对。霍桑，依你的两种办法，时间上委实有些迟缓。我们能不能先去见他一见，探探他的口气，然后再定第二步办法？"

郁海帆起劲地抢先接嘴："对啊！包先生的见解最合我的意思。据我想，我父亲一定是被他谋死的。现在我父亲的尸骨不知流落在哪里，冤沉海底，做儿子的怎能安心？昨天我看见他的时候，他那种情虚惊慌的表示，已经很显明。你们两位若能用严厉些的说话吓他一吓，他少不得就会吐实。"

霍桑仍皱着眉头，缓缓地摇着头："话虽如此，可惜这种恐吓的方法，我还没有从那些大侦探们那里学习过，并且也不曾随便尝试过。万一他反诬起来，我却没有立足点啊。"

我不禁自告奋勇道："霍桑，我的地位与你有些不同。不如我先去试一试。万一坏事，再由你出场。你以为怎么样？"

霍桑正要答话，忽而隔室中电话铃响动了。他便立起来接话。不一会儿，他已回进来报告。

他说："这是国民救国会里打来的。这几天会务的进行非常热烈，今天他们又要叫我去出席会议。包朗，你既然有兴趣，不妨就去见见这个贾春圃。不过你得留心些，说话时最好不落迹象，并且须小心戒备着。我料这个人必是随身带武器的，话说僵了，动手行凶，也是可能的事。你应仔细些才是。"

我答应了一声，便向郁海帆说："你不是说贾春圃必须上灯时才回家吗？我准备今天傍晚去见他。此行的结果如何，此刻自然还难说，但无论如何，我们总要通知你的。你耐性些等消息吧。"

可怖的经历

我这一次自动担任的使命，说大不大，说小也不小，但就性质而论，确乎是很棘手的。往日我们心目中有了一个嫌疑人，多少总有些把握，谈判时有恃无恐，自然也不怕他狡辩。此番我去拜访这个贾春圃，可算得一无凭借。我只因着那少年的被屈，又感到他为父亲报仇的孝思，很表同情，故而我不辞冒昧，定意去瞧瞧这个阴谋人物，然后再定进行的步骤。

我打算假托是郁海帆的朋友，从中给他们调停一下，又代替郁海帆向他借贷些款子，看他怎样答复。我既定意采取缓和的手段，料想不致立即决裂。但我在这天——二十三日——傍

晚七点钟过后到银河路贾春圃家里去时，裤袋里却也藏着一支
手枪，以备万一的危险。

我到达贾春圃的洋房的盘花铁条门口时，天色已经黑透。
我先站住了瞧瞧那屋子，果真和郁海帆所说的景状相同。那时
二层楼和三层楼的楼窗洞开，电灯都已明亮。门房里也有灯
光，秃发老阍人刚站在门口打呵欠，手中拿着一把蒲扇扇着。
我走进了铁门，跨进门口，便到门房口问那老人：

"你主人回来了没有？"

老人把铜边眼镜向上推一推，先向我端详了一下，似乎看
见我穿着笔挺的细白夏布长衫，模样还像上流，故而也不敢
怠慢。

他答道："老爷回来了好久哩！先生贵姓？"

我直接应道："我姓包，请你进去通知一声。我——"

老阍人忽接口道："唉，包先生，老爷正等你呢。"

这句话太出我的意料。我和他素不相识，此来又没有预
约，他怎能知道我要来见他？

老阍人接着说："刚才老爷回来时吩咐我，有一位包先生
要来会他，叫我伺候着。先生，请进去。老爷在书房里恭候
着，不用我再通报了。"

我一边应了一声，依着那圆形的碎石径缓步行进，一边却
兀自狐疑不决。这贾春圃既然预知我要去会他，分明他必曾注
意着郁海帆的行动。郁海帆到我们寓里去请求援助，他显然必
已知道，故而便料想到我们会来见他。不过霍桑是负责的人，
论情他似乎应当预期霍桑来会他。我现在偶然代庖，他怎么如
此消息灵通？

我兜过了一丛浓密的柏树，望见楼下一层的右首一室——

像是书房，电灯已照得通明，可见他果在等候。不过那一室的窗虽洞开，但窗内有浅蓝色的花帘遮着，室中的情景外面却瞧不清楚。

我走到了石阶上面，还觉得踌躇不前；既而力自镇静，准备振作精神，走进去谈判。我走进了漆黑无光的中室，就在那右手的室门上叩了一下。里面没有回音。但那门并没有关上，经我一叩，便有一丝灯光从门隙中漏出来。我一时还不敢冒昧进去，又屈着一指在门上叩了两下。可是依旧没有答应。

我不觉有些惊疑起来。这个人既预知我来，莫非设着什么诡计，使我自投圈套？这想法只在我脑中一瞥，一刹那，我便握着门钮突地把室门推开。

当我的右脚跨进去的时候，我的左手早已暗暗地握住了裤袋里的手枪。可是一到里面，静悄悄地并无动静。我先向门背后一瞧，也不见一个人影。这一室正是书室，室中的器具都是很精致的红木的，而且式样都是新的，只是静阒无人。

怪了！这室中竟没有人吗？但电灯又何以明亮？我又故意咳了一声嗽，希望有什么人接应。这时我的眼光忽而接触了一种可怖的东西！

这室门的对面摆着一张宽大的红木书桌，书桌的位置恰和室门对向。书桌的一端向窗，一端却向着一只紫檀玻璃的古玩架。这书桌后面的座位上虽没有人，但书桌的向古玩架一端的地板上，却露着一个人头！

假使我不是一个素有经验的人，突然间遇见了这种情形，势必不能不失声惊呼。我却还竭力自制，定睛细瞧。那是一个男子的头，头的前顶已秃，头发向后梳着，仍很齐整，面颊上却血液淋漓，灯光映着，煞是可怕。这个人分明已中了枪伤或刀伤。他的身子既被书桌遮着，只露出了他的头面，故而人从外面进门，若不注意地上，便也不容易发现。

我冒险走近前去，俯着身子细瞧一瞧；又用手在他的额角上摸了一摸，冷冰冰地分明已经气绝没有救了。我瞧了那人的短小的身材和苍黑的面容，明知这死的人就是郁海帆所说的贾春圃。

他是被什么人杀死的？室中却并无别人。

书室中的器陈不多，但很富丽精致。一张红木大书桌的前面，有一张罩白纺绸套加锦垫的安乐椅。沿门的一壁，排着两只雕镂的红木椅子和一只茶几。室的向窗的一面，有一只比较高大的紫檀古玩架，和书桌的一端相距六七步；架上满列着许多金石之类的古董，但架背后也藏不住人。除此以外，还有一台留声机，一只衣架，一只圆桌和几只凳子，都没有可以藏身匿迹的地方。我在一瞥之间，又见书桌上纸件杂乱，有几张遗落在地上。在这杂乱的文件堆上，还有一顶系有花色条纹丝带的卓帽。

室中还是寂静得像墓圹一般。闷热的空气也仿佛停滞着不动。我记得进来时，楼下的中间和左手一间，都没有灯光，显见这屋子的楼下一层，除了我和地板上的死者以外，更没有第三个人。

我究竟怎么样办呢？这凶案既还没有人发觉，第一步，我理应把惊耗报告全屋中人；第二步，再设法追缉凶手。可是我心中早存着一种成见——也许是不合理的——这个人生前既然阴谋害人，死也是应得。若要叫我替他缉凶申冤，实在鼓不起我的勇气和同情。不过我和霍桑相处久了，侦探的责任竟似做了我的第二职业。现在我眼见有凶案发生，怎么能袖手旁观？

可是一转念间，我又疑迟不前。此刻我自己处在什么地位？假使有人问我怎样会发现这件凶案，又为了什么事情来见贾春圃，我又怎样答复？唉，我不禁疑惧起来了。我自己不是也处在嫌疑的地位吗？我为避免无谓的牵连起见，还不如就悄悄地退出，回去报告了霍桑，再打算解决这个难题。

当我默自忖度的时候，本靠着书桌站着，我的眼睛仍瞧在地板上的血头上面。我的主意既定，正待悄悄地退出，我的听觉神经上忽而感受一种轻微的声音——那像是脚声，又像是喘息，说不出是什么性质，又不知从哪方面来。但这声音确使我的惊乱的心跳突然间增加了速度，额角上的汗珠也不禁一粒粒地落下来！一时间我的全身竟不敢转动！我鼓足了勇气，旋转身子向室门瞧时，猛见有一个躯干高大仿佛穿黑色马褂的人，直挺挺地站在那开着的门口！

吃惊？那是自然的反应。我的身体向后一退，两只手便支撑住了书桌。我老实承认，那时候我确已丧失了镇静的定力。那个站在门口的人的面貌怎样，我没有瞧清楚；就是他身上的衣服，当时也很觉模糊。原来在这一刹那间，事实的变动竟连续不息。那个高大汉子，在我旋转身去不到十秒钟工夫，便也转身退后。一转瞬间，他已脱离了我的视线。

我略一踌躇，仿佛受了本能的冲动，便也跟踪追出。等我追到阶沿下时，左右一望，那条圆形的碎石径上，已经阒无人影。我料想这个人一定是向外逃的，便也急急地赶到门口。可是我仍不见那人的影踪。大门外路上，虽有几个来往的行人和几辆车辆，但我绝不见那个穿黑马褂的高大汉子。

这时我已走出那盘化的铁门。我觉得当我经过门房的时候，那秃顶的守门人似乎不在里面，即使我再回进去，一定也没法究问。我就加紧脚步，向南往尚文路进行。到了转角上，看见一个警察站在岗位上。我还立定了向两面望了一望。

我的神志已略觉安宁些，自念既已出了贾宅，又捕不着凶手，眼前实不便再回进去。我正待备车回去，忽觉我的臂膊背后，有一只手轻轻一拍。我不禁震了一震，回头一瞧，是一个穿灰色西装的人，就是霍桑。我竟呆住了说不出话。

霍桑作诧异声道："包朗，怎么样？我怕你应付不了，特地赶来瞧瞧。现在怎么样了？唔，你为什么这样子？莫非——"

"我们走过去些再说。"我一把拉住了他的手，急忙向尚文路走去。

霍桑果跟着我同行，一边也低声发问："究竟什么事呀？"

"不得了！贾春圃死了！"

"唉，我早料有些不安——不是你打死他的吗？"霍桑的答话也充满着吃惊的意味。

"什么？你早料我要打死他？"

"我料想这个人的确是一个阴险的家伙。你本来有些浪漫的尚侠性子，万一说僵了话，你也许真个会——"

我急忙止住他道："霍桑，别乱说！我正在怕人家怀疑我，不料你也会有这种见解！他不是我杀死的。那凶手刚才从屋子里逃出。你可曾瞧见？"

霍桑低着头不立即回答。那时我们已走到文庙路口，地点比较静僻些。霍桑便拉着我转弯，在墙角的阴处站着。

他说："包朗，你怎么说这不伦不类的说话？凶手既不是你，我还不知是谁，我又怎能遇见？这事的情形怎么样？你说得详细些。"

于是我从头至尾，把入屋后经过的情形仔细地说了一遍。霍桑全神贯注地倾听着，他的眼珠在闪闪地转动。

他沉吟了一会儿，忽作严重声道："唉，这件事真值得研究，但我们的地位却尴尬极了。论势，我们应立刻到发案的所在去察勘，但我们并无名义，不但你不便再去，我也不能贸然自荐。"他顿了一顿："唉，这真是太离奇了！单就案子的本身价值而论，我们也断不能轻轻放过。我们应想一个方法才好。"

我说："这件案子既然如此奇特，官警们也许要来请教你。这样，我们也许还有实地侦查的机会。"

霍桑忽似想得了什么计策，答道："不，我们不能等他们来请。我现在应立即往警厅里去瞧瞧杨宝兴，只算是顺便过访。等尸主家来报警的时候，我不妨同去。包朗，这个机会我决不能失去！"

我忙应道："对，我也不愿放弃这个机会。"我又想起了自己的经历："霍桑，你想我可能再进去？"

霍桑向我的身上瞧了一瞧："那也容易。你赶紧回去把你身上的白夏布长衫卸去，换一身黑色的西装，再加上一副有色的眼镜，谅必那看门老头儿再不会认得出你。"

这计划立刻得到我的同意。霍桑又叮嘱我换好了衣服以后，可在寓所中等他的消息。我们就彼此分手——霍桑直接往警厅里去，我独自回寓。

约莫一小时以后，霍桑果真打电话给我：

"包朗，我在无意中参与了一件离奇的案子。现在我已跟杨宝兴兄到达了发案的地点。这里是银河路七号，宝兴兄托我转言，你如果有兴，不妨也来见识一下。我们也许需要你的助力。"

一顶草帽

我第二次到贾家的时候已是晚上九点半钟。夜风习习地吹着，把那郁蒸窒息的热气扫个干净，天气比日间凉快得多。铁门里面的门房中，坐着一个穿黄布制服的警察。那守门老人却已不见。我进门时有些疑惧，只怕被守门人认出了我的面貌，未免要惹出无谓的纠纷。我向那门口的警察招呼了一声，便一直进去。我走到阶石上时，已经听见女子的哭声，又看见那尸室的窗帘上人影参差。我进了尸室，霍桑正从地板上仰起身来，分明已将那穿白印度绸衫裤的尸体检验过了。接着他又向书桌上细心查验。那尸体的一旁，有一个身材矮小年在三十上下的妇人，穿一件杏黄纱衫，梳着个横"S"髻，正用一块白巾掩住了伊的白嫩的面庞，呜呜咽咽地哭着。旁边另有一个剪髻穿白纱颀衫的女子，年龄在二十五六，皮肤有些苍黑，浓眉慧眼，面貌也很不差。这时这年幼的女子正在尽力劝那妇人。警署侦探杨宝兴站在这两个女人的旁边，似乎也在从旁解劝。此外还有那个戴眼镜的老看门人，一个司机模样的壮年男子，和一个近三十岁的穿黑衣的女仆，都并肩地站在近门的一旁。他们都缩手缩脚，脸上也都蒙着惊惶之色，但静悄悄地不发一声。我走进去时，那秃发的老人也向我看了一看，可是他显然已不认识我。

杨宝兴慰劝那个哀哭的妇人："贾夫人，你住一住哭。哭也没益，反使我们不能够静心侦查。你放心，这件事我们总能够查个水落石出，给你的丈夫申冤。"他又回过目光瞧旁边的那个身材较修长穿颀衫的女子："陶女士，你陪贾夫人上楼六。我们若要问话，少停再来请伊。"

那剪发的陶女士果真尽力把贾春圃的妻子拉起了，半拖半扶地将伊从书房中扶出去。霍桑目送着这两个女人出了书室的门，才点点头，好像表示这样子在侦查时可以方便些。

杨宝兴问道："霍先生，你瞧那尸体怎么样？"

霍桑摸着下颔，缓缓地答道："他是被手枪打死的。弹子从左太阳穴进去，右面穿出，陷在书桌后面的墙上。伤口上并无弹灰，尸身上也没有别的伤痕。但是这一枪很厉害，故而他中枪后立即倒地而死，连呼喊的机会都没有。"

"死者的裤腰带上不是系着一个手枪皮袋吗？这袋中有枪没有？"

"有，有一支新式手枪。但这枪仍在袋中，枪弹也完全装满，显见他不曾用过。"

杨宝兴似已领悟了什么，点头道："这样，可知那行凶的人本是带着手枪来的；行凶以后仍将他的手枪带去。"

我插口道："瞧这情势，他自杀一层已不成问题了。"

杨探员点点头："那自然。"

我又问："现在你已经知道了些什么？"

杨宝兴便把经过的情形约略告诉我。他已向死者的妻子问过几句。伊姓袁，就是梳横"S"髻的一个。死者贾春圃是一个米业掮客，结婚还不久，没有子女。这宅洋房是他们的自产，它的建筑时间虽已在十年以外，但贾春圃购置还只几个月。屋子里一共有四个仆人：一个看门的叫黄福，一个司机叫马桂生，还有两个女仆，除了站在门旁的穿黑拷绸衫的曹娘姨以外，另有一个十四岁的小使女梅宝，此刻正害病躺在楼上。这案子怎样发生，他们绝不知道；在一小时前被曹娘姨发现了，马桂生就去报告警察。

他又附加说："眼前我们要知道的，就是这凶手是谁，和他的动机是什么。"

霍桑点头道："不错，这两点就是我们进行的目标。"

杨宝兴问道："你对于这两点有什么意见？"

霍桑答道："意见还谈不到。不过从眼前的情形推想，似乎这凶手要向死者求索什么。你们瞧，书桌上这些杂乱的文件，不是像曾经有什么人翻动搜寻过的吗？"

"是的。你想那人要寻求些什么？"

"这句话更难答复。我们必须得到些更确切的证物，才能够断定。现在我们先向这几个人问问。"他随手向排列在门旁的三个仆人指一指。

杨宝兴同意了，便向这三个人招招手。那个身体结实而有一个红鼻子的司机，首先走近些。他在书桌面前站住，眼睛注视着书桌上的一顶花色条纹丝带的硬胎草帽。他不曾开口，但他的眼睛里却流露出疑问的神气。这神气并没有逃过我的视线，杨宝兴也不例外。他就抓住了一个诘问的题目：

"桂生，这草帽可是你的主人的？"

那司机摇头道："不是的。老爷从来没有戴过这顶草帽。"他侧过了脸："黄福，你看见过没有？"

"也没有。"那老阍人也摇摇头，又引手指着壁上的衣架，"老爷戴的那顶龙须草帽，不是还挂在衣架上吗？"

霍桑点头道："是的，我早知道这帽子不是你们主人的，大小上就相差得多。"他顺手把书桌上的帽子取起来，凑近电灯光中细细地查验，又把鼻子在帽子里面嗅了一嗅。

杨宝兴接嘴道："那么，这帽子大概就是凶手遗留的了。唔，这东西我们不能轻视——唉，黄福，你要说什么话？尽管说出来啊。"

我果然看见那老人的嘴唇忽张忽闭，好像要说什么，却又不敢出口。他被杨宝兴一逼，便咽了一口气，勉强答话。

他吞吐地说："这帽子……我……我也许知道它的来历。"

霍桑的眼光忽然从帽子上移到了老人的脸上，凝视着不动，也不说话。我也注视着这个秃发的人。

杨宝兴急急地问道："好，你知道这帽子是什么人的？"

黄福道："是一个……一个姓包的人的。"

杨宝兴的眼角仿佛向我瞟了一瞟。我明知这一定是无心的，但我的神经上仍禁不住起了些异感。

"唔。这姓包的叫什么名字？"

"我不知道。他在今天晚上七点钟光景来看过老爷的。"

"是你主人的朋友吗？"

"也许是的。今天是老爷预先约他来的。不过我以前不曾看见他到这里来过。"

"这个人怎样打扮？你可曾瞧清楚？"

"瞧清楚的。他穿一件白夏布的长衫，很笔挺干净，头上戴一顶草帽——"

霍桑忽把手中的草帽扬了一扬，插口道："可就是这一顶？"

黄福点头应道："正是这一顶。"

霍桑又逼一句："你确实瞧清楚吗？"

黄福仍坚决地说："确实瞧清楚的。"

我不觉暗暗地好笑。他所说的姓包的人，明明是指我说的。我的草帽虽也是硬胎，但是帽上的丝带是纯白色的，此刻它仍戴在我的头上，没有更换。这老头儿却说得斩钉截铁地实实在在！假使我们易地而处，随便听信了他的说话，那岂不要走到歧路上去？因这一点，便可以相信人们在不经意的当儿，观察力真是非常薄弱的，往往会混淆黑白，颠倒是非；尤其是年老昏聩的证人，说话更不足深恃。所以当法官和侦探的人，在查案时搜集旁证和鉴别理解，都非常重要，万不能轻忽从事。可是杨宝兴就犯了这个通病，他显然已经完全接受了黄福的说话。

他又问道："据你说，那个姓包的人进来时，你亲见他戴着这顶草帽，出去时，你也看见他秃着头吗？"

黄福忽迟疑地摇摇头："不，这却没有。我没有看见他出去。但我相信这帽子一定就是他留下来的。我……我敢说行凶的也就是这个人。"

这老头儿委实糊涂已极，竟一口咬定了我！霍桑也敛神静听，他的目光却不时向我偷瞧。我有些莫名其妙的不安，但也不便表示什么。

杨宝兴作疑惑声道："你的话我不明白。你既然说没有看见这个人出去，怎么又说他就是凶手？你得留意，这不是闹玩笑的事，不能随便乱说。"

黄福推了推眼镜，说："今天傍晚只有他一个人来过；出去时，他又是鬼鬼祟祟，我才敢说他就是凶手。"

"喔，鬼鬼祟祟？你再说得明白些，他进来和出去时的情形究竟怎么样？"

"他一定是悄悄地溜逃出去的，所以我没有看见。当他进来的时候，问我主人回来了没有，我和他招呼了几句，他便直接走进这书房里来。接着，那隔壁第九号里做电灯匠的吴司务，忽过来叫我到他家里去看一封信。我以为那个姓包的已经来了，总要谈一会儿，就走到隔壁去。我在吴司务家门口里面略站一站，把信解释给他听后，喝了一口茶，便回进来——"

"唉，你出去了多少时候？"

"我走开的时间最多十分钟工夫。"

"唔，以后怎么样？"

"回进来时，我望望这书房里的电灯依旧亮着，还以为那姓包的仍旧和老爷在这里谈话。不料过了四五分钟光景，忽听见曹娘姨的喊叫声音。我奔进来一瞧，老爷已经血淋淋地倒在地上，被什么人杀死了。但那个姓包的客人却已不见影踪。他一定是逃跑了。你想凶手不是他是谁？"

我才知道这老头儿那时候曾到隔壁去过，故而我出外时不曾见他。还有那个穿黑色马褂的大汉子的一进一出，他分明也完全没有瞧见。其实这个穿黑马褂的大汉才真正可疑，我当时虽明明眼见，但此刻又怎能把这个人提出来呢？

杨宝兴回过目光，瞧着那个女仆说："曹娘姨，这件案子是你第一个发现的。现在你把当时的情形仔细说一遍给我们听。"

曹娘姨的年纪虽近三十，但肌肤细腻，眼波灵活，望去倒不像一个庸仆。这时伊变了面色，两只手兀自在搓揉伊身上穿的一件黑拷绸衫的襟角。伊避去了杨宝兴的目光，疑迟了一会儿，才低声回答。

伊说："刚才太太叫我下楼来，请老爷上去吃夜饭。因为老爷说过的，吃过了晚饭，他们还要一同出去兜风。不料我走进这里，电灯虽亮着，却静悄悄地一无声响，老爷也不见。因为那壁角的电扇，今天早晨坏了，连风扇声音都没有。我叫了一声，又没有人答应，以为老爷走开了，不在书房里。我刚要回身退出，忽然看见书桌里边的地板上有一个鲜血淋漓的人头。哎哟！我真吓得什么似的，不由得大声喊起来！别的事情我完全不知道。"

杨宝兴道："你进书房以前可曾听得什么声音？"

曹娘姨摇摇头："没有。"伊的声浪有些颤抖。

我暗忖这仆妇进来的时候，必在我离开以后，当然听不见什么声音。

杨宝兴又问道："那么，你们在楼上时，可曾听得过这书房里的响声和别的声音？"

曹娘姨仍沉着目光，答道："楼下的声音，楼上本来听不到的，我们又不曾留意，故而没有听得。刚才太太和太太的朋友陶小姐也都说不曾听得什么。"

杨宝兴听了转过头来，又向那司机马桂生瞅了一眼。这马桂生似乎还不到三十岁，躯干适中，很是壮健，除了一个惹目的红鼻子以外，面目倒也端正，不过皮色略略黝黑。

杨宝兴问道："桂生，你对于这件事知道些什么？"

马桂生答道："我在后面汽车间里，更听不到什么。老爷但吩咐我几点钟时把汽车预备好，送他们出去兜风。"

"你说的'他们'，是什么人呀？"

"老爷木约太太和陶小姐昨天晚上就要出去的。但昨天晚饭过后，老爷忽然觉得不高兴，懒得出门，才改在今夜出去。"

那昏聩的黄福偏又多嘴，忽自动地接口："先生，你们要知道老爷昨晚上为什么忽然不高兴吗？"

杨宝兴忙道："唔，你知道的？为什么缘故？"

"昨天傍晚老爷太太跟陶小姐看戏回来以后，有一个姓郁的孩子来看老爷。他约有二十岁，穿的一件长衫已经旧得不堪，头发也像长毛一般。老爷忽然和他吵起来，后来把他赶出去。因着这一回事，老爷就觉得不高兴。"

“这个姓郁的叫什么？”

“不知道。”

“你可认识他？”

“不，我从来没有见过他。”

“那么他住在什么地方，你也不知道？”

“是，我不知道。”

杨宝兴点点头，似乎已得到了什么端倪。他转过脸来，瞧着静默的霍桑：

“霍先生，我看这里面有两个可疑的人：一个是昨天姓郁的人，第二个就是今天遗留这草帽的姓包的人。”

他所怀疑的这两个人恰巧都是没有干系的。他在暗中摸索，还是自得其乐，想起了正觉好笑。霍桑正要发言，忽见那红鼻子马桂生也从旁插口：

“先生，我觉得还有一件事，也许有些关系。”

杨宝兴又旋过了脸：“好，你说出来。”

“在一星期前的一天下午，我们的汽车从虹口出来，忽觉有一辆深灰色的汽车跟在我们的后面。老爷觉察了，疑心是绑票匪，特地叫我把汽车开快些。不料后面的汽车也同样加快。我也觉得不安，特地开向闹市中去兜了几个圈子，方才脱去了那灰色的汽车的跟踪。我们回到了家里，老爷仍惊慌不安。后来老爷在家里足足避了三天，方才出来。现在想起来，这件事或者和眼前的案子有些关系，也说不定。”

杨宝兴忽皱眉道：“唔，这样说，这里面还有绑匪的嫌疑。但除了那辆灰色汽车以外，可还有过别的可疑的事？”

“这个我不知道。”

“当时那辆汽车中坐的是什么样人？你可曾瞧见？”

"没有。但老爷似乎是瞧见的。他因着看见他们的模样可疑，才疑心是绑票匪。"

杨宝兴把身子支着书桌，低垂了头，在咬他的嘴唇。霍桑乘这机会，便开始发表他的意见：

"宝兴兄，从我们已知的事实上瞧，这案中有嫌疑的人，为数似乎不止两个。我看这里面的情由非常幻复曲折。"

杨宝兴忙抬起头来，应道："唉，霍先生，你有什么高见？那是最欢迎的。你说不止两个人？有什么事实的根据吗？"

抽屉中的纱巾

霍桑说有嫌疑的人不止两人，在我是很明显的。因为杨宝兴所说的二人，一个是郁海帆，一个是我，霍桑本已知道都没有关系。他所以说不止两人，明明暗示有第三个人。但杨宝兴要他说明事实的根据，我不知道霍桑怎样措辞。

霍桑仍轻描淡写地答道："事实的根据原是当侦探的发表推想时唯一的命脉。我现在还没有收集完备，别的还不能说。不过人数问题，但从这一顶草帽上观察，就可以知道。你可要瞧一瞧？"

他把书桌上的草帽递给杨宝兴瞧。他自己又把从死者衣袋中取出来的白丝巾、金表、皮夹、图章和几个钥匙等许多东西，逐一查验。杨宝兴把草帽凑在电灯下面细瞧了一会儿，点点头。

他说："唉，霍先生，我已找出一种证据。"

"唔，什么？"

"这帽子里有两根短发，一根足有二寸多长，一根却只一寸半光景。这发黑而有光，并且又粗壮挺硬，因此可知这姓包的人是一个少年，并且他的黑色的头发又是留长而涂生发膏的。"

"唔，宝兴兄，你的眼力和理解力委实都很高明。这草帽的主人当真是个黑色长发的少年，不过我还知道那人所用的生发油，是一种国产的西施牌。"

"唉，你的嗅觉比我还灵敏。"

"我还知道这个人并不姓包。"

"喔，你怎样知道的？"

"你假使再仔细些瞧瞧，便可见那衬皮的反面，有墨水笔写的三个小小的英文字母。"

杨宝兴果真把帽圈里的衬皮翻开来找寻。我也凑近去看看。

一会儿，杨宝兴承认道："是，我当真太粗心，这里真有Y. E. T. 三个字母。"

霍桑道："这三个字母分明是这个人的姓名的缩写。你总知道敝国的所谓时髦人物，用英文来拼姓名，已经流行了好久——那些尤其时髦的，还要用英文姓名做签押——本已不足为怪。但这三个字母，无论哪一个字都拼不出包字的声音，可见这个人不是姓包。"

"唔！"

"因此，我相信除了你说的那姓包姓郁的两个人以外，至少还有第三个人。"

我想起今天午后我虽看见郁海帆也戴着草帽，但不是这一顶。霍桑的推断的确很合情理。杨宝兴连连点着头，表示他的折服。他又回头瞧那看门人黄福：

"黄福，你的话实在靠不住。你既然说今天傍晚来看你主人的人姓包，又说这顶草帽是他的东西。现在这帽子里的姓名并非姓包。你不是信口乱说吗？"

那老头儿涨红了脸，伸起右手在额角上抹了几抹，又把眼镜推上了些。

他嗫嚅着道："我……我……的确瞧见他的。但也许这个人说谎，假托是姓包。"

霍桑接口道："这话也不对。姓包的人实际上一定是有个的，绝不是有什么人信口假托。你不是说过你主人曾盼望着有一个姓包的来看他吗？"

这句话堵住了黄福的嘴。他便把光秃的头顶向着霍桑，答不出话。

霍桑又说："现在我还有几句话问你，你须从实回答。你说刚才有一个姓包的人来过，出去时却没有瞧见，是不是？"

"是的。"

"除了这个人以外，可还有别的人进出过？"

"没有。不过……"

"不过什么？"

"袁先生也是在傍晚时出去的。"

霍桑的眼光一闪，忽现出注意的神色："咦，这袁先生是谁？"

老人抬了些头："他是太太的堂房弟弟，叫袁锦龙，住在画锦路。"

"唔，这袁锦龙什么时候来的？"

"他上半天已经来过，在饭后两三点钟又来，到上灯以前近七点钟光景才去。"

"你瞧见他怎样打扮？"

"他是穿玄色细花的纱马褂的——"

我心中暗暗一动，几乎要冲口而呼，虽没有喊出，但我的发愣的动态竟使那老人顿住了。因为当我发现这死尸的时候，的确是有一个穿玄色马褂的大汉在门口现过一现的。霍桑用眼角向我瞟了一瞟，便挽回了这个小小的僵局。他仍镇静地问下去：

"你说下去。这个人的身材怎么样？可是比你高一些？"

"不，他的年纪还不到三十，身材也比我矮得多。"

唔，我的希望又落了空。这老头儿的话如果不虚，那么这个人分明又不是我所瞧见的那个大汉。

杨宝兴也插口道："霍先生，这个人当真有注意的价值。他既姓袁，这帽子里的第一个字母Y，不是合得上吗？"

霍桑仍定着目光谛视在地板上，对于杨宝兴的这句问句没有发表意见。杨宝兴又旋转去问那黄福：

"这个姓袁的是不是戴草帽的？他的头发也是长而黑色的吗？"

黄福却眼睁睁地不立即回答，似乎他自觉先前的多嘴没有报酬，却吃了霍桑的一次指摘，故而不敢不小心些。

他疑迟了一会儿，才道："是的，他也是戴草帽的。他的头发的长短和颜色，我不清楚，不敢说。但他在这件案子上，我相信是没有关系的。"

"唔，你又相信？你怎样知道？"

"因为他出去时还没有断黑，屋子里的灯都没有亮。但曹娘姨发觉的时候，这里上下的电灯已完全亮了。"

这句话倒是实在的。当我进来的时候，电灯当真完全亮着。假使这姓袁的人行凶后出外时，电灯既然还没有亮，死者中枪以后，当然不会再开电灯了。

杨宝兴又问："虽然，这样一件凶案，各方面的人，无论有没有关系，都应得仔细研究。现在你告诉我。你主人和他的内弟平日的感情怎么样？"

黄福在经过谨慎的考虑以后，才说这个姓袁的平日不时在这里出进；有一次他曾向死者借款，因此曾遭受死者的斥责。当杨宝兴听得津津有味的时候，忽而发生了一种意外的岔子。原来霍桑乘这机会，取了从死者身上搜出来的钥匙，打开了那书桌的抽屉，分明要搜寻什么。他忽而发出诧异声来：

"唉！这里有一种东西！"

我忙抬头瞧时，看见他手中拿着一块从抽屉中取出来的白巾，正凑在电灯光中细细地瞧察。

杨宝兴问道："一块白手巾？"

霍桑答道："是，一块白棉纱的手巾。"他又把手巾凑到鼻子上嗅了一嗅，顺手递给杨宝兴瞧。

我不禁插口问道："可是女子用的手巾？"

杨宝兴已接了那手巾细瞧，摇头道："不。这手巾尺寸很大，并且朴素没有花纹，也没有香气。这不像是女子用的。"

霍桑仍不答话，重新把白巾取回去，再度凑到灯光中查验。

"唉，这个——"他说了半句，忽而把手巾轻轻折好，仍执在手中；他急忙俯下身子，又向死者的头部瞧了一瞧；接着他又仰起身来："唉，宝兴兄，我相信我们已得到了一种重要的线索！"

杨宝兴张大了两眼："什么？"

"这件案子的破获，也许就靠这一块手巾！"

"当真？何以见得？"

我也暗暗惊讶。霍桑这句话可靠吗？这一方手巾怎么就可以做破案的引线？

我问道："可是这手巾上也有姓名……"

霍桑忽微微一笑："包朗，你说笑话了。有些欧化的时髦女子，虽也有仿摹西法，在巾角上绣一个缩写字母。但是宝兴兄已经告诉你，这一块手巾朴素没有花纹，而且是廉价的棉巾，绝不是摩登人物的东西。你怎么还有这个问句？"

我碰了一个小小的钉子，一时答辩不出。

杨宝兴接着道："那么你凭什么根据，认为这手巾可以做破案的线索？"

霍桑疑迟了一下，忽微微摇了摇头，随手在书桌上取起一张白纸，把那块纱巾很谨慎地包好了，顺手塞在他的国产灰色法兰绒的西装袋里：

"请你原谅。我暂时还不能作答。等我把这一只抽屉搜查过了再说。"

杨宝兴虽不抗辩，但脸上却表示一种不满的神气。霍桑又在抽屉中搜寻。我也觉得霍桑既已说出了一句引人兴味的话，却又卖关子似的不肯实说，未免使人扫兴。

霍桑又自顾自地说："这里的几只抽屉都已经给人翻动过。上面几只都是些文件，杂乱得很——唉，这里还有钱呢！包朗，喂，宝兴兄，你们也过来瞧瞧。"

杨宝兴和我都走到书桌前去，先瞧那最下一只开着的抽屉。抽屉中共有每包一百的五包现银币，另有两大札钞票。杨宝兴数了一数，也有两千五百元。

杨宝兴说："我猜想那凶手搜索的当儿，这一只抽屉大概是被忽略了，不然这大宗款项一定不会再留存在这里。"

霍桑道："也许如此。不过据我看，那凶手搜索的目的似乎不在钱财。"

杨宝兴皱着眉峰，闭紧了嘴，似乎因着霍桑的说话不和他同调，又感着不快。

霍桑又解释似的说："试想这一只抽屉中既然有三千元，势必是专放钱的。别的抽屉中当然不会也同样有钱。凶手的目的如果专为钱财，钱不到手，必不肯罢休。况且这抽屉的钥匙也同在一串上，他绝不肯单单放弃这一只不开。所以据我推测，那凶手的目的，似乎要搜寻某种重要的文件。文件给搜着了，别的自然不在他心上了。"

杨宝兴对于这个解释仍没有表示，但他脸上的悻悻的神气已经消减，分明他心中多少已有些谅解。

霍桑把抽屉一只一只重新锁好，立直了身子，把钥匙交给了杨宝兴。

他低声说："我们的搜查可以告一个段落，不必再留在这里。宝兴兄，公事方面呈请检验一类的手续，你不妨循例进行吧。"

杨宝兴应道："很好，但你刚才所说的对于那块白巾的意见，可否就——"

霍桑点头应道："那自然可以。现在你把这几个仆人打发开去，另外叫一个警士到这里来看守。我们还是到外边去谈。"

几种推想

五分钟后，我们已沿着那围绕丛柏的圆形石径，走出了铁条的前门。杨宝兴仍陪送在后面。到了银河路的转角，霍桑走到一根电灯木的后面，才站住了说话：

"宝兴兄,现在我可以说明了。这一块搜得的白巾,我所以敢说可以做破案的引线,就因着这白巾有三个特点:第一,这是廉价的棉质纱巾,绝不是贾春圃自己的东西,何况死者的衣袋中本有一块丝巾,更足以证明不是他的。第二,纱巾上还有些汗迹。第三,我还在手巾上找到了好几根黑色的短发。那短发只有一二分长,分明是在剪发时剪下来的。我们在理发店剪发的时候,不是往往有短发留在发根,在数天中,洗面或拭汗时,面巾或手帕上还常沾有短发的吗?但死者的头发也不是新近修剪的,我刚才又特地瞧过。因此,我们便可推想这白巾是凶手所遗留;而且这凶手一定是新近修剪过头发。我们但从这一点上着眼,岂不是较有把握?"

霍桑这个发现确很重要,但他说这白纱巾的主人就是凶手,似乎太觉突兀,我还不能明了。杨宝兴也和我的意思暗合,仿佛代替我发问:

"霍先生,你的见解我很佩服。但这个遗留白巾的人,怎么会就是凶手?他既是凶手,怎么又会把白巾遗留在抽屉中?"

"这个很容易解释。要证明白巾是凶手的,先决问题,就得证明这白巾不是死者自己的。我已说过三点,你总已明白。除了死者是相当奢侈,绝不屑用这种廉价手巾以外,你总也瞧见死者的前顶已秃,发色略带棕黄,而且不是新近修剪,那纱巾上的短发却明明是纯黑色的。这更是白巾不是他的东西的铁证。至于这白巾所以给遗留在抽屉中,必是由于那人仓皇疏忽,当然不是故意放进去的。"

"我还不明白。即使有人偶然遗留了一块白巾,怎么就能说这个人便是凶手?"

"我们已假定那凶手行凶的目的在于搜索什么重要的文件,

所以我们若使假定那搜索的人就是行凶的人，当然不能算是凭空的推想，是不是？再进一步，我们来推想那白纱巾被遗留在抽屉中的缘由。那人把贾春圃打死以后，便着手搜查他所寻求的目的物。当他寻到了那只抽屉，他的目的中的东西忽然被寻到，自然非常惊喜。天气既这样热，那人又在惊惶之中，难保没有额汗。他便取出白巾来拭汗，同时又匆匆把寻得的文件拿出来；那块白巾却顺手放在抽屉中，一不留意，就遗忘在内。那怎能说不合情理？"

"但那抽屉是锁着的，钥匙又在死者的短衫袋中。你想抽屉是什么人下锁的？"

这时有一个穿短衣的少年从转角上走过来，看见我们站住了密谈，竟也停了脚步加入旁听。这不能不使霍桑暂时停顿。自然，这也许是那短衣人的好奇心比较强烈，不过他的好奇心的发展方向却有些错误。这个人大概是不曾受过高深教育的，还可以加以原谅。我因此联想到我国的受过教育的所谓上流人，也常常有偷听人家的密谈和私瞧人家的信札的倾向，这也是误用好奇心的明证。霍桑顿了一顿，分明也憎恶这旁听的人。他虽不说，但运用他目光来做驱逐工作。他盯在短衣人的脸上。那人果然有些抵挡不住，才不好意思地掉头走开。

霍桑才答道："我想必是那凶手为着避免人家的怀疑，得手以后重新把抽屉锁好，又把钥匙放回死者的袋中。他的目的无非想不使人家觉得有搜索的痕迹。其实抽屉中的杂乱状况早已完全显示，他这种'欲盖弥彰'的举动委实再愚蠢没有。"

杨宝兴仍作怀疑声道："我想这块纱巾虽不是死者自己的东西，但也许是他自己锁在抽屉里的。如果这样，凶手遗落的推想便不能成立。你瞧这理解可也有几分可能性？"

霍桑忽直截摇头道："完全没有。这是不可能的。"

"唔，何以见得？"他的语声又有些不快。

霍桑自顾自说："因为这白巾既然不是他自己的东西，更不像是什么妓女的留情恩物。别的人不会把白巾锁在他的抽屉里，他自己也没有把别的人的白巾珍藏起来的理由。退一步说，就算它真是他自己锁在抽屉里的，论情势，时间上必比较长久些，那么白巾上的汗迹也势必不同。你的手指刚才已经在这白巾上触摸过一下，难道你不觉得那汗液至今还没有干透吗？……喏，你不妨再摸一摸。"

他一边说着，一边摸出衣袋中的白纸包，轻轻展了开来，送到杨宝兴的手边。杨宝兴果真在白巾上捏了一捏，便连连点头。

他说："这样看，这一块白纱巾确实非常重要。但你想那顶草帽和这块白纱巾可是属于一个人的？"

霍桑道："从推想方面说来，这两种东西很有联系的可能，可是事实又明明告诉我不是一个人的。你总已瞧见那草帽里的头发和手巾上的头发，它们的色泽和粗细，单凭肉眼看，已是不同。假使把它们放到显微镜底下去，当然更有显著的异点。所以据我推想，这两种东西，一定是属于两个人的。"

杨宝兴又问："那么，难道这案中的凶手竟有两个人？如果这样，这白巾可就是那个姓包的人的东西？"

霍桑忽仰面瞧瞧电灯，又瞧瞧转角上的来往的行人，好像一时间答不出来。我觉得这个问题确属要点，我也很愿意听听霍桑的见解。

霍桑忽摇头道："这问题现在还难说。我们只可假定这案子里面，除了你先前所说的郁包二人以外，至少还有两个有关系的人。不过这另外两个人是不是通同一气，和是不是都和凶案有直接的关系，眼前都还无从证实。所以现在着手的方法，你但须注意一个新近剪发的少年。"

霍桑的剖解到这里告一个段落。杨宝兴点点头，便和我们分手。他重新回进贾家里去。我因着急于要听听霍桑的真实见解，所以走出了尚文路后，看见附近没有闲人，又向霍桑究问：

"霍桑，他们果真把我牵连进去了。但那实在的真凶是谁？你可已知道了没有？"

霍桑答道："你的地位当然是要被人怀疑的。好在他们断乎想不到你，你也用不着害怕。那个凶手是谁，我想不久总可以查明白的。"他在路灯旁边站住了，开始摸出烟盒。

我也同样站定："你对于这个人，除了剪发一点以外，可还有更确切的线索？"

"唔，有的。凶手是谁的问题，我已经有一种推想，不过当着杨宝兴的面，一时还不便说明。"

我很高兴地道："喔！那么现在你总可以说明了。"

霍桑擦火点着了纸烟，忽旋过脸来，借着路灯的光向我瞅了一眼。他继续前进。我仍比肩同行。一会儿，他忽向我反问：

"包朗，你不是也有些意见吗？怎么样？我先听你说说。"

我略略沉吟，才说："我想那个我所瞧见的穿黑色马褂的大汉子很有嫌疑。"

"唔，你对于这个人的见解怎样？"

"这个人很有行凶的可能。不过他进出的时候，设法瞒过了黄福的眼睛，没有人证明，除我以外，别的人还不能疑他。"

"但他进去的时候，已在你发现死尸以后。你怎么能说他有行凶的可能？"

"这很容易解释。他先前悄悄地进去行凶，事成以后就慌忙逃出。但他在惊惶之中，大概遗留了什么东西，故而出外以后，又重新回进去。当他第二次进去时，忽而看见我留在室中，便又重新急急地逃出。"

"你以为他第二次进去，要找什么遗留的东西吗？他要找什么东西？"

"他也许是进去取草帽的——"

霍桑似已捉住了我的破绽，不等我说完，吐了一口烟，忙接嘴道："唉，你说他回进去要取回草帽？那你又明明说他不是凶手了。手巾和草帽不是属于一个人的，我刚才不是已经说得很明白吗？"

我又辩道："那么，他或者就是去取回那块白纱巾的，那也说不定啊。"

他又吐了两口烟："包朗，你不必强辩了。据我看，这个人一定与凶案无关。"

"喔，你的理由是什么？"

"因为你的推想如果不错，他果真是回进去取什么遗留的东西的，那么，他势必有一种诡秘偷掩的态度，防人家瞧见。可是据你所告诉我的，当时你闻声回头，还见他直僵僵地站在门口。这状态明明是表示一种意外的惊诧，并不是诡秘。你若能把这一点仔细思索一下，当然再不会把这个人认作凶手。"

我经他一说，果真记得那个穿黑马褂的人当时确实只有惊奇，并无偷掩的样子。仔细一想，我的推想委实还有窒碍。我自然再找不出答辩的话，只索默默地走着。

霍桑一边缓步，一边接着道："我瞧这个人不但和那一块白纱巾无关，连那顶草帽也不是他的。因为我确信这个人的姓氏，若使用罗马字拼音，绝不是用 Y 开端的。"

我诧异道："奇怪！你知道他姓什么？"

"我料想这个人也许是你的同宗。"

"喔？你从什么上知道的？"

"这又何用诧怪？你想你看见的他当时的情态，明明是去访问贾春圃的。他到达贾春圃家的时候，显然还不知道贾春圃已经被杀。你岂不记得当你进门时，那门房黄福一听得你姓包，便说他主人正等候你吗？但你去见贾春圃，原是你一方面的意思，并不曾和他预约，他怎么会等你？因此，可知他所等的，一定是另一个姓包的人，并不是你。所以我假定这个人，就是那个约定的姓包的人。那原是显而易见的。"

霍桑观察的精微和思考的缜密，我原不及他。现在经他一度分析解说，我实在不能不佩服他的眼光和头脑。

我说："对，霍桑，我承认我的推想欠致密。不过你的见解假使完全属实，在我却很有些危险。试想那另一个姓包的人既是践约而来，当然是贾春圃的朋友。他既然明明看见我独留在书室之中，我当时所处的地位，在他的意想中，必将疑我是凶手；或者更不幸的他是素来认识我的，万一他去出面告发，那我岂不要被连累进去？"

霍桑又连连呼吸了几口烟，点头道："这一着你考虑得不错。好在你没有留什么名片，你和死者又没有直接的关系，任何人都不会信你和凶案有关。至于这个人是否要出面告发，还要看他的友谊和胆力如何。你既然问心无愧，现在也不必空自担忧。"

我顿了一顿，应道："既然如此，现在我要反问你了。你刚才说你对于那个真凶已经有一种推想，可否就说给我听听？"

我们且谈且走，夜风阵阵，遍身都觉凉快，不知不觉已到了电车站口。霍桑立定了，丢了烟尾，似要等乘电车。我向左右一瞧，觉得马路旁边等电车的男男女女很多，已不像先前步行时没人注意。这地方势不能容我们随便谈话。

霍桑低声答道："你耐一耐吧。我此刻已不便发表——其实这个人也不必我说，你立刻就可以明白了！"

奔 波

一会儿，我们上了电车。头等座中乘客还不算太挤。我的满腹疑惑再忍耐不住，因此我靠近些霍桑，又低声问话：

"我们往哪里去？"

"往和平路元吉里去。"

这个地点我似乎有些熟悉，追想了一会儿，忽记得这地点是郁海帆的寓所，他在上一天临别时告诉我们的。

我又问："可是去见郁海帆？"

霍桑点点头。

我继续问道："为什么事？你可是疑心他——"

霍桑忽把肘骨抵着我的手臂："轻声些。这里不是我们的谈话室啊。"他略停一停，又低声说："我们要去见这一位非正式的委托人，用意很明显。你难道还不觉得这人有什么可疑之处吗？"

我摇了摇头："他也可疑？"

"我们这位委托人和死者有怎样的关系，你已经明白了。现在这姓贾的不先不后，恰在这个当儿被杀。无论如何，我们总不能不把他列入嫌疑人中。你说是不是？"

"唔，不错。但事实方面，你可已有什么证据没有？"

"实际的证据还没有，但推测他的心理，我觉得很说得通。"

"唔，怎么样？"

"当这少年来委托我们的时候，我们的态度明明告诉他这件事不容易着手，圆满的希望很少。后来我虽勉强允承，在他一定要认为是我们的随便敷衍，未免仍不满意。你总知道他和这姓贾的怨仇很深，他确信这姓贾的是害死他父亲的仇人，大有势不两立的趋势。他既然见我们不能够积极地担任，也许就因此发愤，亲自去动手。这种心理现象原很自然。你想不是也可能的吗？"

"是，可能的。但你想他在什么时候行凶？"

"这个还没有实证，只能从推想上着想。我瞧那个守门的黄福，年纪虽不算怎样老，但除了喜欢多嘴以外，他的眼睛和脑子明明是颟顸不灵的。或是他在灯下读报的当儿，或是他偶然离开了门房，那姓郁的少年就乘机混进里面去动手，这原也很有可能性的。不过我们在见他以前，这一节只能算是纯粹的推想。实际的证明，必须等到和他会面后再说。"

电车把我们带到了目的地。我们就走进元吉里，寻到郁海帆所说的号数门前，霍桑便上前敲门。那是一宅一上一下的石库门的屋子，门上钉着一块铜牌。我从幽淡的电灯光中，瞧见是"鄞县俞"三字。这时候已在十点半左右，因着天气炎热，里中的人家还有不少人在门外乘凉。我们叩门的一家，里面的人显见也还没有睡。霍桑只叩了两下，便听见有人从里面发问：

"谁呀？"

霍桑应道："是我。"

我觉得那人的声音不像是郁海帆。接着我听见"铁挞铁挞"的拖鞋声音，有人通过了天井出来开门。开门的也是一个少年，年龄在二十三四，方形带黑的脸，五官很端正，黑色的头发向后梳着，但不很短。他的上身穿着条纹府绸的西式衬衫，硬领却已卸掉，下身穿一条白纱斜纹的西装裤子，脚上已换了皮面拖鞋。

他先问道："你们要找谁？"

霍桑答道："我们来找郁海帆。费心你请他出来谈一句话。"

那人定着眼睛向我们上下地打量了一下，一边摇了摇头，神气上有些慌张：

"他不在这里。"

那少年说着，把身子退后一步，仿佛就要关门进去的样子。霍桑忽跨进一脚，把头凑近些，他的鼻尖在嗅动。接着他又带着笑容向对方点点头。

他又问："请问郁先生往哪里去了？可就要回来？"

那人又摇摇头："他已经回家里去了，不会再到这里来哩！"

霍桑道："他可是已回宁波去了？"

那少年迟疑了一下，才道："他本想直接回宁波的，后来被一个同学拉着往杭州去玩两天，所以刚才乘了火车走的。对不起，我不能款留二位。"他把手按在门边，似乎又要关门。

我觉得这人说话不很自然，目光避开着，分明有些心虚胆怯，未免可疑。我正想索性跨进门去，不让他关门，霍桑忽反而退出，暗暗地拦阻我。

他又向那人点点头："很好。对不起。再见。"

我们出了元吉里口，霍桑一言不发，拉着我同上另一辆十六铺的电车。我直到坐定以后，方才有发话的机会：

"我觉得这个人很可疑。你怎么就轻轻放过？"

"是，我也觉得他可疑。其实不但可疑，我的推想也已得到了一部分的证实。"

"证实了什么？"

"我们先前从推想上怀疑郁海帆有行凶的可能，现在却已进一步得到了初步的证实。你想他今天午后明明来委托我们办一件要事，一会儿他忽然匆匆回去。这又怎样解释？"

"对，很可疑。但他既已乘火车走了，我们怎么样？"

"包朗，你太忠厚了！你怎么便听信这个人的谎话？"

"你想他不曾往杭州去？"

"他起初说郁海帆回家去了，那是脱口而出的，没有准备，自然是真话。后来他又说乘火车往杭州去的话，却有些疑迟的样子，那明明是临时编造出来的谎话。我敢说郁海帆一定是今夜趁轮船回宁波的。"

我细想一想，霍桑的观察确很敏锐，不由得连连点头。车厢中很空虚，霍桑又低声继续解释：

"我们试进一步推想：这少年为什么要替郁海帆说谎？那不消说是为着要替郁海帆掩护，避去侦缉。他明明知道今天的事既已发作，有人已推疑到郁海帆身上，故而谎说路线，以免追捕……还有一层，我知道刚才这个少年，本来是认识我们的，所以连姓名都不曾问我。我虽也不曾请教他的尊姓大名，可是也同样认识他。"

我作醒悟状道："唔，我明白了。他不就是郁海帆说起过的他的同学俞光照吗？"

"是啊。他就是替郁海帆探听贾春阛的行径和指引海帆到我们那边去的人。我还知道这个俞光照不但知道这件事的原委，并且他和贾春圃的被杀也许也同样有直接的关系！"

"什么！你这话也有根据？"

"你的英文程度可说是很精通的。现在我给你一种最简易的工作。请你把俞光照三个字拼成罗马音。好吗？"

我沉吟了一下，一时还没有答话。

霍桑又说："我们不妨更简便些，但把这三个字的第一个字母说说。你想那 Y. K. T. 三个字母可配得上？"

我不禁欢呼道："唉，不错！这样说，书室中的那顶草帽就是俞光照遗留的？"

霍桑忙道："喂，轻些呐！正是。老实说，我近来因着过于忙碌，又因着救国会的委托，请我帮同着侦查那些私贩，思绪一杂，我的脑子便欠致密。当我发现了那顶帽子以后，竟想不起俞光照的名字。实际上这个名字，郁海帆早已向我们提起过了。"

霍桑的自咎，论情应当引起我的共鸣。因为我也听得郁海帆说过，他来请教我们，原是出于他的同学俞光照的指示。霍桑说俞光照认识我们，也是事实。因为我们的肖照有时候仍禁不住在报纸上披露出来，往往有人片面地认识我们。我记得这俞光照刚才明明显现着一种退避拒绝的神气，那真像是情虚的表示。我又问霍桑对于这两个少年的行径的意见。他沉吟了一下，又低声表示：

"推想是有一个的，不过有些冒险。"

"听在我的耳朵里，没有险可言。你说说看。"我抱着热望怂恿着。

他又迟疑了一下，才说："我料这一件凶案，这郁俞二人也许是通同合作的。他们俩或者一同到了贾春圃家里，初意或只在谈判，后来忽而决裂起来，大家动手。这二人中的一人便将春圃打死，末后就匆匆走出。那郁海帆遗留了一块纱巾，俞光照也忘了他的草帽。你不见俞光照的头发也是粗长而黑色的，而且光油油地涂着生发膏吗？"

"唔，你刚才曾嗅过他的头发？"

"是的，果真是同样的西施牌，没有错。"

我想了一想，又说："假使行凶的果真是这两个人，郁海帆的宿仇既报，还要在抽屉里搜什么东西？"

霍桑低垂了头，他的眉毛皱拢起来："唔，很困人！这一点我还推想不出。"

我建议说："我看那草帽虽是俞光照的，但那块有短发的白巾，未必也是他们俩的。"

"唔？有什么根据？"

"我刚才看见俞光照的头发不像是新近剪的。"

"但我记得郁海帆的头发已经蓄得很长。或者他就在今天傍晚前修剪过，也说不定。除此以外，他既然委托了我们，时间上只有几个小时，我们还没有给他回音，他何以就匆匆回去？单就这两点说，他所负的嫌疑也已相当重大。"

"那么我们此刻不是就去追踪他吗？"

"据我料想，我们此刻赶到往宁波的轮船上去，或者还瞧得见他。"

我才知霍桑所以乘十六铺的电车，果真就是要赶到轮船码头去。

我又问道："你如果见他以后，可打算就动手捕他？"

霍桑忽摇头道："不，我在这件事上不负拘捕的责任，并且也不愿负。我们的目的只在查明这事的真相。"

我暗暗地点头赞同。我们探案，一半在乎满足求知的兴趣，一半凭着服务的使命，也在维持正义。在正义范围之下，我们并不受呆板的法律的拘束。有时遇到那些因公义而犯罪的人，我们往往自由处置。因为在这渐渐趋向于以物质为重心的社会之中，法治精神既然还不能普遍实施，细弱平民受冤蒙屈，往往得不到法律的保障。故而我们不得不本着良心权宜行事。这一次郁海帆如果当真为父亲复仇，没有别情，在我们的意识中，自然也不能和寻常的凶犯一例看待。

我们到达了轮船埠头，先上宁绍轮船去找寻，在三等舱中寻了一会儿，不见郁海帆。那时相近十一点半，距开船的时刻还有一个半钟头。船上的水手和乘客们正十分忙碌，加着船上的汽笛，和码头上脚夫们运货时的呼喊声音，众声杂沓，越使人觉得炎热而纷扰。我们从三等舱中走出，刚要上二等舱的楼梯时，霍桑忽向上面一望，突然惊骇地退却：

"唉，他也来了！这是出我意料的！"

意外消息

霍桑口中所说的"他"，我起初还以为是俞光照，不料一抬头就瞧见警署侦探杨宝兴正从梯子上走下来。这时候他也会到船上来，分明事机凑巧，已和我们走上了一条路。

霍桑先招呼道："宝兴兄，你来找谁？"

杨宝兴在梯级下站住，也现着诧异的神色："你们也是来找他？"

又是一个"他"的谜。我疑惑杨宝兴所说的"他"，不知是指哪一个。我不回答，但向霍桑瞧瞧。

霍桑也向我瞧了一眼，摇头道："我们来送一个朋友动身。你所说的'他'，指什么人呀？"

杨宝兴走近一步，低声说："这案中的嫌疑凶手。"

"谁？"

"袁锦龙。"

霍桑会悟地问道："可就是死者的妻弟？"

杨宝兴点头道："正是他。我查得这个人还是前天剪的头发，合着你假定的推想，恰巧相符。"

"虽然，但剪发的不能说都是凶手。你可还有别的根据没有？"

"有的。我又向死者的老婆仔细问过，伊也很讨厌这个堂弟。据伊说这袁锦龙并无职业，曾屡次向贾春圃借钱。在前两天中，彼此还曾争吵过一次。今天早晨，锦龙又到贾家去借钱。贾春圃勉强借给他几十块钱，叫他回宁波去，不要再留在上海纠缠不清。或者袁锦龙觉得不满意，所以饭后再去。他起初或者不过想再需索一些，后来因对方不肯，彼此又吵起来，锦龙就乘间动手行凶。"

"但黄福说过，他出去时还在傍晚，电灯没有亮。时间上可合得来？"

"他出去时已相近傍晚，也许他动手以后，先拉亮了电灯，然后出外。黄福没有注意，以为他出去时电灯还没有亮。其实阳光未落以前，电灯没有多大光明，黄福的误会，也是可能的事。故而我认为这也是一条线路，所以赶到这里来找寻，可是还没有瞧见他。"

霍桑忽掀掀眉毛，复述道："这'也'是一条线路？你还有别的线路吗？"

杨宝兴的眼光在梯子上那些上落的人们身上瞧了一会儿，忽搔搔头现出疑迟的状态：

"线路固然还有一条，但是还说不定。"

"唔，怎么样？你且说说看。"

杨宝兴踌躇道："据尚文路转角的一个岗警张步高说，在今天傍晚七点半钟左右，有一个人匆匆从贾家的洋房里出来，跳上包车向西奔去。就时间和情势上推测，这个人似乎有些关系。"

我一听这话，忽然触动了一件久伏在脑室中的事实，禁不住从旁插口。

我问："那警士可曾瞧见这个人穿什么衣服？"

杨宝兴答道："据张步高说，那人穿的是白色长衫，玄色马褂，并且那辆包车的颜色是深黄色，也很别致。"

唉，这个人一定是我当时在尸室中所瞧见的那个人了。他是坐了包车逃的，故而我追出来时已瞧不见他。但这个人当时既然明明看见我在尸室之中，论理他应当怀疑我。怎么他此刻还不曾出面告发？从这一点上，可以想见他本身一定也有些关系。

霍桑也问道："但黄福没有说起过这个人。你想那姓张的警士会不会瞧错？"

杨宝兴道："那是张步高自动报告的。他因为瞧见那人的行动匆忙可疑，才引起他的注意。不过他当时不敢干涉，也来不及瞧那包车的号码，只目送那包车远去。后来他听得贾宅里出了凶案，他想起了这事，就自己来报告。我料想他不会误会。"

"那么，这个人的姓名踪迹，你们可已查明？"

"还没有。但那包车既然很特殊，调查上也许有些帮助，不久终可以有下落。但你们可也有新的发展？"

霍桑摇头道："没有。我想这件事还是你一个人负责进行吧。我刚才受了救国会的委托，正要着手侦查那些贩米出洋的奸商，委实没有余力兼顾。"

我们和杨宝兴分别以后，又到上层客舱中去兜了一个圈子，到底瞧不见郁海帆。我们又到别一只德平轮船上去寻了一会儿，直到十二点钟，终于失望。我曾提议再去问问俞光照，索性用草帽的事揭破他。霍桑却主张先审慎地考虑一下，再采取实际行动。所以我们就从轮船码头雇车子直接回爱文路寓所。不料寓所中却有一种意外消息等待着。据施桂说，郁海帆在半个钟头以前曾到我们寓所里来过。他带着一个包裹，还等候过一会儿。施桂问他有什么事，他不肯说。这一着竟使霍桑十二分惊讶。他点着了一支纸烟，负手低头地默想了一会儿，似乎仍推索不出这内幕中的变化。

我说："霍桑，你先前说他有凶手嫌疑，所以逃回去了，现在他居然到这里来见你，显见你的推想已不成立哩。"

霍桑坐定在窗口下的那张藤椅上，点着了第二支纸烟，兀自皱眉苦思，默默地不答。

我又说："这里面大概有什么变化了吧？"

他作简语答道："是，这事果真起了变化哩。夜深了，你姑且去睡吧，不要打断我的思绪。我必须静一静，再前前后后地思索一下，才能答复你的问句。"

我忙碌了半夜，身体有些疲乏，但当我独自上楼去睡时，身子兀自在床上翻来覆去，终不能成眠。我听听楼下的霍桑，起初静寂了一会儿，忽而脚步声橐橐地在室中蹀躞往来，显见这件案子正困迷着他的脑筋，他一时还寻不出头绪。

我也曾在枕头上做过一会儿分析工作，觉得这件案子有三个可能的嫌疑人：第一条，就是郁海帆和俞光照二人——这是霍桑所假定的。第二条，就是杨宝兴所说的那个袁锦龙，这个人若使果真新近剪发，确有几分嫌疑。第三条，就是那个穿黑色马褂坐了包车逃走的人。霍桑虽假定他是贾春圃所约会的客人，和凶案没有关系，我却还不敢完全赞同。这人假使果真像霍桑所料，是应贾春圃的约会而去的，那么，他自然是贾春圃的朋友。当他进门的时候，明明看见我站在尸体的旁边，他为尽友谊起见，势必要当场叫破我，至少也得在事后出面告发。但他为什么反而悄悄地逃出？逃出以后又怎么默默无闻？至于霍桑所疑的郁海帆，他既然仍敢到这里来会见我们，显见又不像是行凶的真凶。把这儿条线路归纳拢来，真凶是谁的问题，的确不容易决定，无怪霍桑要忐忑不安了。

我的思索仍终于没有结果，直到天色将明，方才渐渐地合眼。我醒的时候，红热的日光已照满了东窗。我瞧瞧霍桑的床空虚着，床上的单被席子仍铺折匀整，可见他一夜没有上床。忽而有一阵幽咽的提琴声音从楼下透送上来。那声音忽疾忽徐，抑扬顿挫，颇合节拍。我从琴声中推测，霍桑对于这案子一定已有了某种把握，否则他的思绪既不宁静，绝不能拉出这种合拍的调子。我匆匆洗了洗脸，高兴地走下楼去。走进办公室时，我看见霍桑仍坐在那只藤椅上面，左手托着提琴的柄，左颔夹着琴，右手执着弓弦，正在缓缓地拉动。他的两只眼睛半开半闭，上身却跟着弓弦的上下缓缓地摇动。他整个的精神止遨游于美的世界之中，显然一切尘世的俗虑都已忘怀了。

我不便惊动他，就在对面的椅子上轻轻坐下，直等到一曲终止，他才放下了提琴，张开眼睛。

我说："霍桑，你一夜没有睡？"

霍桑答道："是，我才刚回来哩。"

"你出去过的？到哪里去？"

"和平路元吉里。"

"可是重新去见郁海帆的？"

"正是。他没有回去过，连那个俞光照也失踪不见了！"

"唉，那么他们两个人到底是有关系的。"

"原是啊。现在我觉得那俞光照还比较的更可疑些。"

我正要问他可疑的理由，忽见施桂送报纸进来。霍桑急急
立起来接了报纸披阅。

我只得暂时忍耐，默念霍桑说俞光照比较可疑，未免和他
先前的理解自相冲突。他本说凶手是一个新近剪发的人。但我
昨晚看见俞光照的长发并不是新修剪的。霍桑说他比较可疑，
不知又根据什么。

霍桑忽大声叫道："包朗，你有些危险哩！"

我惊异道："什么话？你倒有心思开玩笑！"

霍桑正色道："实在的。报纸上载着一段新闻，那个穿玄
色马褂和坐深黄色包车的人，昨夜中已经被警探查明了。那人
叫作鲍骏卿，也是做米行掮客的，住在新马路福鑫村六十一
号。这个人已经被查问过。他自称与凶案完全无关，但行凶的
凶手，他却亲眼瞧见！"

我慌忙问道："喔，他已指出了我？他怎么说？"

"他说他是受了贾春圃的预约，特地到他家里去闲谈。他
进门时看门的不在门房。他到了书室里面，忽然看见有一个身
材适中穿白夏布长衫的人正在行凶。他还说那人的面貌很熟

悉，以后如果瞧见，他一定能够指认出来。包朗，你不是很危险了吗？"

我怔了一怔，暗忖这姓鲍的果真是应约而去的，故而我昨天进去时，黄福听错了"包"和"鲍"的声音，发生误会。假使我当时完全说出了姓名，此刻蒙受了这样重大的嫌疑，那真是危险异常。

我定了定神，说："我看这回事还算侥幸。这个鲍骏卿不认识我。"

霍桑摇头道："不，我想你现在还处在危险地位。他虽不认识你，但既然说你的面貌很熟悉，说不定他曾在报纸上见过你的肖像。他现在已被动地做了证人，万一他记起了你的名字，那你真有些难于洗刷了。"

我相信霍桑的说话并非危言耸听，我的地位当真还没有脱离险境。

我问道："那么，我现在应怎样对付？要不要暂时避一避？"

霍桑摇头道："这是下策。我以为你不如冒一冒险，先发制人。"

"先发制人？怎么样？"

"这鲍骏卿起先既不曾自动地告发，又说他往贾春圃那里去只是闲谈。这两点我很怀疑。我本来要去会他一会儿。你不妨就跟我同去，索性和他见一见面。"

"唔，但若使被他真的认了出来，怎么样？"

"他也许当真会认得出你，不过我们——"霍桑说到这里，突然停了口，作敛神倾听的样子。接着，他作惊奇声道："奇怪！是他吗？"

办公室的门呀的一声被推开了，有一个方形黑脸穿白纱斜纹西装的少年仓皇地闯进来。这人就是我们上夜里瞧见的那个俞光照。

自动的供词

俞光照的骤然光降，实在是出我们意料的。霍桑正疑心他有行凶的可能，他又曾失踪不见，谁想得到此刻他竟会到我们这里来？这里面有什么玄妙？我承认我的脑力够不上！霍桑招呼俞光照坐定了，又把报纸放过一旁，眼睁睁瞧着他。

他缓缓地说："俞先生，你一早往哪里去的？可是想设法取回你的草帽？那办不到了。草帽已经做了案中的要证，此刻已给取到法院里去存案哩。"

俞光照连连点头，自言自语地说："是的，我知道一定瞒不过霍先生的眼光。我若使实行我先前的掩饰计划，那真是自取其祸。"他点点头，又张大了他的黑眼："霍先生，这件事我实在没有直接的关系。我此刻冒昧地来，就想要解释这层误会。"

霍桑淡然地答道："你想我们有误会吗？"

"霍先生，你不是把我当作行凶的凶手吗？"

霍桑疑迟了一下，眼光仍盯着来客的脸："至少你有行凶的意思。这一层总不致再有误会吧？"

俞光照坦然地承认道："不错，我承认的。现在我来说明了吧。我和郁海帆是中学里的同学，感情非常相投。此番他到上海来，要向那贾春圃交涉，就耽搁在我的家里。他和贾春圃的纠葛，你们两位总已明白。这贾春圃明明有谋财害命的嫌疑，可是没有方法可以使他承伏。后来他经我的推荐，希望请先生们替他出些力，把这件隐秘的命案揭露出来。因为先生们是上海社会唯一能主持正义的人，除了你们两位以外，我们简直无可呼吁。

"昨天我听了郁海帆回来的结果，说先生们虽已应许担任，但也觉得证据毫无，非常棘手，圆满的希望很少。因此，我一时气愤不平，便瞒了海帆，亲自去看这个贾春圃。"

这少年的眼光怒射，红赤的眼球张大得可怕。他的按在膝上的双手也自然地握着拳头。他的呼吸也显著地加急了。霍桑仍静穆地瞧着他。我也坐直了倾听。他顿了一顿，又继续说下去：

"老实说，我去的时候，衣袋中果真带着一把刀，准备万一决裂了，索性把这个戴人类面具而有凉血心脏的东西杀掉，免得他再危害人群。

"我到他家里去的时候，天才刚黑。门房中灯还没有亮，那守门的老人正在闭目打盹，我暗暗地欢喜，便溜了进去。我到了书房里面，室中黑暗无光，瞧不见什么，但鼻孔中忽嗅着一阵血腥。我有些奇怪，但已跨了进去，冒险摸到了电灯机钮，把电灯开了，打算瞧一瞧室中的情形。我忽然看见有一个穿白衣的人躺在书桌那边的地板上，面颊上血液模糊，分明已受了重伤。我大吃一惊，但定了定神，终于走过去，在那人的身上摸一摸。他的呼吸已绝，胸口却还有些微温，明明已被什么人杀死。

"我虽没有动手，但当时的情形，我却反处于嫌疑地位。因这一念，我不觉惶恐起来，便匆匆地退出。我出门时那门房还没有醒，我暗喜没有被任何人瞧见。可是走到半路，我才觉得我的头上空空，我的帽子已不见了。我定神一想，才记得当我俯身下去瞧尸体的时候，顺手把我的草帽放在书桌上，退出时一时慌乱，竟没有想着。不过那时候我若再回进去取帽子，未免太冒险，只得光着头赶回家去。"

他又停一停，摸出一块有蓝边线的白巾来，在额角和颈间抹了一抹。霍桑用两手抱着右膝，全神贯注地听他讲，绝不插嘴，他的目光仍没有变换凝视的对象。一会儿，俞光照又继续供述：

"我把经过的事实告诉了海帆，海帆听得他的仇人已经死了，怨气一吐，觉得非常畅快。但他一想起他自己的地位，又不禁惴惴不安。他上一天去见过春圃，最终决裂了出来，难免会被人疑及。我和他商量了一会儿，我就劝他赶紧回宁波去。他也同意。我为谨慎起见，叫他必须在轮船将要离埠的时候才能上船，免得发生意外。"

霍桑突然插口："他昨夜已经上船回去了吗？"

"是的。我曾叮嘱他上船时必须在十二点过后。"

霍桑不答，移动目光向我瞧瞧。我领会到他的含意，分明在悔恨上夜里我们的失败是由于太缺乏耐心。

霍桑冷冷地说："请说下去。"

俞光照点点头："至于我本身的问题，自以为还很安全。我当时既没有被人瞧见，帽子里虽有我姓名的罗马音字母，不见得就会寻到我身上来。不料你们两位当夜就到我家里去探问。于是我心中一慌，便也定意暂时避匿。可是我仔细一想，假使我既已被两位疑心到，我即使逃避，不但不能解决，反足加重你们的误会，也许真会将我当作行凶的真凶。因此，我才变更初念，就直接来见先生们，把这事的真相说个明白。现在我的话已经完了，我应得受怎样的处置，听先生们吩咐好了。"

这一番供述固然解释了案情的一部分，但霍桑的推想却已在根本上起了动摇。因为俞光照的故事假使不是虚构，他和郁海帆两人显然都和凶案没有关系。那么杀死贾春圃的凶手究竟是谁，依旧是一团黑漆。霍桑把右腿放下了，上身向前俯着，两臂却靠在膝上。他沉吟了一会儿，才缓缓抬起头来：

"俞先生，你的话完全实在吗？"

"霍先生，完全实在。"

"不会再像昨夜那么夹几句'他乘火车到杭州去'一类的话吗？"

"不！此刻我实在再没有半句虚话。"

"你说你到贾春圃家里去的时候，他已经被人杀死。但是你须实说，你在尸室中可曾有过别的举动？"

"我只把电灯开亮了，又在尸身上摸了一摸，随即退出。"

"开过抽屉没有？"

"没有。"

"你在书桌上翻动过吗？"

"完全没有。"

霍桑顿了一顿，又道："你说你去见贾春圃，当时是瞒着郁海帆的。但是为什么你要瞒他？"

俞光照道："我怕说明了以后，他防我去决裂坏事，也许要阻止我。"

"在你想来，海帆对于贾春圃还有好感，本来是不愿意决裂的吗？"

"不是。我想他不愿意我去代他受过，故而不许我有暴烈的行动。"

"这样说，他本人如果有决裂的行动，那倒是可能的。

是吗？"

俞光照似乎微微怔了一怔，忙答道："虽然，但他绝不会有这个举动。因为他后来听了我的报告，也觉得很诧异。"

霍桑仍瞧着那少年，又道："那么，当你动身往贾家里去的时候，海帆可是一个人在你家里？"

"不，他先往附近去散步，我才悄悄地出来。等我回去的时候，他却早已回家。"

霍桑仰直了身子，准备立起来的样子："还有一句话，郁海帆在昨天午后可曾剪过头发？"

俞光照摇头道："没有。我看见他动身时头发还是很长。"

霍桑立了起来，两只黑色眼珠突地转了几转。他又向我瞧瞧，似乎暗示这一条线索不幸又已中断——他所假定的郁海帆剪发后悄悄地去行凶的推想此刻又告失败了。但他似乎还不心死。

他又问："你可知道郁海帆有手枪没有？"

俞光照道："他没有手枪，但是，霍先生，你可是仍疑心他曾行凶？不！这是绝不会的！请不要误会。他和我无话不谈，即使他当真杀死了贾春圃，也绝不会在我面前说谎。"

霍桑将右手叉在腰间，又问："你也知道他昨夜里来见我的事吗？"

俞光照摇摇头，疑惑道："海帆昨夜里曾来看过你？"

"是。他在十一点半光景来的。可惜我没有见到他。"

"唔，那时候他一定还没有上船。"

"昨夜你在什么时候和他分手？"

"十一点钟，在两位到我家以前不久。他说要买些糖果给他母亲，买好了直接上船。"

"你想他来见我有什么用意？"

俞光照疑滞着不答。一会儿，他才缓缓地说："这个很难说。猜想起来，他或者趁空来辞别一声，以免你们疑心，或者他也和我有同样见解，打算来向你们开诚布公。"

霍桑走近窗口去，瞧着窗口外面逐渐热炎的日光，呆立着不动。俞光照也立直了等待好久，霍桑才回过头来：

"好，你给我一个郁海帆在宁波的地址，别的话改日再谈。"

俞光照离去以后，霍桑的精神更觉栗六不安。他慢慢地抽出一支纸烟，又懒洋洋地点着，然后坐到藤椅上去。他全身的活力仿佛已全部消失了。

他吸了一会儿烟，向我说："包朗，这案子变化莫测，竟使我着着失败。这可说是我们从事探案以来的第一次！我在同一时候，担负了两种以上的任务，我们向来所遵守的一个'专'字已经不能成立。我又因着憎恶这被害的人，不耐细密地搜集事实，太侧重推想。这种种因素就造成了我的失败！"

我也作懊丧声道："你承认这件案子将到底失败吗？"

霍桑仍快快地答道："这句话我真难回答。据现势看，这郁俞二人似乎已没有行凶的可能。我眼前既没有事实的佐证，实在想不出凶手是谁。"

"我觉得还有一条路没有想到。"

"哪一条？"

"也许有什么绑匪，勒索不遂，便动手行凶。你想也可能吗？"

"不。绑匪的举动绝不会如此周密，而且线索绝没有缺少，这推想不近事实。"

"还有杨宝兴所走的两条路哩。你想那袁锦龙和鲍骏卿二人，可会和此案有些关系？"

"那袁锦龙虽说有剪发的嫌疑，可是他的目的只在金钱，但瞧死者抽屉中的三千元现款仍旧安然不动，似又和这推想冲突。至于那姓鲍的人，现在倒还难说。我定意先去见他一见，或者从他嘴里可以探得些事实，做我们另辟新路的参考。你赶快准备，我们就动身。"

我仍迟疑地说："我万一被他认了出来，指实是我，那又怎么办？"

霍桑道："认得出，也许可能；指实出来，他却未必有这胆力。你尽管放心，去试一试再说。"

我没有话说，只得跟着他同去。但我的心中仍怕被鲍骏卿认了出来，连带受累，委实有些惴惴不安。

密　谈

鲍骏卿的住所在新马路福鑫村六十一号。我们到那里去时，我和霍桑的目的各不相同。他因着听了俞光照的说话，觉得他先前的推想都已失败，便想从这鲍骏卿身上另找一条新线。我却除了找新线以外，还抱着冒险尝试的目的，要瞧瞧他是否当真认得出我。如果他认不出我，我就不必再担什么空忧，那自然是最好；可是万一他认出了我，并且毫不顾忌地指实我是行凶的凶手，那我又怎样呢？霍桑虽料他不致有这种胆力，但假使那姓鲍的举动出于霍桑的意料，霍桑也有应付方法吗？

我一路上反复寻思，竟忘了路程，转瞬之间已到达了我们的目的地——福鑫村口。

霍桑低声说："包朗，你定定神，不要胡思乱想，反落自己心虚的痕迹。这一次谈话和我们都有很大的关系。"

我应了一声，就一同走进弄里去。那福鑫村很深，左右各有七八条侧弄，每条侧弄中有六七个两幢或三幢的石库门。弄的通路很宽，都是水泥铺的，很干燥整洁。这显示了这条弄内的住户都是中上阶层。

我们刚走到第四条侧弄口相近，霍桑忽向着左首弄里一瞥，脚步便突地停住。我虽不知道他为什么缘故，竟也像受了本能暗示似的连忙停步。我跟着他的目光瞧去，看见一个穿白色纱颀衫的剪发女子，足上穿一双淡蓝色树胶底的平底鞋，正站在第三个石库门前叩门。

霍桑拉着我的衣服倒退一步，附着我的耳朵说："这一家正是六十一号。"

我也低声道："怎么？我们不能进去见他吗？"

"你不见那女子已开门走进去了吗？"

"是。这女子是谁？我们为什么要避伊？"

"你可认识伊？"

"不。我只瞧见伊的背形。"

"我不但见伊的背形，还瞧见伊的侧面。"他顿了一顿，忽而一愣，双目一转，作惊呼声道，"唉！……唉！……原来……"

我不觉惊讶道："怎么样？"

霍桑作急促声道："唉……别的话缓谈。我们应赶紧进去，瞧瞧伊是不是去见鲍骏卿的。我们还得听听伊有什么话说。"他不等我答复，拉着我转弯向侧弄里去。

我跟在霍桑的后面，直走到那第三个石库门口。他俯着身子，凑在门缝中听了一听，又用手在门上轻轻一摸，接着便回头向我招一招手。我估量他的模样，分明要偷掩进去，不使里面的人知道。这又是出于我们的预计的。我想不到今天又要干这偷偷掩掩的勾当。

我向四周一瞧，弄口有两三个妇人出进。在第三条弄口和第四条弄口之间，有一个补鞋匠停着担子在那里做工；另外有一个十来岁的孩子，在旁边呆瞪瞪地瞧着，正在欣赏那皮匠补鞋的艺术。这二人似乎都不注意我们的行动。我们要进去的第四弄弄底，只有一个小女孩子，提着水壶从弄底一家出来买水。霍桑正运用他的手法，很谨慎地把门推开。原来那女子进去以后，前门虚掩着没有关，已被霍桑推开了两三寸光景。霍桑似乎已瞧到了里面客堂中的情景。他又回头向我招招手，演了一个手势，仿佛告诉我"他们已走进东厢房中去了"。

那是一宅三上三下的屋子，左右各有厢房。霍桑忽把手略略用力，那门又被推开了几寸，仅足以容一个人侧身进去。不料这一推竟发生了一些呀的声音。我深恐被里面的人听得，准备后退。

霍桑忽拉着我的手，附耳道："别怕。他们正招呼着，来不及注意。我们立即进去。"

他把身子一侧，一霎眼便已走进门去。我也如法炮制，掩进了里面，也不曾发生什么声息。

里面的天井也是水泥铺砌的，面积还不算小。两边排列着几只花架，架上供着几盆鹊梅扁柏和黄杨之类的盆景。霍桑把身子蹲得很低，略一瞟瞥，便向那东面的窗口和花架之间走去。这地方真好，又没有太阳，暂时确可以藏身，似乎专为我们而设。不料我们才刚在窗口下蹲住，那东厢房的玻璃窗突地被推开了！我暗吃一惊，连呼吸都忍住了。我以为我们已被里面的人瞧破，大概藏伏不住了。可是玻璃窗的里面，还有西式的镂花窗帘，开窗后也不见有人探头出来。

我的心神一定，便听得厢房中有一个女子在说话：

"鲍先生，你不认识我吗？我倒认识你。我此刻是代表贾太太来和你谈交易的。"

女人的语声终了以后，一时忽寂静无声。这是什么性质的交易？以后又有什么文章？我正在惊疑，又听得一个男子的回答声音：

"讲什么交易呀？"

这句答话不是有些突兀吗？从他停顿了许久方才答出上估量，这男子对于这刚才进去的女客，不但事先并无接洽，还抱着十二分的怀疑态度。

我又听得那女子的声音继续下去：

"鲍先生，你不用疑惑，免得虚费我们的工夫。贾先生和先生你的交易，贾太太是完全知道的。这件事大部分已经成功，现在仍由贾太太继续进行，一切都依照原定的合同办理。我就是贾太太的全权代表。现在我只要你答复一句话，这二十万石在三天之中能不能交现货？"

那男子似乎又怀疑地停了一会儿，方才作答：

"我还不明白你说些什么。"

那女子忽带着笑声说："鲍先生，你可是说笑话？贾先生受了前途的委托，请你转买二十万石新米，当时付过你五万元定洋，你立有亲笔的收据。怎么你会不明白？"

室中又略静一静。霍桑向我点点头，我也点头表示会意。霍桑的目的原是想侦查这鲍骏卿和贾春圃之间有什么关系，现在无意中已知道了他们俩正干着私行贩米的勾当。

那女子又继续道："现在我只要问你，能否在三天内交货？别的事你仅尽可去和贾太太面谈。不过你的行动应得格外谨慎些。外面那些稽查人员进行得非常努力。你若使偶一疏忽，未免要连累两方面；就是这一次贾先生的被害，也难保不是这件事惹出来的。"

鲍骏卿顿了一顿，方才答道："当真是贾太太叫你来的？"

那女子忽发出一阵咯咯的笑声，接着又是清脆的答语：

"鲍先生，你这样子疑神疑鬼，很使人难受！你若不信任我，请你亲自去和贾太太谈。不过你得在晚上去，日间耳目众多，非常危险。你得知道，你若拖累了人家女流，不是玩的。"

鲍骏卿道："我不愿再去了。那里很可怕！"

"那么，我去请贾太太到这里来也行。不过现在你还没有回答。究竟在三天之内，那货品能不能全数交清？"

"这要看钱的问题而定。"

"钱是不成问题的。今天清早前途派人来说，只需交货日期决定，一手交钱，一手交货，分文不会短少。你尽管放心。"

"既然如此，三天内尽可以交货。"

那女子似乎满意了，表示出很高兴的样子：

"这样很好。我去回复贾太太。还有一句话，交货的手续，你也须预先准备妥当。"

"那自然。我们早已约定，货品装在驳船上，用小船拖送到三夹水大船上。交割以后，我们方面便不负责任。"

"这原是合同上载明的，你能够完全遵守就行。现在你可能就确定一个交货的日子？"

那鲍骏卿似乎思索了一下，方才答道："今天是二十四日。二十六日是星期日，运送时可以便利些。但是——"

我正听得出神，不料忽然发生了一种意外的惊恐。前门呀地开动了，有一个人大踏步走进来。厢房中的谈话便也突然停止。

霍桑便急急把身子缩作一团，他的头部几乎着地。我也照样蹲伏，忍住了呼吸。我的身子本向外蹲着，偷眼从花架下面瞧去，看见进来的是一个中年男仆，手中提着一只装鱼肉的篮子，分明刚从菜市上回来。这人进门以后，反手把前门推上，正要向客堂中走去。忽而厢房中的鲍骏卿发声问话：

"谁呀？……寿根吗？你把门闩上了吧。"

唉！我们的处境万分危险了！我明知鲍骏卿说话的时候，必揭着窗帘向外瞧；那叫作寿根的仆人的视线也必向着厢房。我和霍桑二人就伏在他们交接的视线之下！万一被他们瞧见了怎么样？那不但空费心机，结果还不堪设想！

我的心房震动得厉害，头面上越觉得热汗淋漓。这时那仆人答应了一声，便放下篮子，回身把大门的铁闩闩着。我的呼吸仍旧忍制着。我们能够始终避去他们的视线吗？如果被他们瞧破，不能不有个脱身之计啊。耸身而起，拔闩而出，固然是急救的上策，但因此惊动了东厢中的一男一女，不是影响霍桑的计划吗？

不如意事

事实上真算侥幸！一刹那间我们已经出险了！

在那仆人寿根走进中间去了约莫一分钟光景，东厢中的谈话又继续下去。我才透出了一口长气。我虽像困在牢笼中一般，但一听得他们谈话，仍不知利害地想倾听下去。霍桑忽略略仰起头，伸手向前门指一指，似示意叫我出去。接着他便首先蛇行着走近门去，很小心地伸手拔去门上的铁闩。他的举动敏疾而轻静，虽在危险的境地，却并不慌张。那铁闩果真在没有声息中给拔掉了。他又轻轻地拉门。那门给开到三四寸以后，他又招招手，示意叫我先出。我就很小心地弯着背走到门口，侧着身子从门缝中挨出去。不料我的身子才刚脱离门缝，那门竟又给轻轻地关了；同时又听得里面霍桑重新上了铁闩。

奇怪！霍桑让我出来了，他自己为什么仍留在里面？他还有什么勾当？他有没有两全的脱身方法？不会有危险吗？但我既已出了门，自然不便再逗留。我走到侧弄口时，抹了抹汗，正要转弯从总弄里出去。忽见那先前停在三弄和四弄之间的皮匠担，此刻已移到了四弄口来。当我从鲍家里出来的时候，行动上不免略欠自然，这皮匠竟似怀疑我地向我凶狠狠地盯了一眼。

我无暇理会，便匆匆走出弄去。到了福鑫村外，我又踌躇起来。我此刻就一个人回去吗？还是等霍桑出来了再回去？他的举动和机智虽然都是特别敏锐的，但此刻他伏在里面，相当危险。他可能安然出外，不致惊动室中人吗？我们的目的，原是要见见那个鲍骏卿，无意中却听得了这一番秘密的谈话，不过此刻要再当面和鲍骏卿会晤，在势已不可能。

我在弄口的对面站了一会儿，仍不见霍桑出来，心中有些不耐和不安，便重新回进弄去。我到了第四弄口，向那第三个石库门口一望，忽见有一个身材修长的女子恰巧开门出来。这女子穿一件白色细花麻纱的顾衫，发髻已经剪去，脚上穿着胶皮底鞋。我认识伊就是刚才比我们先进去的一个。现在谅来伊和鲍骏卿的谈判已经告终，就辞别出来。

我仔细瞧瞧这女子的矫健的身体，苍黑的面色，和朴素的装束，立即记得伊就是贾春圃的妻子的朋友——陶小姐。昨天我第二次到贾家时，劝扶袁氏上楼去的就是伊。我不料这女子竟有如此本领，能够参与这种违法的秘密勾当，给他们从中拉拢奔走！我素来抱着主观的见解，认为女子秉性温柔，犯罪的可能性比男子小。但这件事实却又告诉我这见解也有例外。

当我的眼光送着那走出来的女子渐渐地走向弄口，我的脑中的思潮便起伏不定。我的身子仍站在那第四条侧弄口，动都不动。我忽觉得有人在拉我背后的衣角。我回头一瞧，却就是先前瞧见过的那个补鞋的皮匠。

"跟我走！"他低声向我说。他的语声虽低，却含着命令的意味。

我诧异道："跟你走？……哪里去？"

那皮匠沉着脸答道："别多说！跟我走就是。"他把他的青布短衫揪起了一角，便露出一根青钢的枪管。

我怔了一怔，真是莫名其妙。我的衣袋中虽也带着手枪，却已来不及取出来抵抗。这葫芦里有什么药？他要绑我？我既弄不明白，一时自不便鲁莽抗拒，不如姑且跟他出去再说。我一边走着，一边暗自忖度，便构成了一种解释。这皮匠谅必是警署里的侦探假扮的。他被派在这里，明明是监视鲍骏卿的行动的。此刻他见我悄悄地从鲍家里进出，他又不认识我，便疑心我是鲍的同党或是有什么歹意。到了弄口，那假皮匠又低声命令我：

"向西转弯走。"

"究竟往哪里去？"

"警署里！"

我停了一停，低头笑道："朋友，你误会了。你不认识我吗？"

"你是谁？"他向我上下端详着。

"我原是和你抱同一目的的啊。"我摸出一张名片给他。

他接过片子一瞧，略略显出些惊异的样子。但他的神气上似乎还有些半信半疑。他的眼珠兀自在我的脸上打转。

我接续道："你不用怀疑。我是和我的同伴霍桑先生一块儿来的。你总也听过他的名字吧？……他此刻还在里面工作，我的任务也没有终了。瞧，那女子不是正从弄中走出来了吗？对不起，我们还是各自进行吧。"

我不等他的答复，便回身走开，穿过马路，在对面的一片纸烟店门前站住。我回头瞧时，那假装的皮匠果真已回进弄去。但那白衣女子却已到了福鑫村外，跳上了一辆黄包车向东去。

我还不见霍桑出来。但这女子既是案中的重要人物，此刻听伊远去，未免浪费机会。一转念间，我便也跳上了车子，远远地跟在那女子的后面，准备第一步先悄悄地查明伊的地址。我和那女子的车子相距约有二十步光景，不即不离，无论转弯或经热闹区域，绝不使伊逃出我的视线。我们一前一后经过了三条马路，那前面的车子忽而停在一条里口。我料想伊的目的地大概到了。我也下了车子，步行前进。那女子忽向弄中一闪，便立即不见。我因此加急脚步，赶到弄口。

那条弄叫燕翼里，弄中完全是新造房子，地点很静僻。我先向弄中一望，已不见那女子的影踪，也没有其他进出的人。等我追进弄口，忽见那女子从斜侧里闪出来，竟挺直地站在我的面前，反使我吃了一惊。我不禁停步向伊凝视。伊也向我注视着。伊的面容泛着铁青色，乌黑的双目怒睁着，严肃得可怖。伊的右手插在顾衫里面，那顾衫的袋的部分有一种尖形物自袋中突出，竟像是一支手枪！

奇怪的事情太多了！我再度落了下风，一时竟有些不知所措！

伊忽而双目一转，瞧着我作惊讶声道："唉！……你……你不是包朗先生吗？我还以为是什么路劫的匪徒呢！……包先生，你这样跟随我是什么意思？"

这女子不但有胆，而且口齿伶俐。伊既已认识了我的真相，我自然也无用隐瞒。

我答道："陶女士，我请你先答复一句。你现在有什么勾当？"

那女子的怒睁的双目，这时似乎已减了些威势。伊仍向我一眼不霎地凝视着，不立即答话，但也绝没有情虚和畏惧的表示。我自以为这一句问句，很有单刀直入的意味。论势，对方总有些怯惧惊慌，不料这女子竟如此镇静，我倒反有些不好意思。局势太突兀，真使我莫名其妙。这时候伊的顾衫里面的尖形突出物早已平了下去，显见伊已不准备用武。

伊停顿了好久，方才答道："包先生，请问你凭什么权力，向我发这样的问句？"伊的面色依旧沉着，语气中仍含着凛然不可侵犯的意味。

我也直截答道："我是凭着法律和公理问的。"

"唔，你凭法律？那你也得弄弄明白。"

"我已经相当明白，我想你还是实说的好。"

那女子略一疑滞，又道："我实说不妨。但这件事关系重大，不知道包先生能不能担负全责？"

这又出我的意料。往日我也常向嫌疑的罪犯诘问，却从来没有反被嫌疑人质难过。现在我明明知道这女子正干着一件秘密的私贩勾当，伊却先发制人，反要我负什么责任，想起来正要发笑。刚才我们窃听他们的密谈，伊显然还没有知道，故而伊还想掩饰过去，用这种反制的态度对付我。假使我揭破了伊的密谈以后，伊还敢如此放肆吗？

我反问道："你要我负什么责任？"

伊答道："这件事还没有成熟，若使说破了，除了法律上的责任以外，还有一二百万元的关系。你问问自己可担当得住？"

我暗暗一怔，冷笑地说："喔，责任这样大？不过我和我的同伴以前担负过的责任，比你所说的还大得多。你放心，但把事实说明，什么责任我都可以负。"

那女子不再答话，但向我呆视了一下，好像想不理会我，回身走开，但瞧见了我横阻的姿态，伊又停住了。伊忽从衣袋中摸出一块白绸的徽章来，送到我的鼻子前给我瞧。唉，我不觉呆住了答不出话！原来那徽章上除了几枚印章以外，写着一行细楷，"国民救国会特别稽查员陶晓东"。

这个发现当然又不是我意料所及。我起先以为这女子正串通着做什么秘密勾当，却不料伊也是一个稽查员，正和霍桑负着同样的责任。这样，可见伊刚才和鲍骏卿的说话，原是在实施伊的侦查职务，乘间刺探隐情，并非真个做贾妻的代表。就是伊衣袋中藏着的手枪，也不消说是自卫用的。于是我以前的种种疑窦完全消释，一时倒不知怎样措辞道歉。

伊向我似讥似讽地说："包先生，你是聪敏人，现在总可以更明白些了吧？对不起，这件事的内幕情形，我此刻还不便多谈。大概两三日内，你一定可以从报纸上得到始末。对不起，包先生，再见。"

我受了伊的两度"对不起"，情绪上感到纷乱，不知是羞窘还是悔恨，真像一口吞下了一枚五味饼，一时辨不出酸辣甜咸。其实我和伊的行动，中间隔着一重幕幛，事前既不相谋，误会自属难免，恰像刚才那个鞋匠的行动，是一样可恕的。当时我虽老大地扫兴没趣，可是也没法子对付伊，只索目送伊走开以后，我自己悻悻地回寓。

我在路上寻思，今天所遇的事情，虽然遭受了好几次意外的波折，在案子上却仍毫无进展。我们本来的目的，是一方面要刺探鲍骏卿的口气，以便找寻些新的案因，一方面又想让他证验一下，是否当真认识我的面貌。这两个目的都未成就，却只冒了一次无谓的险。我们听得了那一番秘密的谈话，在霍桑所负的另一种任务上也许有些关系，但对于贾春圃被杀的案子却依旧没有结果。

我到了寓中，霍桑还没有回来。据施桂说，杨宝兴曾有电话来过，贾春圃的妻弟袁锦龙没有回宁波去，现在已经被捉住。据警探们调查的结果，这袁锦龙的确不是善良分子。两月前，有个富商张和山的七岁的儿子被绑失踪，袁锦龙也间接在这绑案中参与，还是贾春圃给他保出来的。他自己承认，他曾屡次向贾春圃借钱，又曾彼此口角过。不过这一次贾春圃的被杀，他却坚决不承认。据杨宝兴的意见，袁锦龙既然新近剪发，又有这样的历史，所以凶手的嫌疑，已没有多大疑惑。这消息我听了也不以为奇。因为这案子的凶手我们已推疑过好几个人，结果都是空欢喜了一场。这袁锦龙在杨宝兴的眼中，又是活灵活现的一个真凶，但实际上也难保不依旧是一个空心汤团。

一个女客

我回寓后半个钟头光景，仍不见霍桑回来。我不知道霍桑此刻在什么地方。刚才那个陶晓东女士既已出来，霍桑是否也能脱身？或是他竟索性闯进去和鲍骏卿会面吗？假使如此，他们俩会不会决裂？不过像霍桑这样的身手，料想不会有什么意外的危险，我也无用替他担忧。

一会儿，施桂送进一封信来。那是郁海帆寄给霍桑的，是他在昨夜上船前所发。我拆了开来，大意是说昨夜他动身以前，觉得悄悄地一走，未免对不住我们，特地来说明情由；因着没有会面，故而又写信来剖解。信中所述经过的情形，和他所以回家的缘由，和俞光照所说的完全相同。我因思这郁、俞、鲍三个人都已无关，凶手问题更无着落，不知道霍桑将怎样结案。我闷潶地等到午后一点钟光景，才见霍桑匆匆地从外面来。我看见了他那紧皱的眉峰和急遽的步子，却估量不出他是失败还是成功。

我先问道："霍桑，你此刻从哪里来？"

他除下了草帽，答道："从救国会总部里来。"

"喔，你在忙救国会的事？"

"是。我也再到贾家里去过一次。"

"那么，有新的线路没有？"

霍桑但点点头，把草帽挂好了，又卸去了那件国产灰色法兰绒的短褂，开始摸出白巾来抹汗。

我又问："你刚才为什么叫我先出来？"

他说："他们的防备加紧了，我一个人脱身容易些，所以叫你先走。"

"后来你见过鲍骏卿没有？"

"没有。"

"那么你怎样出来的？"

"我本想再听听，可是他们的谈判马上结束。鲍骏卿没有送出来。我在那女子出门以后，也就跟着悄悄地出来。但这是小事。此刻我有一个重要的问题正待解决。"

接着，他便问施桂有没有别的来客。施桂先将郁海帆的信交给他，又把杨宝兴的电话消息照样说了一遍。霍桑看完了信，点点头，就把身子横在藤椅上面，伸直了两腿，似觉得非常疲乏。

他说："好。我现在正等候一位女客。假使有别的客人来访，你给我一概谢绝。"

施桂答应了，就退出去。

我问道："霍桑，什么重要问题？"

霍桑躺了一躺，忽又坐起来："包朗，这里难免疏忽，不宜密谈。我们到楼上客室中去。"

他为什么如此谨慎防备？他所等待的，是哪一个女客？又有什么样的秘密谈判？我抱着疑团跟他走到楼上，坐定了，彼此点着了一支烟。我们静默了一会儿，我又禁不住开口：

"霍桑，到底是什么事？"

"等那女客来了，就会知道。"

"你要等哪一个女客？"

"陶晓东。"

我不自觉地震了一震。霍桑竟也注意到这个女子了！但我和这女子闹过的尴尬局面他还没有知道。这陶晓东是救国会的特别稽查员，并不是串通着做私贩勾当的。这一点霍桑也已知道了没有？此刻他等待伊来是恶意的还是善意的？

我正要把我的发窘的经历向他说明白，但一转念间，忽觉得脸上一阵热炙。那女子自己表示是特别稽查员，究竟是实在的吗？伊的徽章我并不熟悉，也不曾细看。假使伊是出于假冒的，我一时不察，受了伊的欺蒙，贸贸然放伊走了，又不曾查明伊的住所，此刻我向霍桑说明，岂不要被他笑死？我因着这一番的犹豫，一时竟嗫嚅着开不了口，但事实上要开口也没有机会。

施桂已橐橐地上楼来报告，有一个姓陶的女客来了。

霍桑点了点头，便立起来整一整领带，移过一把椅子，又走到室门口去迎接。我仍默默地坐在一旁，尴尬的情绪又涌上心头。刚才我曾受过这女子的奚落，此刻相见，我应采取怎样的态度？我不知霍桑约伊来谈些什么，假使他也像我一般地再受伊一番奚落，那不是更难堪吗？

来客的脚步声音已经传上了楼梯，不一会儿，便见伊翩然入室。伊仍穿着那一件细花白纱的顾衫，袖口长过肘弯，足上一双淡蓝色帆布的陈嘉庚平底鞋，黑的头发剪成偏掠式——脑后部分剪得和男子的相仿——这原是当时一种流行的式样。（那种雁尾式的长发和卷烫，那时候还没有发明。）

伊的皮肤虽黑但并不傅粉，嘴唇上也没有唇膏，可说是洗尽铅华。伊的装束也朴素中含一种高傲的神气。伊向我们各鞠了一个躬，便毫不拘束地在霍桑所预备的一只椅子上坐下。

我们先时本都抽着纸烟。这时霍桑急把那未尽的纸烟丢入灰盆。我也照样丢了。三个人的脸上都显得非常沉寂庄肃。在这紧张的空气之中，表面上彼此虽都静默，精神上却各有各的准备。约莫过了半分钟光景，霍桑先开口说话：

"陶女士，你已接得了我的信？你能够光降，我们是很荣幸的。"他的语调严冷而沉着，仿佛含着几分讥讽的意味。

陶晓东答道："太客气。但我还不知道霍先生有什么见教。会不会还有些误会？"伊用带些轻视的眼光回过来瞧我："我想这位包先生总已和你说明了吧？"

霍桑也转过目光来向我瞧了一瞧，答道："唉，包朗兄和我才刚相见，我们还没有谈过话。不过我相信不致有什么误会。"

"那么，你以为我是什么样人？"

"论眼前的情形，你和我也许负着同样的责任，正向着同一方向进行。"

唔，霍桑当真比我强得多！我虽来不及说明，他分明已经知道了这女子的真相。那尴尬的僵局料想不致再度搬演了。

陶晓东说："霍先生，你可也是受了救国会的委托——"

霍桑忙接口道："正是，正是。你我负着同样的使命。我刚才已经调查过，又曾见过贾春圃的妻子，知道你确是非常干练的。我很佩服！"

"霍先生，过誉了。但你既已明白，现在还有什么见教？"

"有两件事，要和你商量。第一，你是不是已和鲍骏卿约定在后天晚上交货？"

伊呆住了不答，但用铦利的黑眸注视着霍桑。

霍桑接着道："陶女士，你不用怀疑。你的事我已经完全知道。但我既然和你站在一条战线上，当然不会破坏或泄漏你的计划。不过这件事很重大，你如果觉得需要有个人合作，我也很愿意效劳——陶女士，你得明白，我完全是顾到我的使命，并不是要和你分功，你不要误会才好。"

陶晓东微微一笑，答道："霍先生，你说笑话了。大家给社会服务，有什么分功不分功的话？你肯和我合作，那是求之不得的。后天晚上的事，我准一切听你的指挥。"

霍桑连连点着头，似乎很高兴："陶女士，你太客气！我们只有通力合作，才能把这件事办妥。若说指挥，我应得听你。"

奇怪！他们俩的谈判，不但没有斗争性质，反而竟如此谦逊客气！但霍桑特地请伊来，可是只要交换这几句客套？还是另有文章？我正在默默地怀疑，第二段文章果然发表了。

陶晓东问道："霍先生，你说有两件事要商量。那第二件是什么？"

霍桑忽用敏锐的目光先在那女子的脸上瞟了一下，才缓缓地答话：

"这第二件事，我似乎不便鲁莽。我想还是请陶女士自己说，更方便些。"

这又是个什么哑谜，我一时还莫名其妙。可是霍桑这句话似乎有什么不可思议的力量，竟使那陶晓东改变了面色。伊的面颊上忽而泛出一阵红晕，双眉紧蹙着，两只手把住了椅圈，身子也微微从椅上仰起了些。伊的头低着，额上也缀满了细粒的汗珠，刚才那种庄肃自持的状态，一刹那竟消归乌有。这变态告诉我霍桑所说的第二件事，显然有重大的关系。但我看见了伊的窘态，不但没有报复意识，反而替伊忐忑不宁，可是我又不便插口调解。

过了两三分钟，陶晓东才仰面开口：

"霍先生，你要我说些什么？"

霍桑把右腿叠起来，两手抱住了右膝，他的凝冷的目光仍瞟着伊的半惊半羞的面庞：

"陶女士，我想如果可能，我们还是节约些时间。你总也知道包先生是一个主持公道和能够守秘密的人。你也用不着顾忌什么。"

陶晓东依旧低下了头，伊的右手从衣袋中摸出一块白手巾来，抿着了嘴。伊的身子似也有些颤动。霍桑仍保持静默，但他的威严的眼睛里好像有火，在注视伊的右手。我开始明白了！在霍桑的意中，一定认为这女子就是杀死贾春圃的凶手。因为当发案的时候，伊本明明在贾春圃的家中。不过起初我们被别的疑点所吸引，一时竟想不到伊。现在想起来，伊既然负着调查私贩的责任，因着揭发贾春圃的秘密而与他发生冲突，更因冲突而行凶，原是很可能的事。但霍桑既不肯明说，伊又不肯直截招认，这样紧张地相持下去，岂不难堪？我侧身瞧瞧伊的后颅，略一踌躇，忽而找到了一个插口的话题。

我婉声说："陶女士，你的头发不是上一天修剪过的吗？"

这句话在这个当儿说，似乎有些不伦不类，但很有效力。伊突地仰起头来向我瞧着。我老实说，我对于伊的眼光并不怎样欢迎，不过这时候伊的眼光中只是惊诧，绝没有刚才在燕翼里口的那种严峻神气。

我冒一冒险，继续说："陶女士，你昨天不是失落了一块白手巾———块棉纱的白手巾吗？"

伊仿佛震了一震，呼吸也突然加急了。伊见我的目光凝注在伊手中的白纱巾上，显得更窘迫，想要缩手，又缩不下。我索性再冒一冒险：

"陶女士，就像你手中同样的一块，是不是失掉了？"

这险冒得很值得，竟产生了意外的效果。伊把目光移开了，深深地透了一口气。伊的脸色变得更白了，重新低下头去，仿佛表示伊已经完全屈服。

霍桑忽向我道："包朗，你怎么这样子鲁莽？这些话原是多余的。我们现在要请陶女士说明的，就是这事的动机，和经过的情形怎么样，以便使我们的推想能够得一些证实和补充罢了。"

陶晓东果真又变了态度。伊用白巾抹一抹额角，点点头，似乎决定了意念。伊随即仰起头来，侃侃地陈说伊昨天傍晚的经历。伊开端时先发了一大篇为国雪耻和奋力图存的议论，全部的叙述相当长，现在我简括些录在下面。

伊最初的目的，就因负了救国会的调查责任，要侦查一班私贩的奸商。因为那时候东南几省因着旱灾，荒歉，当局为顾全民食计，禁止米粮出口。但法令的效力束缚不住那班唯利是图的奸商，私贩米粮出口的事，暗中进行得非常猖獗。当时有人报告，贾春圃有私行贩米的事情。伊查得春圃的妻子喜欢看戏，常在戏院里出进。伊便想了各种方法，从戏院方面和袁氏接近，就乘机进入贾家。

在七月二十二日那天，伊曾窃听得贾春圃和郁海帆的谈话，才知这人不但是一个奸商，也是一个存心害友的奸人。

二十三日傍晚，伊在那袁锦龙辞去以后，又假托到园中去采花，从事刺探。伊走过书室的时候，贾春圃似乎因着天热，又坏了电扇，让门窗都开着。伊看见贾春圃一个人正埋头伏在桌上，翻阅着许多文件。伊料想这定是些贩米的合同。那时天色快暗下来，书室中光线已不大明亮。伊就偻着身子，悄悄地溜了进去，闪到了那只紫檀木的古玩架背后。伊打算先瞧一个清楚，那些文件是不是贩米的证据，本没有立即撞破他的意思。不料伊偶一不慎，伊的手在架上一触，发生了些微声响，贾春圃顿时立起身来，便发现了伊。陶晓东知道再不能隐藏了，便也站直了身子。伊看见他急匆匆把书桌上的文件锁进了抽屉，接着回过头来，张着可怖的双眼向伊瞧着。陶晓东转到了古玩架的前面，忽见他一边喃喃地诅咒，一边伸手向腰后去摸索。伊知道他是随身带着火器的，情形有些不妙，便打算先发制人。伊就用伊袋中藏着的自卫手枪开了一枪，贾春圃便立即倒毙。伊觉得四周仍没有声音，就放大了胆，从贾春圃的衣袋中取得了钥匙，打开抽屉，搜索秘密文件。那时伊究竟不免有些惊慌，故而把一块拭汗的白巾遗漏在抽屉中。这种种的经过情形，和霍桑先前所推想的完全合符。

当时伊的目的既达，取得了那张合同，照样将钥匙放在贾春圃的袋中，退出来折了两支夹竹桃，仍悄悄地回上楼去。贾春圃的妻子不曾听得枪声，当然毫不疑虑。直到那姓曹的女仆下楼来喊吃晚饭，发现了死尸，伊才陪着袁氏一同下楼，所以大家都绝不疑伊。

末后，陶晓东结束说："霍先生，包先生，我是素来佩服二位的。当你们到贾家去勘验的时候，我心中不免有些恐惧，深恐逃不过你们的眼睛。后来你们竟绝不疑我，我便以为这一次你们也许终于查不明白。不料这到底是我的误解。你们的眼睛真是谁也瞒不过的。真了不得！"

霍桑微笑着答道："陶女士，过誉了。这是碰巧。我当时看见了白巾上的短发，便假定是男子的，却没有想到女子剪发在现在已经相当普及。因此，虽有一个剪发的女子在场，我竟绝不疑及。这就可见得我的脑筋的顽固！后来，我因着找寻另一条线索，无意中瞧见了你的背形，才知你新近剪过发，偶然触发推想，方才回到了正路。我听得了你和鲍骏卿的谈话，就去看贾太太。伊虽知伊的丈夫干着私贩的事，但并不知道他和鲍骏卿的交涉。伊又告诉我你和伊缔交的经过。我方才明白了你的真相，又知道你已拿到了他们的秘密合同。我到救国会的总部里去仔细一查，方才明白了一切。这只能算是一种侥幸的机会罢了。"

那女子道："霍先生，你真有能耐。但我所以打死他，完全没有私怨。当时我不打他，他也许要害我，我不能不采取自卫的手段。我不知这回事在法律上我应得——"

霍桑忙接嘴道："陶女士，别误会。我们是不受法律拘束的。我们有我们的法律——正义和公道。你此番替国家除了一个奸民，替社会去了一个蟊贼，实在应得受一个光荣的敬礼。"他忽立起来鞠一个躬："陶女士，现在我们的谈话已告结束。后天晚上的工作，我们还得从长计议。我们要得到·个圆满的结果才好。"

这件案子的结局，当时在报纸上曾经宣传过。那鲍骏卿中了陶晓东和霍桑布摆好的秘计，把二十万石的白米完全充了公。他本人不但在法律上受了严重处分，又因着报纸的宣传，被各地民众赠以"奸民"的头衔。

贾春圃被杀的一件事，袁锦龙的嫌疑既不能证实，杨宝兴也终于失望。真凶是谁的问题到底没有解决。但因着死者是个贩米案中的要角，社会上有理智有血性的人们，大家都痛恨唾骂，更没有人主张替他追究，结果便成了悬案。

他的妻子袁氏本是非正式的，同居还不到五个月。当时贾春圃的全部财产虽都归伊执管，可是事出意料，一个月后，那郁海帆的父亲郁景周，忽而从北方回来了。

据他说当时他卖了田产，和贾春圃一同回南。不料贾春圃存心不良，串通了几个匪徒，夺取他所有的一切，又将他掳进匪窟里去。郁景周随机应变，和匪徒们周旋着，幸得不死。后来他乘机逃出来，才知贾春圃早已回南。贾春圃所夺取的巨款也已查明，是从哈尔滨银行汇回南方来的。郁景周脱了匪窟，没有盘费回南，只得沿途工作，故而经过了七个多月的时间方才到达上海。这事经过了正式的告发，陶晓东也出面作证，证明当时郁景周的儿子郁海帆和贾春圃确曾有过一番谈判。所以判决的结果，贾妻所掌管的产业，归还了一半给郁景周。

不过有一点写出来很使人伤感。半年以后陶晓东女士扩充了为国服务的范围，加入了革命军的前线，伊因着过度的勤劳，竟致积劳成疾而死。因此这件案子眼前已无所顾忌，我就据实地记叙出来。但我写到这里，想起了那一位爱国尚义使一般须眉生愧的巾帼英雄，还使我低回不置！

酒　后

枪声人影

在一般有贪杯习惯的人们的意识中，大都承认酒这东西有特殊的效用。那些旧式的酸溜溜的先生们，往往用"解愁"和"钩诗"的字样来讴颂酒德。有些新知识的人物对于酒的评价却不同了，说上什么"刺激神经""畅流血液""提振精神"一类的考语，似乎也承认酒有兴奋的功用。但我的老友霍桑对于这些见解都是反对的。他说酒精中含着毒素，能够使神经麻木，减弱官觉的性能，总是有损无益。这句话我以为说得太过，也曾跟他辩论过。我认为饮酒若不过量，并不一定有害；但若使酒性太猛，或饮酒过度，那才有流弊可言。幸而霍桑也不是像"在理"的人一般的涓滴不尝的人，所以辩论的结果往往是一笑了之，并不曾面红耳赤过。可是在那天晚上，我经历了这一件奇怪而有趣的事实，才使我感到霍桑的见解确有科学根据。

那是十二月十四日的晚上，初冬天气。前两天已飘过一次雪花，这晚上虽是干晴，西北风却吹得非常着力。我从我的同学蒋剑秋家里辞别出来的时候，已交十一点一刻。这天是蒋剑秋的婚期，男女来宾有二三十桌之多。我在席散的时候本来就要回去，剑秋向我端详了一会儿，却坚意挽留我。

他带着微笑说："关夫了，你不如坐一坐再走。"

我用手在我自己的面颊上抚摩了一下，果然觉得略略有些灼热。

我也笑着应道："你想我已喝醉了？"

"唉，你是好酒量！谁说你醉？但你总得坐一坐再回去。"

"不，我一定要走。否则，新夫人未免要背地里咒我不识趣！"

"无论如何，此刻我绝不让你出我的大门。再坐一坐，我叫阿土开汽车送你回去。"

在剑秋的心目中，一定以为我已有些酒意。其实我生平从不曾饮过过量的酒，此刻我的神智完全清醒，绝对说不到"醉"字。可是主人挽留的盛意，我也未便过拂；因此，直等到十　点过后，我方才从蒋家里出来，踏上汽车。

蒋家的住宅在杨树浦路。汽车自东而西，进行很迅速。这时夜深人静，街路上更见寂寥。那阵阵的寒风只在车厢外呼呼地响，但风的威力却不能侵入车厢里来。我感到我眼前的处境委实太安适了，但车厢外面不知有多少苦力，正为着生活问题在和寒威搏斗，有些人简直无家可归。这样差殊的境地，显示出社会的尖锐的不平。如果不设法调整和改善，那实在是社会全体的隐忧！

在我靠着车厢中温软的皮垫发生这遐想的时候，忽然有一种惊奇的声音，顿使我的松懈的神经霎时间紧张起来。

"砰……哎哟！……"

这种声浪一接触我的听觉神经的末梢，立刻传达到我的脑神经中枢，等到脑府的命令传达到我视神经时，但见我的左边的楼窗上面，灯光中映出一个黑影，似在那里晃动不定。可是更一刹那间，我的汽车已疾驰而过。我要瞧一个仔细，时间上已不可能。

那是什么声音？先发的是手枪声音，接续的是呼叫声，分明是一个人中枪后的呼叫。这个假定，在我闻声以后只有五六秒钟便成立。我立即仰起身子，用手拍着司机的肩背后的玻璃，同时急速地吩咐停车。司机不防有这个命令，又驶过了四五家门面，方始把车子煞住。

我又命令他说："阿土，你把车回转去，缓缓地开，不要作声。"

司机把车调过了头，我便轻轻地把车窗开了，探头出去。路上绝端静寂，既无车辆，也不见人影。我仰面向着那一排西式新屋的楼窗上望去。太奇怪！那一排二十多宅的楼窗上面完全墨黑，并且静悄悄的，绝不见灯光透露。

刚才我是误听的？那绝不会。我虽然饮了一斤多花雕，但我自信没有醉，绝不会发生这样无中生有的幻觉。那么那声音不会是从北面靠黄浦的屋子里发出来的吗？那也不是。因为那北面的都是些码头的货栈，这时候都早已关闭。只有面南的一排，才是新造的西式住宅。那一排共有二十多宅屋子。我在一瞥之间，竟辨不出刚才有灯光人影的究属哪一宅屋子。汽车缓缓前进，直驶到这一排屋子的尽端，我终于辨认不出。我索性吩咐停了汽车，悄悄地从车中走下来。

有人说人们的好奇心，在年纪过了四十以后，便不免逐渐衰减。我的年龄虽已距四十不远，但我相信我的好奇的本能还保持着少年时的程度。这大概是因着我常常和霍桑来往，专门从事种种钩玄发隐的事务，时时利用着好奇本能，才养成了习惯，年龄虽然加增，也不产生什么影响。这时候我听得了这样奇怪的声音，霎时间灯光忽已熄灭，我的好奇心怎能压得下去？这二十多宅楼房之中，一定有一家发生了犯罪的事实。

我也曾怀疑我自己的听觉。那砰的一声也许不是枪声，却是孩子们玩的金钱炮。不过这两种声音有显著的不同。那金钱炮声音是散漫的；枪声是沉着的。我明明听得一种沉着而完整的枪声，决计不会误会。况且那声浪发作以后，接续着还有那种骇呼，更足证实我的怀疑不是神经过敏。

我沿着这一排屋子慢慢地走，一边悄悄地探望，一边默白寻思。正在这时，我忽然看见居中一宅屋子的楼窗上面，灯光又重新显露。我急忙把身子一闪，避在那三角形的水泥电灯柱后面，我仍全神贯注地瞧着那个有灯光的楼窗。

一个人影又在那窗上显现了！那白纱的窗帘似在被渐渐地掀动，分明有一个人正从室中向窗外窥探。这是什么玩意儿？很明显的，这个人大概已经开枪打死了一个人。他首先把电灯熄了，避人家的耳目；隔了一会儿，不见动静，他才重新开亮了灯，向外面观察，分明要查究有没有人发觉他的秘密。

不，我的称谓词用错了。那人不是"他"，却是个"伊"！因为我仔细一瞧，窗上显现的人影，是一个鬈发蓬松的女子，伊起初还只隔窗窥探，末后竟开了窗探头出来。我看见了伊开窗时谨慎而轻缓的动作，和向街面上探望时的诡秘神气，我的先前的推想便得到了一种有力的证明。在这个时候，有这种动作，若说这女人还没有犯罪可能，那真是出乎情理了！

一会儿那女子的头退进了窗口，照样关上了窗，又拉拢了窗帘；转瞬间伊的影子便完全不见；更一刹那灯光又完全熄灭，恢复了我下车时所见的情状。

这又是什么意思？难道伊已经瞧见了我，重新有所顾忌？我应得怎样应付？这宅屋子恰在电灯柱的东边。我虽确信这里面发生了某种犯罪的事情，但我势不能贸贸然进去。我可能报告岗警？不会太冒昧吗？这时候假使霍桑在场，我们当然可以商量一个妥善的办法，可是这也是空想。我既不能离开这里，又没处可打电话，简直有些进退两难。一声咳嗽刺进我的耳朵。那司机大概在不耐烦地抱怨我了吧？不过我因为习惯的影响，觉得抉发罪案是我的天职，我决不能袖手不顾。

我的耳朵又接触一种声浪，仿佛那宅屋子楼下的前门上有拔闩的声音。我因此把身子避向马路一面，露着一眼，瞧着那个门口。

门果真开了——只开了半扇。刚才在楼窗上窥探的那个女子，侧着身子从门里出来，手中提着一只约莫两尺长一尺深的皮包。这皮包似乎装得非常结实，重量也分明不轻。伊先把皮包放在阶石上面，然后旋转身去，将门轻轻拉上，又把耳朵凑在门上听了一听，方始提了皮包走下阶石。伊穿一件深青色的西式外衣，下面露出半截淡色的绸顾袍；外衣的衣领竖了起来，几乎把伊的面部完全掩住。不过伊的鬈鬈的头发仍露在外面，和我先前在窗上所见的完全无二。伊下阶时的举步的姿势也过度谨慎，满显着惊慌和诡秘。伊不住地向左右瞭望，腰部微微左倾，似乎那右手里的皮包十分沉重，伊有些力不能胜。

伊踏到了马路，便向西走过来。我的身子便靠着那电灯柱的掩避，缓缓地旋转，竭力躲去伊的目光。一会儿伊已经走过了我藏身的电灯柱，竟向着我的汽车走近去。唔，伊一定误会了。伊瞧见了我的那辆汽车，大概就想借此脱身；或者伊本来预备一辆汽车，这时伊目光所及，只见我的汽车停在那里，便发生这个误会。但伊这误会不会持久，阿土绝不会答应伊的要求。但我究应怎样处置？我虽明知伊干了一件暧昧勾当，但在证实明白以前，我当然不便轻举妄动。可是一时间我又用什么方法证实伊的秘密？

那女子已走到了我的汽车面前，果然把皮包放下，迎前一步，和司机阿土开始谈话。我的料想虽然幸中，但怎样应付，却还没有把握。我已从电灯柱背后走出来，两条腿仿佛受了本能的推动，竟也缓缓地向着汽车走去。这时忽有一种出我意料的景象——那女子和阿土谈了几句，忽自开了车厢的门，提了皮包走入车厢里去！阿土也绝没有阻拒的表示！

尴尬局面

这真是太奇怪！究竟是什么一回事？可是阿土本来和伊认识？我的两腿的移动速度顿时增加，准备赶上去索性问一个明白。不料更奇怪的是，那已经进入车厢的女子，似乎因着我急促的步声，忽而从车窗中探出头来。伊在向着我招手！

我走到了车窗面前。那女子忽又发出一种低低的惊呼，急忙把身子缩进车厢里去。同时司机阿土忽向那女子介绍：

"包先生来了。"

我正像进了梦境一般。这种种事实和变动，在这仓促之间，我的脑力委实不能解释。其实事情的转变更其迅速，也不容我有解释的机会。那女子起初向我招手，接着又惊骇似的退缩，最后又向我发出怀疑的问句：

"你可是梅村派来的？"

"是的——正是他派我来的。"

我应了一句，点点头，顺手开了车厢的门，踏上车去。这时伊已仰起些身子，皮包也提在手中。假使我不走进去，伊势必要下车来了。我既然企图抉发伊的秘密，侦查这件罪案，势不能不权宜地将错就错。

我上了车，向阿土附耳说了一句，便在伊的旁边坐下。

我的神经相当激动，不能不借重我的纸烟来镇静一下。我一边擦着火柴，一边偷瞧那女子的容态。伊的年龄似乎还不过十七八岁，玉琢似的粉脸，猩红的嘴唇，和一双澄澈晶莹的眼睛，美秀中还带着天真的稚气。这时伊的双眉紧蹙，目光中也包含着惊疑恐惧，伊的急促的呼吸也足够显示伊的心房的跳动早已失了常度。我的外表上虽很镇静，但是我的心的状态真可算和这一位不知谁何的伴侣无分轩轾。

汽车依旧向西进行。伊忽把身子让开些，避在车座的一角，似乎有些畏惧我。但车座并不宽大，伊和我的距离至多只能用"寸"字来估量。一阵阵浓烈的香气直刺我的鼻管，使我有些迷惘起来。这是一种什么局势？读者们，你们有没有经历过？

我在迷惘之中忽听到一种娇颤的语声送入我的耳朵：

"你真是他派来的？"

我目不斜视地点了点头。

"他为什么不自己来？"

"他在那边等你。"我含糊地应了一句。

"在什么地方？"

"你怎么不知道？"

"不是在码头上？"

我又照样点一点头，事情已有些眉目。这女子一定和那个叫作梅村的早有密约，准备一块儿远飏。从"码头"字样上推测，他们大概是打算乘什么轮船走的。但伊在出门以前，事机不密，伊的家中人也许已经发觉了伊的计划，从中阻难。伊为贯彻伊的计划起见，便不惜开枪行凶，事成后才逃奔出来。这时候伊因着不幸的误会，已经落进了我的手掌。但我应用什么方法揭破伊的秘密？

"唉！汽车往哪里去呀？"

当我默坐着寻思的时候，伊却不住地向车窗外瞭望。伊分明已觉察了车行的方向是自东而西，并不向杨树浦那边的轮船码头进行，因而才发出这惊讶的问句。我还想含糊搪塞一会儿，仍努力吸着纸烟，默然不答。

伊显得焦急了，伊的声浪增加了高度。伊的右手中执着一块白巾，按在伊的嘴唇上面：

"你把我送到哪里去？"

"爱文路。"

"爱文路？……干什么？"

"去请教我的老朋友霍桑先生。"

"唉，霍桑？"

"是。他可以给你想一条出路。你总知道他是一个公正尚侠的私家侦探。你的事——"

"哎哟！你……你是个骗子，你要把我骗到什么地方去呀？"

伊的身子已离了座位，右手握着拳头，仿佛要向我动手。我仍静坐着不动。伊呆了一呆，又旋转身去，想要旋开车厢的门，似乎打算跳下车去。偏偏不巧，车子忽然发生了阻碍，停止着不动。那里是长兴路，地点也不像先前那么冷僻，万一闹出事来，确乎有些尴尬！这时候如果我的态度有一些慌张，或是用手阻拦伊，伊的纤掌说不定会和我的面颊发生关系。在这惶急之中，我竟找到了一句有效的解围话：

"你仔细些！你先想想，你自己干了什么事？"

这一句含着魔力似的命令，竟立刻使伊的昏乱的神经镇定下来。伊的开车门动作停止了，一双含怒的妙目也现着些慑服的神气。汽车又重新开动。我仍保持着宁静态度，乘势把我的语声婉和了些：

"你还是坐下来。你既然干了这样的事，那绝不是咒骂可以解决的！"

伊向我凝视了一下，伊的态度渐渐软化了。伊果真重新坐了下来，侧转身子向我，和我的距离比先前更远了一寸。

伊问道："你究竟是什么人？"

我权宜地答道："我是个私家侦探。你呢？"

伊不答，伊的身体似乎颤了一颤。

我又淡淡地说："年纪轻轻，怎么干这样的事？"

伊旋转头来："你知道我干了什么事？"

"我虽还不知道底细，但你已经干了一件犯法的事。"

"犯法的事？——男女恋爱也犯法？"

唔，这女子的口齿倒超过了伊的年龄，这到底是一件恋爱把戏，我的料想不会落空。

我答道："我想早熟的恋爱也不是法律所许可的，并且因恋爱而开枪行凶，更不见得是合法的事。"

伊的眼珠转了一转，随即凝视在我的脸上。我也直视着伊，觉得伊的脸上似乎只有诧异，并无惊恐的表示。这未免使我有些失望！

伊问道："什么？你说我开枪行凶？"

"是啊，枪声我也听得——"

"你弄错了！开枪的不是我！"

我顿了一顿，仍瞧着伊答话："那么是谁？"

"我不知道。"

"但你明明知道有开枪的事。"

"是的，枪声我也听得，那是从我家隔壁发出来的，一共开了三枪。我也曾吃过虚惊。我不知道那家里捣什么鬼。直等到枪声停止，我方才出来。"

伊这几句话可实在吗？那是没有疑问的。伊的声浪和伊的目光都是有力的证明。该死！我果真弄错了！现在大错已经铸成，我又怎样转圜？

"先生，你是误会的，我并没有干什么犯法的勾当。先生，快停车，让我——"

"慢。小姐，你的行径也未必合法。你不是要和你的恋人私奔吗？"

伊的目光从我的脸上移注到车座的皮垫上面，略一沉吟，又发出一种低沉而坚决的答语：

"是的。不过你总也知道，恋爱是自由的！"

"唔，恋爱自由，我们是应当拥护的。不过你们的恋爱里面有没有夹杂什么其他成分？你既然为着恋爱而牺牲一切，为什么还带着这一只皮包走？这皮包中的东西谅来很值钱吧？"

伊忽而把那皮包用力拉过，藏在伊的身后，仿佛要防我攫取的样子。

伊又抗声道："这不干你的事！快放我下去。不然我要——"

唉！伊的语声哽咽了；眼圈儿一红，亮晶晶的泪珠几乎要破眶而出；更一刹那，伊取出了一块白巾，掩住了伊的眼睛，开始抽噎。伊虽不曾哭出声来，已使我万分难堪。

我的处境真僵透！在这种情势之下，如果被什么不知细底的人见了，一定要说我利用着暴力，压迫一个孤弱的女性。其实我不是自夸，我是一个绝对提倡女权尊重女性的人，二十年来从不曾改变过我的态度。这一次我起初假定这女子犯了凶案，伊又因误会而进了我的汽车。我本来打算见了霍桑以后，或许可以想一个补救的方法。但现在情势不同了。伊不承认犯过凶案，我又没法证明。如果伊当真为了恋爱而私奔，我委实无权从中干预。虽则据我的观察，他们的恋爱成分不见得单纯，但我既不能使伊醒悟，也不便贸然阻难。我显然已陷入了进退两难的境地！

伊又呜咽着说："快停车！让我下去！你……你不能欺负一个女子！"

对，我不能一错再错。我经过了一会儿考虑，便定意改变我的方针。

我答道："你别误会。我绝不是有意欺负你。现在外面很冷，我不妨用汽车送你到码头上去。"

我向司机阿土说了一句，我们的汽车便缓缓地掉过头来变换方向。那女子一边揉着眼睛，一边缓缓摇头：

"不必，不必！你只管让我下车。"

"你放心，我绝对没有恶意。"

这话也是真的。不过我还希望见见伊的恋人究竟是一个怎样的人物。很不幸的，伊竟坚持着不肯同意。我还想凭我的最后的努力使伊就范。我们的汽车虽已转换了方向，目的地却还没着落。

"我们往什么码头去？"

"不用你管。快停车！不然，我要喊岗警了！"

伊的声音固然提高了，又旋转了身子，伸出了右手，第二次准备开门。我觉得再不能留阻，除了遵命停车以外，再没有别的方法。正当这时，忽然有一辆大汽车迎面驶来。当两车交接的时候，猛听得有一种严肃的命令从来车中发出：

"停车！……停车！"

贱姓不幸

这意外的命令非常有效。那阿土竟奉命唯谨地把车子停下来。我想不出那发令的人是谁。伊的恋人已追踪而来吗？或是因着伊的高呼的声浪，被人疑作绑票而来从中营救？

我正自胡思乱想，忽见那女子已开了车门，走下车去。伊的两足既已踏到地上，又旋转身来取那皮包。那皮包既很沉重，伊又在慌乱之中，一时竟提不起来。我忽似受了本能的暗示，俯下身去帮助伊提，却不料又引起了误会。

伊高声呼道："哎哟！你要抢我的东西？你——"

"徐女士，别误会。你的东西只要你自己不拿去送人，谁也不会抢。这是我的好朋友包朗先生。我可担保他不会干这样的勾当。你尽可放心。"

我抬头一瞧，车厢门口有一个穿黑色西装的男子站在那女子的背后。他正是我的老友霍桑！

我不禁欢呼道："霍桑，你从哪里来？"

霍桑含着微笑，耸耸肩。

"你认识这位徐小姐？"

霍桑仍不回答。他会在这时候赶来解围，委实出我的意料，可是我的疑团此刻还没有到解释的时期。他仍瞧着那姓徐的女子，继续发表他的劝告：

"徐女士，请恕我的冒昧。你的年纪还轻，大概还不曾了解恋爱的真谛。你想你们只有三星期的交谊，你便听人家的话，挟了巨款逃走。这算什么？能说得上恋爱吗？现在你的恋爱对象已在警局中。他曾犯过三次诱奸案子；他的已往的历史也就可见一斑。……唉，徐女士，你还怀疑吗？明天你不妨到警局去，亲自看看他的照片和履历。现在你父亲在那边汽车中等得不耐烦哩。来！我来给你提皮包，别的话让你父亲告诉你吧。"

五分钟后，霍桑已送姓徐的女子上了那另一辆蓝色的大汽车，随即回到我的汽车中来。在那汽车第三次改变了方向，往爱文路行进的时候，霍桑静静地瞧着我，忽又咯咯地笑了笑。

他说："包朗，你今夜的艳福真不浅！"

我答道："别乱说！这到底是什么一回事？"

"唉，你口中的酒气多么浓烈啊！莫怪不能得美人的垂青了！"

"你还有闲心思取笑？我正像陷进了五里雾中！"

"这件事已经解释明白了啊。你还有什么疑团？"

"疑团多着呢。现在我虽已知道这女子受了什么拆白者流的诱骗，竟图卷款私奔，但你怎么竟也会参与其事？并且我还听得一次枪声。这种种疑团——"

"唉，不错，不错。你当真还不明白。敝寓快要到了。我们到里面去谈吧。"

霍桑的解释是很简单的。这姓徐的女子——很抱歉，伊的芳名我可不能宣布——还只有十七岁，因着受了一个流氓的诱骗，意图私奔。伊的父亲发觉以后，竭力劝阻，终归无效。后来他委托霍桑侦查那个流氓，以图根本的补救。霍桑探悉了他们私逃的日期，这晚上便守候在徐家的对街。那女子先从楼窗上望见了我的汽车，便误认作伊的恋人已如约而至。不料那男子的汽车迟到了一步，就被霍桑揭破秘密。他先将那拆白的送进了警局，随后同着伊的父亲赶上来瞧我。原来霍桑早就等在那里，所以当时我的种种举动，和那女子的误上我的汽车，霍桑完全瞧见。他又料定我的汽车是往他寓所里来的，所以到底被他赶着。

我等他解释完毕，回想我先前的行动近于自扰，也不禁暗暗好笑。

我道："那么，我所听得的枪声也是听错的？"

霍桑吐吸了几口烟，笑着答道："你的听觉虽然没有错误，你的视神经却不能不算有些麻醉了。我常说酒能麻醉神经，减弱感觉，你总抱着辩难的态度。今晚上你可还有什么话说？"

"你真是善于找报复机会的！据你的口气，莫非我瞧错了一个窗口？"

"是啊。如果今晚上你没有被酒力所困，当然不会有这个误会。"

"这也难说。那时汽车的行进很迅速，那一排屋子的构造又同一式样，假使你和我易地而处，你的感觉纵胜我多多，在一瞥之间，你敢保定不会弄错？况且我们在'楼头人面'一案之中，也曾有过同样的经历，难道那顾荣林巡长也是受了酒力的影响？"

霍桑忽丢了烟尾，立起来打了一个欠伸，笑了一笑：

"包朗，你说我善于找报复的机会，你的口才也不错啊！我辩不过你，以后你尽放量地纵饮好了。夜已深了，你夫人也许已等得焦烦，我不敢屈留你。不过你今夜里的经历，若要我保守秘密，不在你夫人面前提起，那你也应付一注相当的代价才行。"

"好了，别开玩笑吧。那隔壁的枪声又是什么一回事？我还不明白。"

"我也不仔细。不过这里面并无犯罪意味，用不着你我劳神。那是可以保证的。"

"那么究竟有什么作用？你既已知道，何必再卖关子？"

"据我所瞧见的，那隔屋的人，大概新近置备了一件避弹马甲，先后开了三枪，分明在实验那马甲的效力。这件事委实太凑巧了，才造成你这一次意外的艳遇。"

"还有'哎哟'的呼声，又怎样解释？"

他疑迟地说："这个我还不能答复你。但明天你如果肯劳驾一次，亲自去调查一下，这疑团总也可以打破的。"

经过了三十六个小时，这个疑团方才得到了打破的机会。霍桑所说的实验避弹马甲的话果真实在。那人叫作李传福，在振大纱厂里当经理。一个月前他曾险些被绑；因此，他特地置备了一件马甲，以防后患。那晚上他开到第三枪时，子弹从马甲上反弹出来，几乎射伤他自己的手背，他才惊呼了一声。接着，他便也丢了枪熄灯睡了。

还有一点，我不能不补叙一句。那晚上司机阿土竟擅自容许那女子上车，当时也曾使我一度疑讶。事后我方才查明，那女子向阿土问过一句话：

"这可是包先生的车子？"阿土误会伊是我的女朋友，才有这个举动。原来那个叫作梅村的流氓，恰巧和我同姓。因此，我在结束这小小疑案的时候，不能不叹一句"贱姓不幸"了！

鹦 鹉 声

"救命！救命！"

人们非自然死亡的死后状态，最可怖可憎的要首推缢死。因为缢死虽没有血液淋漓，但仿佛像冰窖中的蝎子，棉絮中的暗针，有一种冷刺刺阴瑟瑟的恐怖。凡曾经亲眼看见过的人，大概都会赞同我这个见解。那天我跟随霍桑到恺士路九号，看见了陈晓光的死状，虽只一瞥之间，却至今还深深印在我的脑海中。他仰面躺在一张嵌螺钿的铜床上面，身上穿一套灰色毛织品的西装，腹部膨胀得可怖，黑色的嘴唇张着，露出两行惨白的牙齿，齿缝中间舌尖微微地抵出，没光的两眼大张，面色也紫里带赤，下颌上还有些吐沫的痕迹，分明是从唇角里漏出来的。这一种形状一经映入眼球，说也奇怪，再也不容易忘怀，我此刻执笔记述，那惨状仿佛还在眼前！

尸室中共有五个人。除了霍桑和我以外，一个是我们的委托人蒋桐焦，一个是三十左右的少妇，还有一个是死者的老佣妇。霍桑执着放大镜在死者的头颈上查验。死者的硬领和领带已被警探们卸除，颈上显出一条很粗宽的缢痕，却完成了一个完整的圆圈。他的头发本经过发膏涂抹，这时仍光滑不乱。

那站在旁边的蒋桐焦忽轻轻地附着霍桑的耳朵，说："霍先生，我想你早已明白，晓光分明是给人勒死的啊！"

这断语显然很突兀。霍桑抬起头来，眼光凝注在桐焦的脸上，虽不答话，眼光中却明明有"你怎么知道"的问句。蒋桐焦点点头，继续表示他的意见。

他说："霍先生，我在《洗冤录》上见过，凡颈痕呈八字形的是自己吊死，若是完整的圈痕，那就是被人家勒死的。"

霍桑的目光注视在那缢痕上，但微微点了点头，仍不答话。

蒋桐焦是我们的委托人，他在宏大针织厂里当秘书，年纪已超过四十，头发开始秃落，以前曾和我们有过一度交往。那天他听得他的自幼同学而又同事的好友陈晓光的凶信，觉得内中有些蹊跷，所以赶来请教霍桑。这时他居然根据了虽是陈腐而被我国人一直奉为验尸的圭臬的那本《洗冤录》，证明他的见解，显见他多少是有些侦探知识的。

霍桑将一条断剪过的白布带拿起来察看。那条带细而狭，似乎不及缢绳的粗宽。霍桑将带度量了一回，又瞧瞧承尘上面的铁钩，随手移了一把椅子，将带子套在钩上，让它垂挂下来。带环很长，霍桑把自己的头颈套进去试一试，两脚着地，并不悬空。

蒋桐焦又起劲地说："哼！不是吗？这不是一个明证吗？他假使自己寻死，带子既然这么长，哪里吊得死？"

霍桑虽依旧不下断语，但我瞧他的脸上现着怀疑的神色，好似对于蒋桐焦的说话已表示赞同。

他回头向站在尸室一边的一个六十以上的老婆子招一招手，说："赵妈，你别害怕，好好地走过来。我要问你几句话。"

那老婆子好似老大不愿意地缓步走到霍桑旁边，两足还不住地在颤动。

伊先自开口道："先生，你……你不是说我谋死他的吗？哎哟！这实在是冤枉的啊！我……我一看见少爷上吊，不由得着了慌，回头看见桌子上有一把剪刀，就顺手拿过来，踏在椅子上，把带子剪断，放他下来。因为我那时候只指望少爷还可以活命，实在没有别的意思。先生，我实在——"

霍桑不等伊说完，便婉声说："你何必过虑？没有人说你谋死你的主人啊。"

老婆子急忙道："方才那位警察局里的先生就说我不应将带子剪断，并且——"

霍桑又止住伊："你别多说。我问你，当你没有将你的主人放下来的时候，你可记得他的身体是悬空，还是两足着地的？"

老婆子张大了眼睛，忙道："悬空的。这一着我明明记得。"

这时候那个年在三十左右的少妇从窗口边走过来。伊穿一件蓝底白花布的夹旗袍，瓜子形的脸未经充分化妆，现着些焦黄之色，但身材却相当婀娜。伊走到霍桑面前，开始说话。

伊问道："霍先生，你已经验明白了没有？"

霍桑答道："还没有。我得再仔细瞧一瞧。"他一边再度用放大镜查验那缢痕。

少妇忽不待询问，忙着表示意见："其实伯伯实在是自己吊死的，毫无疑问！"伊回头瞧着那老婆子："赵妈，你刚才不是说你把少爷放下来的时候，有一把椅子翻倒在地上吗？"

老婆子点点头，指着旁边的一把椅子，说："正是，就是这一只。"

霍桑瞧瞧旁边的一只站直的有背柚木椅子，问道："翻倒在什么地方？"

赵妈说："就在少爷的脚边。"伊用颤动的手指一指。

"是你把椅子扶起来的？"

"是。我看见少爷的气息已绝，便顺手扶起了这倾倒的椅子，奔到外面去，请隔壁的黄木匠到老太爷和二少奶家去报信。"

霍桑不答，又点点头，目光移到少妇的脸上。这少妇本姓姜，名芳芝，是死者陈晓光的嫡堂弟玉麟的妻子。伊闻讯赶来，便一口说定晓光是自己寻死的。这见解显然和我们的委托人蒋桐焦的对立。双方各执持着成见，有些两不相下，霍桑介乎其中，倒是一个难于应付的课题。姜芳芝又向霍桑表示：

"霍先生，我想这翻倒的椅子，显见是他上吊时用的。等到带子套进了头颈，他就将椅子踢倒。他的身体一悬空，自然立刻就吊死了。"

"带子这么长，他的身体怎么能悬空？简直是笑话！"这是蒋桐焦的冷冷的答辩。

舌辩的局面快将形成，霍桑忙举起一只手，止住了那少妇的将发未吐的抗议。他一边用一块白巾抹拭他手中的放大镜，一边回头询问：

"陈夫人，你认为这位陈先生是自杀的？"

"对，一定如此！"

"他因着什么要自寻短见？"

少妇略有些迟疑："这个……我虽还不明白，但我听得我伯伯近来经济上非常困窘，这也许就是他自尽的缘由。"

我听了这句话，回头去瞧瞧那怒容满面的蒋桐焦。这话确是事实。因为据蒋桐焦告诉我们，他曾借给陈晓光五百块钱，因着彼此至好，只在名片上注了一笔，不曾写什么正式借票。他一听得晓光的死耗，就赶来请霍桑侦查，说不定就因着怕他的债权落空。

霍桑仍镇静地不表示什么，但缓缓地顺着那少妇的语气，问道："陈夫人，你以为陈先生是因着经济窘迫而自杀的？"

少妇道："是，这是一个原因。"

"那么还有别的原因？"

"是的。我记得三四天以前，我家二伯公曾和伯伯吵过一次，并且嫂嫂在一星期前，也不知怎的回了母家去。因此种种，伯伯气愤自尽，实在是情势中很可能的事。"

这女人受过相当教育，口齿伶俐，说话也头头是道，竟使旁立的蒋桐焦目瞪口呆地再插不进口。桐焦明明听到伊的见解恰巧和他的绝端相反，可是他提不出辩驳的反证，便不禁现出一种把握不着的窘态。

霍桑沉吟地说："唉，他们父子俩曾闹过的？你可知道他们为什么事闹的？"

姜氏道："我家二伯公是很节俭的，常说我伯伯分居以后，过分挥霍，虽在宏大厂里办事，月薪所入，总不够开支，因此伯伯平日常四处借债，弄到了现在经济窘迫的地步。伯伯素性刚强，当然不受他父亲的训斥，因而彼此就大闹起来。但瞧此刻二伯公得到了凶信，还是迟迟不来，便可见他们父子间的感情的恶劣。"

霍桑道："你说他们当时只因着训斥而起纠纷的？可还有别的原因？"

妇人摇摇头："也许还有，可是我不知道。"

霍桑回头向蒋桐焦道："你和晓光的父亲是邻居。他老人家和晓光争吵的事，你可也知道？"

桐焦疑滞道："争吵的事确实有过，但是因着什么缘故，我不知道。不过……不过……"

霍桑问道："不过什么？"

桐焦道："我不相信父子俩闹一闹，晓光就会自杀。这理由太牵强！"

霍桑的嘴唇微微撇一撇，点点头："是，我也不曾肯定它。不过你用不着这样急躁。"他再回头问死者的弟妇："陈夫人，他们争吵的事，你怎么样知道的？你可是常常到这里来的？"

少妇道："不，我是听玉麟说起的。"

霍桑道："唔，尊夫此刻在哪里？发案以后，他可曾到这里来过？"

姜芳芝答道："还没有，他今天一早就到大伯公那里去的。黄木匠来送信时，他已不在家中，因为这几天大伯公的病越变越重，他那里没有人照应，所以玉麟天天在那里侍候。现在我已经差人去通知，他早晚会来料理丧事。"

霍桑点点头，眼光向室中四周流射，一会儿停在壁上的一张肖照上面。那照片就是陈晓光和他妻子结婚时摄的。肖照上新娘的面貌非常艳丽，头上蒙着白纱，襟上缀着粗粒的珠花，装饰完全新式，显见当时的豪华。其实但瞧他们卧室中的一切器陈，式制既是崭新的欧式，又都是最贵重而精致的柚木质的；还有外面客室中的布置也完全欧美化，丝绒沙发和钢琴地毯之类，都是巨价的上品。无论是谁，一踏进来，便可以知道陈晓光夫妇平日的起居生活，显然已越过了一般水准，而踏进了奢华的境界。因这缘故，晓光眼前的经济恐慌，也许就是自然的结果。

我这归纳的意念是在霍桑略略停顿的时候构成的，不料就在这略略沉默的当儿，猛听得有一种清厉而尖锐的呼声：

"救命！……救命！……"

对立的见解

这声浪陡然在静寂中发生，大家都不由得吃一惊。内中要算霍桑的感觉最灵敏，他显然已经发觉这声浪的来源。他忽然蹑着足尖，轻轻地走到窗口，揭开了那镂空的淡蓝窗帘，伸手摸着窗槛，慢慢地探头出去。

"救命！……救命！……"

那声浪再度刺激每一个人的神经。我们还是疑讶不定，霍桑却已查明了它的来历。

他低声说："唉！是一只鹦鹉！……奇怪！"

我暗暗诧异，轻步走到窗口，仰头一瞧，果然看见窗外廊檐下挂着一只白铜架子，架上有一只红嘴翠羽的鹦鹉。那鹦鹉在窗口的右侧，这时似乎因着我和霍桑探头出去的缘故，忽也侧着一只眼睛，像一个哲学家沉思某一个问题般地向我们凝视着不动。

我不禁惊异地说："怪了！这鹦鹉怎么会呼救命？"

霍桑拍拍我的肩膀，叫我不要作声，像要等鹦鹉再叫。可是那鹦鹉也有它的自由意志，呆瞧了一会儿，扑扑翅翼，开始在铜架上旋动，不肯再叫。

霍桑缩进了头，向我道："你说这声音像'救命'？"

我应道："是啊。你呢？"

霍桑皱眉不答，回头瞧那少妇："陈夫人，你听像什么？"

姜芳芝低了头，吞吐道："我……我听不出。"

霍桑又回身走近那老婆子，问道："赵妈，方才那鹦鹉叫的声音，你听清楚吗？"

老婆子又像点头又像摇头地牵动了一下，不回答。

霍桑又问道："你觉得这声音像什么说话？"

老婆子仍疑滞着不答，眼睛瞧在姜氏的面上。

霍桑催逼道："你尽说！你以为像什么声音？"

老婆子应道："好像喊……喊救……救命。"

霍桑点点头，道："这种声音你从前可曾听得过？你可曾听得这鹦鹉这样叫过？"

赵妈摇头道："不……不曾。这鹦鹉因少爷的训练，虽会说几句'先生''少奶奶''吃饭'一类的话，但像刚才那样的声音，我……我从来没有听见过。"

那蒋桐焦守着一会儿难堪的静默，这时得到了发泄的机会。他抹一抹他的稀薄的额发，走近一步。

他说："霍先生，我听清楚，那鹦鹉叫的是'救命，救命'，完全没有错误！这一来尽足以证明晓光是给人谋杀的！"

霍桑仍宁静地反问道："你的见解怎么样？"

桐焦挺一挺腰，目光向姜芳芝掠一掠，说："这一层很明了。这鹦鹉的呼叫一定是从晓光嘴里学来的。大概晓光未死以前，和什么人争斗过，但瞧那倾翻的椅子，就是一个凭证。后来他抵抗不过，被他的敌手所制服，他临死时必喊过几声救命，因此窗外的鹦鹉便学会了这种声音——"

"救命！……救命！……救命！……"

窗外的鹦鹉又起劲起来，接连叫了三声。

霍桑忍住了呼吸，敛神倾听，其余的人也表现同样态度。我细辨那鸟的鸣声，觉得除了"救命"以外，想象不出其他的语意。

蒋桐焦又兴奋地说："霍先生，你听清楚了没有？包先生早听出来了。这还有什么疑问？"

　　我们的委托人在得意忘形之余，又将眼光射到那少妇脸上，仿佛说："现在你还能强辩不能？"

　　姜氏低沉了头，伊的未经涂染的脸色更见灰白。伊的唇吻时时牵动，好像想要答辩，却不知怎样措辞。伊抬一抬头，气愤愤地向蒋桐焦瞧着，神情非常不安。霍桑紧蹙着眉峰，又走到窗口去，侧耳敛神地静听。但鹦鹉的意志非常自由，我们要听它再叫，它却偏偏不叫。我回头一瞧，看见蒋桐焦努着嘴唇，暗暗地向姜氏努了一努，又凑近些霍桑说话：

　　"霍先生，这件案子已经非常明白，晓光是被人谋杀的。你不能轻信人言。请你尽一些力，查出那个凶手才好。我和晓光是多年的同学，又是同事。此番他遭了这样的横祸，我理当略略尽一些友谊的责任，替他申雪。至于他借我的五百块钱，实在不成问题。我决不想要回一个钱！请二位不要误会！"

　　他说话的声音和状态都非常诚恳。我才觉得他当真是一个重友谊的人。我先前疑心他为了五百元不落空，才出来替死友奔走，未免出于误会。因着在现在时代，朋友之间势利和浅薄的十居八九，我见闻得多，就自然而然地发生这种误会。我并不是以小人之心度人，这是要请读者们谅解的。

　　那时姜氏忽而涨红了脸，叹一口气，掉头从尸室中走出去。伊的态度显出十二分不满。伊是坚持着晓光自尽见解的，此刻看见了种种发现都和伊的见解相反，蒋桐焦又侃侃而谈，证据确实，竟使伊没有插言的余地。伊觉得站立不住，所以只得自己落篷地走到外面去。霍桑并不阻止，只斜目送伊出去。接着他把右手摸着下颏，低头寻思了一会儿，忽婉声向老妈子说话：

　　"赵妈，你也暂且到外室去，停会儿再向你问话。"

老妇果然蹒跚着走出去。霍桑才回头向蒋桐焦招招手：

"蒋先生，你究竟有什么样的见解？"

蒋桐焦道："我相信晓光是被人勒毙的！"

"这句话你已经说过几次，不过太空洞，太主观。我现在要知道的，在你的意想中，晓光为什么缘故才会被人害死。莫非你知道他有什么仇人？"

"不是，我觉得他所以死亡，无非是因着金钱问题。"

霍桑眼瞪瞪瞧着蒋桐焦，不立即答话。

我乘机说："蒋先生，你的话矛盾了。陈晓光既然亏空了人家的钱，人家谋死了他，有什么好处？你怎么说因着金钱问题。"

蒋桐焦忙答道："包先生，你说的固然不错，但这里面还有一层曲折。"

霍桑忙接口道："什么样的曲折？"

桐焦减低了声音，说："关系他们的家庭问题。"

霍桑点点头："喔，你说说看。"

桐焦说："晓光的父辈，一共弟兄三房。长房的唤作陈孟福，就是现在患病的人；晓光的父亲第二，名叫仲禄；三房的叫作季寿，已经去世。二房三房各有一个儿子，二房的儿子稍长，便是晓光，三房的儿子名叫玉麟，就是那位姜氏的丈夫。大房孟福有几十万家产，却没有子息，因此，照例将二房的晓光嗣了过去。所以晓光是兼祧子，大房孟福的资产，他也有承袭的权。现在孟福患的是肺病，病势很危险，所以晓光得遗产的机会只在指顾之间。霍先生，你想这个时期，他忽而遭此横死，怎么能不叫人生疑？"

这是一篇宗法社会残留的糊涂账，现在新的法律虽已废除了宗祧的观念，可是旧社会间还有嗣续问题存留着，往往弄得枝节横生。我本来对于这种事感到厌烦，可是因着这件疑案，又不能不从这渣滓中寻个头绪。

霍桑问道："那么晓光死后，谁最有承产的希望？可就是他的堂弟玉麟？"

蒋桐焦忙道："自然。陈氏一姓，后嗣中只有他们兄弟两个；晓光既死，自然要轮到玉麟了。"

"唔。你的意思怎么样？可是说谋杀晓光的凶手就是他的弟弟？"

"正是，我确信是他！"

霍桑忽摇摇手，微笑说："蒋先生，我以为你的说话还应当审慎些。我觉得玉麟只有理论上的嫌疑，若使没有事实上的证据，你就一口说他谋财害命，实在有些鲁莽。"

蒋桐焦抢着说："对，那当然。但是我是有证据的！"

"唔，什么？"

"上星期日晓光曾告诉我，他和玉麟争吵过一次。争吵的缘由，是晓光觉得玉麟曾在他的伯父面前进谗，老人竟因而把晓光大加训斥，声言如果晓光不肯樽节一些，再在外面借债浪费，老人便要更改遗嘱，不让晓光承袭遗产。霍先生，你想玉麟所以如此，岂不是有夺取遗产的蓄谋？"

"这还是理论罢了。你不能单凭理论，就深信玉麟是谋死晓光的凶手。"

"无论如何，主谋的总是玉麟。"

"实际的行动怎么样呢？"

"我瞧那老婆子也许有些关系。"

霍桑摇摇头，答道："你说那老妇是实际动手的人吗？不，我看不是。伊胆小如鼠，又没有多大腕力，绝不会勒杀人。"

桐焦坚持道："伊虽不会实际动手，但受贿串通的嫌疑确有可能。"

"有根据吗？"

"据伊刚才告诉我，晓光上吊的时候，伊刚巧出外。你想，那不是太觉凑巧吗？"

挂号信的收据

霍桑又用手抚摸着下颏，缓缓地走向窗口去，探头向窗外的鹦鹉瞧一瞧。它在安闲地啄食，不再啼叫。霍桑停立在窗口，像在等待鹦鹉再啼，又像在默默地深思。蒋桐焦回头瞧瞧铜床上的陈尸，又瞧瞧霍桑，分明在等候他的同意的答复。我也有同样的倾向，因为这件看似平凡的案子，内幕中却相当复杂。自缢和勒死，两个不同的见解对立着，事实上也同样都有可能。霍桑却始终未发表过任何批评或见解。他显然还在搜集事实，发表论断的时机似乎还没有成熟。我感到异常纳闷，只望霍桑能立即抉破这个疑团。一会儿霍桑旋转头来：

"蒋先生，我还得向那赵妈问几句。你替我去唤伊进来。"

蒋桐焦点点头，退出去。

霍桑向我道："我初以为这一件案子似乎非常简单，却不料里面还有许多曲折。"

我点点头："是，你现在可已有些眉目？"

霍桑皱眉道："还难说。复杂得很。"

他走到先前放硬领的梳妆桌前去，站住了细看。桌上的一只小抽屉一半开着。他有意无意地顺手将抽屉抽开，取出一张小纸。

他招呼我道："包朗，你瞧，这里有一张挂号信的收据。"

我走过去瞧时，果然是一张邮局挂号信的收据，上面写着"本埠朱小娟"五个铅笔字。我又瞧那邮局的印章，是三月十一日，但发案的这一天已是十六日，可见这封信已经寄了五天。

我说："这朱小娟大概是个女子。"

霍桑道："是，也许就是死者的妻子。"

那老婆子已随着蒋桐焦走进尸室来，在近门处站住了。伊的脸上的恐怖颜色依旧没有消退。霍桑走近去向伊说话。

他说道："赵妈，你把你发现你主人死时的情形仔细些说给我听听。"

老妇从眼角不自主地向床上看了一看，颤声说："少爷上吊的时候，我不在屋中。"

"你到哪里去了？"

"我到外面去买东西，回来时才发现少爷的死状。"

"你出去买什么东西？"

"买印花税票。"

"买印花税票？有什么用？"

"我不知道。少爷叫我去买的。"

"他什么时候叫你去买的？"

"今天饭后两点钟光景，有一个客人来。他和少爷在外面客室中谈了好一会儿，少爷就拿出两角大洋来，叫我去买印花税票。"

"你出去时客人还在不在？"

"在的。可是等我买了印花税票回来，少爷已不在客室里面，客人也不见了。"

"唔，以后怎么样？"

"我叫了几声少爷，没有人答应。等到我走进房里一瞧，少爷已经死了！"

伊的眼睛又向床上瞥一下，立刻低下了头。蒋桐焦用有含意的眼光向霍桑瞧瞧。霍桑不理会，但继续问那老妇：

"你出去买印花税票时，那客人是什么样子？坐着还是站着？还是在做什么事？"

"我记得他坐在外面客室里，跟少爷谈话。"

霍桑静思了一下，又问道："你买印花税票可是就在八仙桥的邮局里？"

老妇点头道："是的。那里很远，我又走不快路，所以耽搁了好一会儿。"

霍桑自言自语道："不错，像你这样走路，一来一回，至少需得十五分钟。"

蒋桐焦忽插口道："对，在这十五分钟中，自然有不少事可以干啊！"

霍桑仍不理会，又继续问道："赵妈，那个客人你可认识？"

老妇道："认识的，他叫杨先生，是个黑苍苍的麻子，三十多岁，就在尚贤学校里教书。"

霍桑道："他们当时有没有争吵过？"

老婆子摇头道："没有，杨先生不时到这里来。他们见了面总很客气，今天也是这样。"

"今天除了这杨先生以外，可还有别人来过？"

"没有，只有他一个人。"

蒋桐焦忽又按捺不住，从旁插口道："这个姓杨的名字叫子功。我也认识他。他和陈玉麟也是很交好的！"

他的声浪很兴奋，他用眼角又向霍桑瞟了一瞟，似乎暗示这杨子功就是受了玉麟唆使而实际动手的凶手。霍桑却像没有看见，又自顾自问那老妇：

"这几天中你主人可曾和别的人有争吵的事情？"

"唔，有的。大前天老太爷来吵过一次，少爷也大发脾气。"

"还有别的人吗？"

"没有。"

"那么你主人和主母之间可曾有什么口角？"

"没有，少奶已经出去了七八天光景。"

"你可知道伊到哪里去的？"

"我不知道……不过……"伊的话声顿住了。

霍桑催促道："说啊，不过什么？"

老妇吞吐道："不过我想起来，少奶总是回娘家去的。"

霍桑略一沉吟，又问道："在你主母没有出去以前，可也有吵闹的事？"

老妇疑滞地说："吵闹是常有的。近来少奶的脾气好像更坏了，常常寻事生气。可是少爷总忍耐着，有时耐不住，也回几句口。"

"你可知道他们为什么事吵闹？"

"这个我不大清楚，也不一定。有时候好像为的是钱。"

霍桑点点头，又问："你的主母姓什么？"

老妇又迟疑道："我也不知道，但少爷常叫少奶九妹——"

蒋桐焦又接口道："霍先生，我知道，不是叫九妹，一定是叫娟妹。因为伊叫朱小娟，从前在圣麦丽念过书。"

霍桑又点点头，忽走近桌旁，随手将那条剪断的用以缢死的带子取起来。

他又问老妇道："这条带子你可认识？是不是你家的？"

老婆子道："我早瞧过了，这是一条洋布的竹套，确是我家的东西，昨天我晒衣时还将它用过，用后随手放在房内，没有藏好。故而少爷上吊时，就顺便取用了。"

霍桑伸伸腰，回头向蒋桐焦道："大体的情形，我已经明白了。我认为我们此刻应得分头调查一下，才可以明白这件事的真相。那陈玉麟既然在患病的陈孟福家里，为什么还迟迟不来？我想就往孟福家里去见见他。蒋先生，你和包朗兄一同去问问那个杨子功，问明以后，到敝寓里会齐，再来商量解决这一件疑案。"

蒋桐焦连连点头赞同。那赵妈看见霍桑要走，忽又露出哀求的眼光：

"先生，我没有干……少爷……实在……"

霍桑忙摇摇手，婉声安慰老婆子，叫伊不要害怕。他又吩咐警署里派来的两个看守警士小心照料，等检察官来勘验，不要放闲人走动。他首先走到外面客室中去，正要向那垂头丧气坐着的姜氏辞别，忽有一个仆人模样的男子匆匆地奔进来。

他大声报告道："二少奶，大老爷死了！请你快去！"

一种证词

从恺士路往尚贤学校，距离原不很远。我和蒋桐焦步行往校里去瞧杨子功时，桐焦又和我谈起这件案子。他把临行时所得的孟福的凶信，做了他的见解的印证，他的意志越发坚决。

他说："包先生，这不是更显明了吗？那陈玉麟明知他的大伯父孟福的死期就在目前，便下这个迅雷不及掩耳的手段，先将晓光杀死，以便遗产不致落到晓光的手里，你想是不是？"

我这时还没有头绪，不敢下什么断语。

我但问道："你可知道玉麟平日的行为如何？"

蒋桐焦道："我虽不和他交识，但据晓光说，玉麟的品行很坏，故而平时弟兄间也不和睦。"

我微笑着说："但凭晓光的说话，似乎算不得凭据。我看你的贵友也不像是个怎样端谨的人，是不是？"

"晓光只是会花钱，别的没有什么短处。他不会凭空说他的弟弟的坏话。"

"你不是说他们弟兄间是不大和睦的吗？不和睦就容易说坏话了啊。"

桐焦仍固执地说："不！我还有一个根据！"

"什么？"

"我知道玉麟在一个小学里当教员，所入不敷所出，经济上当然也很紧迫。因财起意，不是很可能的吗？"

我又微笑道："据你的眼光，似乎那主谋的凶手一定是陈玉麟，已经丝毫没有疑义，是不是？"

"是，我确信是他。"

"慢。你得知道世界上的事往往变幻百出，事实的结果常常会和推想相反。我们经历得多了。"

蒋桐焦仍坚持说："不，我确信是他。并且他的妻子刚才一口说定晓光自杀，这分明是情虚掩饰。包先生，你怎么还不同意？"

我不答，又微微笑了一笑。

他问道："包先生，你的意思怎么样？你难道还以为有别的凶手？"

我答道："我并没有成见。若说意外的凶手也难保没有。譬如晓光生平或有什么仇人；并且他的妻子忽然离去，至今不回来，也许另有什么特殊的原因。这种种都不能不注意到。"

蒋桐焦略等一等，忽皱眉道："我们如果从这些枝枝节节的线路上着想，凭空无据，未免要走到歧路上去了。"

我觉得他的成见很深，便默然不答。

一会儿我们已到尚贤学校的会客室，找到了那个杨子功。杨子功的状貌和善，虽苍黑一些，不像是个凶恶人。他听得我们去打听陈晓光的事，也没有惊惧的神色。我只假说晓光忽然失踪，他这几天曾否见过。杨子功诧异之余，竟直言不讳。

他说："什么？晓光会失踪？今天下午我还和他在他的家里会过面。"

我问道："你去见他有什么事？"

杨子功迟疑了一下，才答道："这事我似乎不应向外人说。"

我说："杨先生，这一着很有关系，我看你还是实说的好。"

他沉吟了一下，说："好。我是为着讨债去的。"

蒋桐焦听了这句话，又向我丢了一个眼色。

我又问道："他欠你多少？可曾还你？"

杨子功道："他欠我一千元，昨天本已到期。今天我去讨，他说没有钱，商量向我展期。我应允了。起初他本想展期三个月，另写一张借据，因为手边没有印花税票，他特地差他的女仆去购买。后来我想一想，我既然已经答应展期，期限又只三个月，彼此又属至好，何必多费手续？故而我提议就在旧借据上注明两句，不必另写。"他从衣袋中摸出一本日记册来："借据还在我身边哩。请二位瞧瞧。"

我看那借据上果真有一行细注，墨迹还很新鲜。我觉得这杨某的说话既然完全符合，态度上又非常诚恳，显然没有可疑。我们的委托人的见解简直太主观了。

杨子功忽反问我道："晓光怎么会突然失踪？到底是什么一回事？"

我还没有回答，蒋桐焦忽抢着开口：

"老实说，晓光已被人谋死了。"

桐焦说这话时，眼睛盯在杨子功的脸上。杨子功却只有惊奇，没有恐怖。

他诧异道："什么？被人谋死了？谋死他的人是谁？可就是……"他说了半句，似乎觉得这话关系重要，便忍住不说出口。

我忙问道："你为什么不说？听你的语气，那个行凶的人，你是知道的，是不是？"

杨子功嗫嚅着说："我不知道。"

桐焦又抢着说："可是你刚才明明问到'可就是'——分明你已经知道有一个人是凶手！"

子功说："我不知道谁是凶手，但我临走的时候，看见一个人进去见晓光。"

我惊喜道："唉！还有一个人？你可认识他是谁？"

杨子功道："认识的，就是他的弟弟陈玉麟。"

桐焦忽而拍掌惊呼："哼！怎么样？我的推想不是证实了吗？"

这确是一个新的发现，不能怪桐焦这样子兴奋。因为在这重要的十五分钟中，玉麟忽然到过晓光家里去，显然和这件案子有些关系。我也感到惊异，但仍控制着不表露出来。

我止住他说："且慢。蒋先生，你得知道，事实常常会有偶然巧合的。我们还应当问一个仔细，不能这样子草率断定。"我又回头问杨子功道："杨先生，你是本来认识玉麟的吗？当时可曾认错？"

杨子功坚决地说："不，绝没有错误。那时晓光送我出门，玉麟刚走到门口，还和我打过招呼。"

"你看见玉麟走进晓光的家里去的？"

"是！"

"那么当你出来和玉麟进去的时候，可有旁的人瞧见？"

"没有。那时那老妈子已经出去买印花税票。屋子里除了晓光以外，没有别人。"

我想了一想，又问："你在老妈子出外以后，还留了多少时候才辞别出来？"

杨子功沉吟道："时候不多，有五六分钟光景。因为老婆子一出门以后，我就觉得另写借据，未免费时麻烦，就叫晓光在原据上注了几句。接着我也就告辞出来。"

杨子功对答如流，态度也很镇静，毫无疑惧之状，显见他和这凶案没有关系。但因这一问，那陈玉麟的嫌疑却越发加重了一层，起先还只有理论上的嫌疑，现在又加上了实际行凶的可能。所以当我们从尚贤学校出来的时候，桐焦已拟成一种坚决的理解。

他向我说："包先生，我的设想此刻已有了事实上的证据。你想，杨子功在赵妈出去以后五六分钟便辞去。据霍先生估量，赵妈出外，一来一回，至少要十五分钟。可见玉麟和晓光两个人在屋子里勾留了至少有十分钟。那时候玉麟乘间将晓光勒死，时间上不是绰绰有余吗？"

我想了一想，反问道："你认为玉麟往晓光家去时，他已预定了谋杀的意念吗？"

"这是当然的。"

"他既然是蓄意行凶，为什么不先备一条绳子作勒死之用，却用晓光自己家里的带子？"

桐焦顿了一顿，答道："我认为勒死晓光的绳子必另有一条，已被玉麟藏去了。那条竹套带子却是玉麟顺手取起，故意套在钩上，希望淆乱人家的视线，信作晓光是自己吊死的。你岂不见那带子的长短和缢死的情状不相符合吗？"

我答道："但据赵妈说，晓光是吊在那竹套带子上，伊剪断了带子放下来的。"

蒋桐焦鼻子里哼了一声，说："这老婆子的话靠得住吗？你还相信伊？"

我不再和他申辩。因为情形既然严重，桐焦又抱定一种理解，我若空口辩论，绝不会使他顺服。于是我陪着他一同回到爱文路寓里，预备让霍桑来解决这一个难题。

谜团的抉破

我们到寓里时，天色渐渐地昏暗，已是六点三十五分。霍桑还没有回来。我请蒋桐焦在办公室中坐定，彼此抽纸烟消遣。我们等了一个钟头，仍不见霍桑回寓。蒋桐焦蹙眉咬唇地感到不耐。

他忽点头作悟解状道："我料陈玉麟也许已经畏罪逃走了，霍先生追寻不着，所以还不能回来。包先生，我打算往陈孟福家去探听一下，回头再来听霍先生的消息。"

我留不住他，只得听他去。不料蒋桐焦出去了还不到一刻钟工夫，霍桑已乘车回来了。

他一见我，问道："蒋桐焦已经走了吗？"

我应道："是的。他出去了不到一刻钟。"

霍桑点点头："我早料他如此。这个人不但自信心很强，遇事还躁急不耐。"

我道："他自信太深，近于固执，说话时只有他的意见，不容人家的参议。"我就把访问杨子功的经过和桐焦的见解说了一遍。

霍桑道："这固然是他的弱点，但他究竟还是一个好人。你想他对于死友的身后事竟肯这样出力奔走，在现在社会中能够找得出几个？"

霍桑回身坐在那张藤椅上，将两条腿伸一伸。电灯光照见他的面容非常疲乏。他随即摸出白金龙来，擦火烧着，闭着眼睛吸烟。

我暗想他奔波了这许久，对于这疑案不知有没有头绪。那陈玉麟究竟怎么样？霍桑已经见过他吗？这案子的内幕，他此刻已经查明了吗？种种疑问使我不能安于缄默。我正要开口，霍桑忽张开眼睛，吐出一口烟来。

他先说："包朗，你不是要我说明这案子的真相吗？我本想停一会儿，等蒋桐焦来了再说，可是我瞧你的颜色似乎急不能缓，是不是？"

我忙应道："是啊。你侦查的结果怎么样？有头绪没有？"

霍桑吸了一口烟，答道："何止头绪？这案子已经解决了！"

"什么？这样快？"

"也许比你所料想的还早些。老实说，在三小时前我早已明了这案子的真相。不过因着我们的委托人蒋桐焦的偏见，我不能不出去探访一回，以便解除他的疑团。"

"现在你已经完全明白了？"

"当然。"

"那么真凶是谁？听你的口气，不像是陈玉麟了。"

霍桑放下了烟，微笑道："当真不是。你姑且猜一猜，谁是凶手？"

我犹豫道："我认为晓光生前也许有什么仇人……"

霍桑摇摇手，瞧着我说："包朗，你走到歧路上去了！你的话恰正相反。晓光的死不是由于他的仇人，却是由于他的爱人！"

我疑惑道："他的爱人？可是他还有什么——"

霍桑忙接口道："你已经知道，晓光这时候举债亏累，差不多将要破产。但你想他怎么会到这个地步？"

我寻思了一下，答道："底细我虽不知道，但我瞧他屋子里的一切器物都很华贵，也未始不是浪费的一证。"

霍桑点头道："是啊。你的眼力还不错。晓光所以到这破产的境地，就在乎不自量力的铺张；而所以铺张浪费，无非要博他所心爱的人的欢心。"

"这样说，他的爱人就是他的妻子？"

"对。你总知道到眼前为止，圣麦丽是个极端洋化的女学校。它的学生是一向以奢侈著名的，十之六七都是无视国情而恣意享受的消费专家。她们所擅长的是弹钢琴、说英语、跳舞、唱歌和一切欧化的享用！晓光娶了这样一位夫人，经济实力既然追配不上，而又欲罢不能，结果自然只有死路一条！"

"什么？你可是说是他的妻子谋杀的？"

"你用谋杀的名词，未免太过火了些。晓光的死，他妻子虽是一个主因，但在法律上，这位朱小娟女士却不负什么罪名。"

"唔？什么意思？"

"因为晓光实在是自杀的。"

我不禁惊异道："喔，他当真是自杀的！你已得到了实际的证据？"

霍桑猛吸了几口烟，才仰面答道："当然。不过我所得到的证据，你也早已得到，似乎不应再问我。"

我呆住了不答。他还卖关子？还是要作弄我？幸而他吐出了一口烟，自动地解释下去。

他说："包朗，你可记得那条缢死的带子好似太长一些吗？当时我也疑了一疑。后来一想，那带子如果在脖颈上绕成一个圈子，不但两脚可以悬空，而且颈上的缢痕当然也要形成一个圆圈。不过这圆圈的痕迹，和被人勒死的仍然有不同。因为这样致死，那带子虽在脖颈上绕了两圈，第一圈果然完全交接，第二圈却只到耳后为止，斜向上去便成八字形。蒋桐焦只知其一不知其二，所以误认晓光是被勒死的。你得知道，这种一知半解的知识最可怕。幸亏我的头脑还相当冷静。蒋桐焦虽是我们的委托人，但我仍不受他的成见的支配。"

我恍然大悟道："唉！我当时因着尸状惨怖的缘故，没细瞧看，竟也误认作勒死。现在回想，我记得死者颈下的缢痕，分明比带子粗阔些，但当时却想不到就因着被带子绕过两圈的缘故。"

霍桑点头道："这就是你的视察还欠周密。你总知道勘案不能有成见，若因印象太恐怖而草率从事，更是要不得。当时我也是查验了两次，方才确定自缢的推理。这样的吊法最厉害，等到椅子被踢倒，身体悬空，不消两三分钟工夫就可以气绝丧命，再也不容易解救。从这一着上推测，也可见陈晓光死志的坚决。"

"但你说他所以寻死，是因着他妻子的缘故。这又怎么解释？"

"这里面有一段小小的历史，我可以简括说几句。他们俩当初原是自由结合的。那时彼此的恋爱热度，若在寒暑表上计量，势必要超过沸点以上。所以晓光不顾众议，向他的父亲要索了一笔婚费，就离开老家，组织他们的自由家庭。他为着博取他妻子的欢心尽力铺张，他的每月五十元的薪水当然不够，因此就不得不举债。当时晓光沉浸在爱河深处，毫不在意。可是爱的性质，固定的成分少，流动的成分多，尤其是掺杂物质因素的爱的变动性更大；它的浓度往往会因着环境的影响而发生变动——真像寒暑表受了气温的影响而升降的一般。所以最后的结果，落到了人财两空，晓光就不得不自杀了！"

"他的妻子已经与他离异了吗？"

"大概如此。我从邮局里得到了朱小娟母家的住址——在南阳路十七号大厦里——亲自到那里去走过一趟。小娟的父亲是个洋行买办，虽已故世，却遗下了不少财产，所以小娟从小就娇养惯的。据伊的母亲说，小娟在一星期前回家，过了一天便出去，至今不知伊的去向。所以陈晓光虽然接连去了三封信，都由伊的母亲收下，不能答复。从这三封信上，我才推想到他们俩从前的状况。那晓光写的最后一封挂号信，措辞最恳切，并且已微微显露他的死志。我现在念几句给你听，这几句是最可怜的：'……娟妹，请你谅解我。我不是干犯你的自由，但须知你的去留实在关系我的生死。你难道没有一些怜悯心吗？你当初也曾说过，最高度的爱是超乎物质范畴的。我现在的处境，物质上虽不能使你处处适意满足，但究竟还没有绝望。你知道我的嗣父病势已危险，我早晚就可以承袭他的遗产。那时候当然可以恢复我们从前的舒适生活，无论你要什么，我一定可以教你满足。娟妹，请你回心转意，不要斩绝我这一线生机吧……'

"包朗，你但把这几句话玩索一番，他们离别的情由，大概就不难推想而知了吧？"

"那么晓光因着没有得到他的妻子的回信，就因绝望而自尽吗？"

"是，这是一个主因。但他所以今天就死，却另有一个引线和诱因。"

"什么诱因？"

"就是他的弟弟玉麟。"

"这样说，陈玉麟究竟是有些关系的？"

"不是。你别误会。他并没有直接关系，只送了一个消息给晓光，晓光才决心自杀。"

我疑惑地说："奇怪。这又是个什么样的消息？"

霍桑微微叹一口气："玉麟本在孟福家里侍奉。今天孟福的病势加剧了。他告诉玉麟，他已将遗嘱更改，遗产不传给晓光，却改给了玉麟。玉麟虽当个小学教员，人倒是清高敦厚的。他一听得这个变更，就赶到晓光家里去，把这个消息告诉他———则以便晓光乘孟福未死，如果亲自去悔过认错，也许还有挽回的希望；二则玉麟自明心迹，孟福的改变遗嘱，他并没有参与，而且是出乎他的意料的。谁知晓光一听，当时几乎发疯。他一定是觉得人财两空，没有了希望，等到玉麟一去，他也就决心自杀了。"

我默默地思忖，有这一层，事实上果真已完全符合，先前的许多疑团，此刻一个个都已被抉破。

一会儿，我又问道："但玉麟所说孟福改变遗嘱，他没有参议，你想这句话也可信吗？"

霍桑应道："可信的。我和玉麟谈过好一会儿，觉得他确是一个人格高尚的男子。孟福所以改变遗嘱，无非因着晓光挥霍浪费，一意孤行，而且不听劝告，连父亲的训诫都置之脑后，故而愤怒出此。晓光不知反省，却一直错怨他的弟弟，以为玉麟常在背后进谗和唆使。其实玉麟也曾向晓光进过几次忠告，劝他节制一些。但晓光为热爱所惑，真像失了知觉一般，莫说听从，却反而怪怨他。西谚说的'恋爱者是盲子'这句话真不错啊！"

我叹息了一会儿，又想起一件事：

"霍桑，我还有一个疑问不能够解释。陈晓光既是自尽的，临死时当然不会喊什么'救命'。怎么那鹦鹉却会叫起'救命'来？"

霍桑一听，忽皱紧了眉毛，说："唉！这一着当时确曾困过我的脑筋，险些迷乱我的眼睛。我再三细辨那啼声，也觉得是叫'救命'。可是这是和我所发现的实证冲突的。后来赵妈告诉我，晓光平日叫他的夫人'九妹'；蒋桐焦又纠正伊，确定是'娟妹'。这已足够给我启示了。可是我的脑子太笨拙，还不能触发联想！直到我在朱家发现了晓光所写的几封信，看见信上写着的称呼，方始醒悟过来，打破了这个谜团。我们实在是误会的。"

"怎样误会？"

"你但把这'娟妹'两个字叫得拖长一些，就可以明白。"

我果真依言试了几遍，那谐音很使我惊喜。

我说："喔，'救命'的声音实在是'娟妹'的误会！"

"对，晓光临死时，大概还忘不掉他的妻子，高声大叫了几声'娟妹'，然后上吊。这声浪既然特异，传进了鹦鹉的耳官，就被它学会了。我们因着声音的谐近，就误会作'救命'，说破了真可发笑。"

我回想当初的误会，真不禁要笑出来。略停一停，我又提出一个疑问：

"霍桑，那个朱小娟，你想伊为什么竟决然舍去？莫非——"

霍桑忽把他夹着纸烟的手急急地摇着："谁知道？你别再多问！"

"你虽不知道，但不妨推想一下。"

霍桑立起来，叹一口气："这样一个女人，我实在不愿再让伊存留在我的脑海中！但我祝伊的前途幸运，永远可以满足伊的称心如意的享乐！"

铃铃铃！……铃铃铃！……

电话的铃声突然大震。三分钟后，霍桑又接得了电话中的消息。

他说："这是陈玉麟打来的。他说他此番承袭遗产，出乎意料。现在他愿意将产额的总数均分为三：一份充作善举；一份分给死兄晓光，以便料理他生前的债务；其余一份归他自己享受。这一着少停我们应当报告蒋桐焦。我想他不久就要来听消息了。"